国家出版基金项目
NATIONAL PUBLICATION FOUNDATION

“十四五”国家重点图书出版规划项目
国家出版基金资助项目

中国德育研究大系

德育评价研究

总 主 编 | 檀传宝

本册著者 | 孙彩平 王惠颖 李占彪 张峰峰

長江出版傳媒 | 湖北教育出版社

图书在版编目（CIP）数据

德育评价研究 / 孙彩平等著. -- 武汉 : 湖北教育出版社, 2023.12
（中国德育研究大系）
ISBN 978-7-5564-5983-4

Ⅰ. ①德… Ⅱ. ①孙… Ⅲ. ①德育－评价－研究
Ⅳ. ①G41

中国国家版本馆CIP数据核字(2023)第189948号

ZHONGGUO DEYU YANJIU DAXI · DEYU PINGJIA YANJIU

中国德育研究大系 · 德育评价研究

出品人	方　平				
责任编辑	许　梅	责任校对	李庆华	封面设计	荆棘设计
版式设计	刘静文	责任督印	刘牧原		

出版发行	长江出版传媒	430070　武汉市雄楚大道 268 号
	湖北教育出版社	430070　武汉市雄楚大道 268 号
经　销	新华书店	
网　址	http://www.hbedup.com	
印　刷	湖北新华印务有限公司	
地　址	武汉市硚口区长风路 31 号	
开　本	710mm×1000mm　1/16	
印　张	24	
字　数	328 千字	
版　次	2023 年 12 月第 1 版	
印　次	2023 年 12 月第 1 次印刷	
书　号	ISBN 978-7-5564-5983-4	
定　价	128.00 元	

总　序

重视道德教化、以伦理组织社会，是中国传统文化的显著特点。[①] 新中国成立后，中国共产党继承并发扬了这一优良传统，先后提出了“德育为首”[②]“德育为先”[③] 等命题，并从“落实立德树人根本任务”[④] 的战略高度来定位德育的崇高地位和神圣使命。这既为中国当代德育研究提供了良好的政治条件和社会氛围，也对德育研究提出了迫切的期望和最高的要求。

不同于古代的经验型教育，包括德育在内的现代教育早已是一种以科学研究为基础的专业性实践活动。而德育研究作为一种严肃的学术活动，其目的正在于揭示德育问题、探寻德育规律、建构德育理论，从而引领德育实践。中华人民共和国成立以来，我国德育研究直面社会现实需要，关怀学校德育实践，取得了许多重要成就。70 余年的当代中国德育研究大致经历了批判化改造、灾难性停滞、科学化探索、人性化追求和本土化建构五个不同历史阶段。总体上看，中国德育研究不断拓展研究领域，不断深

---

① 梁漱溟 . 中国文化要义［M］. 上海 : 上海人民出版社 , 2005 : 20 − 21.

② 江泽民 . 在庆祝中华人民共和国成立四十周年大会上的讲话［J］. 党建研究 , 1989 (8) : 2 − 12.

③ 教育部关于整体规划大中小学德育体系的意见［J］. 中华人民共和国教育部公报 , 2005 (6) : 25 − 29.

④ 习近平 . 决胜全面建成小康社会 夺取新时代中国特色社会主义伟大胜利［M］. 北京 : 人民出版社 , 2017 : 45.

化研究主题，已经初步建立了富有中国特色和时代精神的德育理论体系。

一、新中国德育研究不断发展的历史脉络

中国很早就有礼仪之邦的美名。在传统中国社会，道德、政治、教育三位一体，相互为用。几千年的中华文明史，伦理道德、道德教育或道德教化占据了相当重要的位置。

辛亥革命推翻清朝专制统治建立中华民国之后，国人开始了建立新道德的伦理努力和教育尝试。共和国的主体是公民，而公民需要相应的公民道德,公民教育因而是民主政治制度建立的基石。五四运动在呼唤“德先生”（DEMOCRACY）、“赛先生”（SCIENCE）的同时，也没有忘记还有一位“莫先生”（MORALITY）。中国共产党的创始人之一陈独秀先生就曾指出，只有伦理的觉悟才是最后的觉悟。在此背景下，民国时期的德育研究有一定程度的开展，出版了不少著作。① 同一时期高校的教育系，也开设了德育原理（训导原理）等课程。有论者据此认为，现代德育论开始在中国建立起来。②

随着 1949 年中华人民共和国成立，中国政治、教育、教育研究都进入了新的时代。③ 社会主义制度的建立，在根本性质与根本方向上提出了告别传统道德、传统德育的新要求，理所当然地要求建立自己的德育理论与德育体系。迄今为止，新中国德育研究历经风风雨雨 70 多年，大体以 1978 年改革开放为界，分为“前三十年”和“改革开放四十年”两个大的

① 主要有：蒋拙诚．道德教育论［M］．上海：商务印书馆，1920；吴俊升．德育原理［M］．上海：商务印书馆，1935；姜琦．德育原理［M］．重庆：柏庵书屋，1944．

② 檀传宝．学校道德教育原理［M］．北京：教育科学出版社，2000：16；郑金洲，瞿葆奎．中国教育学百年［M］．北京：教育科学出版社，2002：288．

③ 陈元晖．中国教育学七十年［J］．北京师范大学学报，1991（5）：52 – 94．

历史时期。若进一步细分，则有五个重要历史阶段：批判化改造（1949—1966 年）、灾难性停滞（1966—1976 年）、科学化探索（20 世纪 70 年代末至 80 年代）、人性化追求（20 世纪 90 年代）和本土化建构（2000 年至今）。

（一）德育研究的批判化改造（1949—1966 年）

1949 年，新中国成立。中华人民共和国，这个新生的人民政权、社会主义国家，在根本性质上与封建专制社会、资本主义社会存在本质差别。这从根本上决定了必须对那个半殖民地半封建的旧中国进行脱胎换骨的改造。新生的人民政权、新中国的领导人也从不避讳这一点。毛泽东在《论人民民主专政》中明确指出要对反动阶级实行专政，即强制性改造；对人民则用民主的方法，进行教育和改造。[①] 在这样的历史背景下，新中国要建立自己的德育理论与德育体系，首要任务就是改造旧的教育体系，特别是改造旧思想。1949 年 12 月，教育部召开了第一次全国教育工作会议，讨论新中国的教育方针和对旧教育进行改造的问题，强调“把改造思想作为理论学习的直接目的”[②]。

那么，用什么来改造？改造的底气从何而来？

当然是用社会主义思想来改造，用马列主义毛泽东思想来改造。教育的目的是“以社会主义思想教育学生，培养他们成为社会主义社会全面发展的成员”[③]。改造的底气来自共产党领导的中国革命的巨大成功。在大革命时期、土地革命时期、抗日战争时期、解放战争时期，只要是建立了新的革命政权的时期，就有新的道德标准产生，就把整个旧的风俗习惯基本上改变过来。正如徐特立所说：“中国在帝国主义和封建统治下的社会状

---

① 毛泽东选集：第四卷［M］. 北京：人民出版社，1991：1468－1482.

② 冯刚，沈壮海. 中华人民共和国学校德育编年史［M］. 北京：中国人民大学出版社，2010：5.

③ 中央人民政府政务院关于改进和发展中学教育的指示［J］. 人民教育，1954 (7)：16－17.

况总是土豪劣绅、土匪盗贼、流氓地痞等，横行乡里，民生不安，国家衰败……大革命，土地革命，到抗日的民族革命，凡是改变了社会关系的地区，即实行了减租减息平分土地以及发扬起广大人民民主的地区，于是社会习惯和个人道德也就来了历史上空前的大转变：犯法作乱的人，很少看见；烟赌盗贼，不禁自绝；以至夜不闭户，一切坏分子都变成劳动者。”[①] 这种新旧社会的巨变，新旧社会关系的巨变，带来了社会风气的根本好转，带来了个人脱胎换骨的改造。徐特立还对此进行了理论总结，即社会决定人的好坏、善恶。他强调，这种社会决定人性论是符合马克思主义的，因为马克思说“人的本质不是单个人所固有的抽象物”，而是“一切社会关系的总和”。[②]

德育改造的目的是弘扬共产主义道德，培养共产主义新人，根本方针就是学习苏联的共产主义道德教育。“学习苏联的教育理论和教育经验也是必要的和正确的，……是我们刚开始在全国建设社会主义的时期的必要步骤和有效的方法。”[③] 当时被介绍到中国的苏联的道德教育是这样的：一是对劳动采取共产主义的态度，即“劳动是一种荣誉的物事，是一种光荣的物事，是一种勇敢和英雄主义的物事”，而剥削阶级认为劳动是辛苦的、耻辱的；二是培养苏维埃爱国主义精神，即“爱祖国、爱人民、爱光荣的共产党及其领袖——列宁、斯大林，养成随时为祖国的幸福牺牲一切的精神”；三是集体主义的教育，“所谓集体，并不是许多同样的儿童一种简单的机械结合，而是儿童的各种活动建立在同志爱和友爱的基础上”。[④] 在“一边倒”的学习苏联的方针下，克鲁普斯卡娅、加里宁、凯洛夫等人的理论被介绍到中国，并风靡一时。

---

① 徐特立．论国民公德：上［J］．人民教育，1950 (3)：17 − 19.

② 马克思恩格斯选集：第一卷［M］．北京：人民出版社，2012：135.

③ 陈元晖．中国教育学七十年［J］．北京师范大学学报，1991 (5)：52 − 94.

④ 王雁冰．介绍“苏联的新道德教育”［J］．人民教育，1950 (4)：67 − 70.

在这一历史阶段，德育理论批判改造的对象主要有两个方面：一是彻底批判中国封建社会的传统道德。因为“无产阶级忠于祖国、忠于人民、忠于党、忠于社会主义事业的道德原则是‘从无产阶级斗争的利益中引伸出来的’”[①]。二是彻底批判以杜威为代表的西方资产阶级的德育思想。因为“杜威关于道德的理论，是帝国主义时期资产阶级用以确立善恶标准和规范人类行为的罪恶工具，是资产阶级统治人民思想意识的理论武器”[②]。“杜威关于道德教育的理论是荒谬而反动的。……是一些资本主义国家进行道德教育的指针；而且就我国而论，由于过去教育深受杜威的影响，……存在着杜威理论的残余毒素；所以对于杜威的道德教育论给以彻底的批判……”[③]

比德育理论、学术上的批判更为猛烈的是舆论上对思想界的批判浪潮。1951 年批判电影《武训传》,1954 年批判胡适,1955 年批判胡风反革命集团,1957 年反右派斗争,1963 年批判母爱教育。在一浪高过一浪的批判浪潮中，德育改造逐渐演变成德育领域的阶级斗争，从而为十年“文革”期间德育及其研究的灾难性停滞埋下了伏笔。

在批判旧世界的同时，也有许多建立共产主义、社会主义道德教育理论的努力。在对社会主义新道德以及中国特色教育路径的探究中，徐特立、王焕勋、黄济、胡守棻等一批教育研究者投入了道德教育的研究。1957 年出版的胡守棻编著的《中小学共产主义道德教育的内容和方法》，可以视为这种努力的突出代表。该书共分四章：第一章说明什么是道德（承认道德是人们共同生活及其行为的标准和规则，特别强调道德是社会意识形态之一），什么是共产主义道德（其阶级本质是工人阶级的道德，是从无产阶级斗争利益中引申出来的，同时也代表着全体劳动人民的利益，“它是

① 阎长贵．必须坚决摒弃封建道德：从忠孝谈起［J］．哲学研究，1963 (6)：16 − 25 + 15.

② 滕大春．批判杜威的道德论［J］．哲学研究，1957 (4)：60 − 72.

③ 滕大春．批判杜威关于道德教育的理论［J］．河北天津师范学院学报，1957 (1)：1 − 11.

人类历史上最高类型的道德”“它是未来全人类的道德”①)，共产主义道德教育的意义和任务是什么。第二章介绍中小学共产主义道德教育的内容(爱国主义、国际主义、爱劳动和公共财物、自觉纪律、集体主义精神、坚强意志与性格)。第三章讲共产主义道德教育的方法。第四章说明各种道德教育的相互联系，以及如何创造性地运用道德教育方法。

(二)德育研究的灾难性停滞(1966—1976年)

1981年党的十一届六中全会通过的《关于建国以来党的若干历史问题的决议》明确指出，“实践证明，‘文化大革命’不是也不可能是任何意义上的革命或社会进步”，而是一场“给党、国家和各族人民带来严重灾难的内乱”。2021年《中共中央关于党的百年奋斗重大成就和历史经验的决议》也明确指出，十年内乱“使党、国家、人民遭到新中国成立以来最严重的挫折和损失，教训极其惨痛”。

由于德育所具有的突出的特殊性，“文化大革命”对新中国的德育事业来说当然更是灾难，学校教育饱受摧残，德育完全沦为“阶级斗争”的简单工具。正如有研究者指出的那样：无情批判、战斗的“革命道德”取代了讲究温良恭俭让的传统道德；人与人之间关爱、诚信、友善等千古流传的道德准则被推翻，团结友爱、助人为乐和勤勤恳恳为人民服务的美德，被斥为缺少阶级观念；公正无私、实事求是、诚实正直的德行，被诬为缺乏革命斗争精神；学校德育对学生提出的那些道德要求，诸如礼貌谦虚、尊长爱幼、遵纪守法及文明行为等，不仅被认为是无关痛痒的“小德”，而且被指为“资产阶级之德”“修正主义之德”。②

这一时期德育的一个突出特点是否定个性、否定独立思考，反对个人

① 胡守棻.中小学共产主义道德教育的内容和方法[M].上海:新知识出版社，1957:7.

② 蒋制心，张嘉馥.德育概念运用上的混乱应该结束[J].兰州学刊，1980(3):89－91＋96.

奋斗，倡导禁欲主义。青少年在思想汇报或介绍学习“毛选”的心得体会时，都以自己个人的情感、需要和利益为鞭挞的内容，主张“灵魂深处爆发革命”“狠斗私字一闪念”,把“无欲”“无我”奉为至高的道德大加宣传。[①]奉行没有“小我”的禁欲主义道德原则被认为是无产阶级道德的本质特点。由于个人的合理利益被完全否定，极端的国家第一、集体至上的观点泯灭了青年一代的主体意识，个人的独立思考被全然否定。

憎恨教育、斗争教育、禁欲教育造成了教育的非人性化。德育事业也因此遭到了严重的破坏。这表现在：其一，师生关系严重扭曲。中国师道尊严的教育传统被推翻，学生在肉体上毒打老师、在精神上羞辱老师的案例层出不穷。有研究指出，中学教师受到的冲击比小学教师大，大部分批斗教师的事件发生在中学。[②]其二，阶级观点在学生群体之间制造了对立。家庭出身不同的学生、注重学习成绩的学生和追求政治积极的学生之间形成矛盾与对立。其三，在这样一种教育氛围中，学生们是非混淆。在教育与生活中，同情心不再被肯定，善良不再被肯定；无情被误认为革命的坚定性，野蛮被错看作革命者应有的勇敢。一种畸形的情感和道德观形成。

这一时期德育如果说有什么“理论成果”，那就是“阶级斗争德育论”的形成。其主要内容是：

第一，强调道德是阶级的道德，阶级性是道德的本质属性。在阶级对立的社会，“道德始终是阶级的道德”[③]。

第二，教育是为阶级斗争服务的，是阶级斗争的工具。“教育从来就是阶级斗争的工具，我们从不讳言我们的教育是无产阶级斗争的工具，必

---

① 孙少平.十年“文革”时期学校德育的实践特征及其异化[J].现代教育论丛，1998(6)：17－20＋16.

② 于珍.“文革”时期农村基础教育的面相：一项口述史的研究[J].中国校外教育，2014(21)：56＋87.

③ 畅广元.“知、仁、勇”是为“复礼”服务的反动道德[J].陕西师范大学学报(哲学社会科学版)，1974(1)：39－43.

须为无产阶级的政治服务。为了在与资产阶级争夺下一代的斗争中取得胜利，把儿童培养成为共产主义事业的接班人，我们就必须对他们加强无产阶级的阶级教育，抵制剥削阶级思想对他们的侵蚀。”①

第三，学校德育的根本任务是培养无产阶级道德，提高学生的社会主义觉悟。“学生社会主义觉悟的提高，共产主义道德的养成，无产阶级世界观的树立，主要是德育的任务。德育主要是以社会主义、共产主义思想来武装学生的头脑，培养学生的无产阶级的道德品质。”②

第四，学校德育的内容尽管有多个方面，但核心是阶级观点的教育。“归结起来，就是对学生进行马克思列宁主义、毛泽东思想的教育，使学生具有无产阶级的阶级观点、革命观点、群众观点、集体观点和劳动观点……核心就是阶级和阶级斗争的观点。”③

第五，阶级教育的具体内容：其一，使学生具有阶级和阶级斗争的基本认识；其二，让学生了解阶级斗争的历史；其三，使学生了解社会主义时期阶级斗争的实际，增加不断革命的思想；其四，让学生认识国际工人运动和民族解放斗争的情况；其五，教育学生学习、继承和发扬无产阶级的革命精神，培养革命的品质和作风；其六，帮助学生学习运用阶级观点和阶级分析的方法来观察问题，提高阶级觉悟。④

第六，阶级斗争一抓就灵，阶级斗争也是学校德育工作的好方法。由于现实生活中普遍存在着阶级斗争，一小撮阶级敌人企图腐蚀青少年，所以，“发现一条规律，就是学生的思想反复，总是同南京路上阶级斗争的风浪息息相关”⑤。总之，阶级斗争是一门主课，忆比教育（回忆旧社会的

---

① 曾尚友．掌握儿童特点，加强阶级教育［J］．江苏教育，1965 (2)：10 － 12.

② 何辛．学生阶级教育在德育中的地位和内容［J］．学术研究，1964 (1)：48 － 52.

③ 同②.

④ 同②.

⑤ 上海市培光中学党支部．毛主席哲学思想指导我们做好学生思想工作［N］．文汇报，1972 － 12 － 01.

苦难，对比新社会的成就与人民的幸福生活）是一种基本方法，参加现实的阶级斗争是基本途径，学习马列和毛主席著作是学校主导性的课程安排（低年级学习语录，中年级学习马列和毛主席的部分著作和章节，高年级通读《毛泽东选集》和马列部分著作），最终目的是把学生培养成为反修防修的战士。[①]

（三）德育研究的科学化探索（20世纪70年代末至80年代）

1976年，“文化大革命”结束。在经历了短暂的徘徊之后，党的十一届三中全会决定冲破长期的“左”的错误的严重束缚，把全党的工作重点和全国人民的注意力转移到社会主义现代化建设上来，由此导致了德育价值观的转折，即由德育“为阶级斗争服务”转变为德育“为社会主义现代化建设服务”[②]。

从教育学界来看，人们最初是通过否定“文革”、反思“文革”来寻找教育发展的方向的。潘懋元先生曾经谈到，“文革”结束后，我国教育界在反思时，提出要研究、探索教育规律，因为“文革”的教训就是不尊重教育规律。[③]理所当然地，要做好德育工作，就必须尊重德育规律，按德育规律办事。这就是当时理解的德育科学化的内涵。因此在德育理论界，对德育过程规律的探寻成为研究的热点。几乎所有的德育理论研究学者，

① 大寨大队党支部．加强党的领导，把学校办成无产阶级专政的工具［M］//瞿葆奎．教育学文集·德育．北京：人民教育出版社，1989：352－359.

② 鲁洁，班华．德育理论在科学化轨道上前进［J］．教育研究，1988（12）：6.

③ 潘懋元．对高等教育若干问题的思考［J］．西北工业大学学报（社会科学版），2018（2）：26－30.

如鲁洁[1]、班华[2]、郭文安[3]、李道仁[4]、涂光辉[5]等都先后参与了德育过程规律的研究，仅《教育研究》就先后发表了30余篇相关论文。由此，德育过程规律研究成为改革开放之后我国德育理论研究的第一个高峰，研究内容涵盖德育过程的概念、本质、特点、结构、要素、基本矛盾，中国古代的德育过程思想，苏联的德育过程理论等，特别是把德育过程与人的思想品德形成过程区分开来，把有目的的德育影响与自发的社会影响区别开来。

从目前已有的总结反思改革开放初期德育研究的著述来看，改革开放初期对德育过程理论研究的意义与价值被大大低估了。总体上看，这一研究表达了尊重德育规律、追求德育科学的雄心；表达了不甘心智育第一、德育第二的现实窘境；与当时的学科制度化活动相互促进，促使德育原理成为一门独立的学科（以1989年胡守棻主编的高等院校教材《德育原理》出版为标志）。当时所研究的问题，事实上奠定了德育学科的理论基础，引发了对德育本质、德育功能、德育人性化的研究，具有建构独立的德育学科的建设性价值，并具有德育原理的奠基性价值。

当然，这一阶段德育研究的主题还包括德育与个性发展、德育目标的依据与层次性、德育内容序列化、德育方法科学化等。

---

① 鲁洁．德育过程初探［J］．教育研究，1981 (2) : 56 − 60；鲁洁．试评我国古代教育家有关德育过程的论述［J］．南京师大学报（社会科学版），1980 (3) : 21 − 25.

② 班华．思想品德教育过程［J］．教育研究，1980 (3) : 78 − 83.

③ 郭文安．试论青少年学生的德育过程［C］//北京师范大学教育系资料室．德育过程论文选编，1983 : 23 − 40.

④ 李道仁．试析德育过程的基本规律［J］．教育研究与实验，1984 (1) : 32 − 38.

⑤ 涂光辉．试论德育过程的基本规律［J］．湖南师院学报（哲学社会科学版），1984 (3) : 8 − 12.

（四）德育研究的人性化追求（20 世纪 90 年代）

以人为本是教育的基本逻辑。鲁洁曾经指出："总结……近 10 年来（1988—1998 年——作者注）德育理论的发展，便会发现一个明显的趋势，那就是一方面德育理论继续在科学化的轨道上前进，另一方面表现出人性化倾向，而且二者正在逐渐走向整合。"① 班华也曾撰文论述了新世纪德育的人性化走向。②

20 世纪 90 年代，德育研究在科学化探索之后，之所以出现人性化的追求，原因是多方面的。

第一，源于从计划经济向市场经济或者商品经济转型所带来的冲击，中国人的人格要求由计划经济下的单位人、被动人、集体人，转向主体人、自由人等。③ 这是现实生活的需要，是最根本的需要。学术研究的转向是对这种社会现实和社会实践的表达和回应。

第二，源于德育理论界对道德、道德教育本质与功能的创新性认识。鲁洁提出，"道德教育是一种超越"，"道德教育不是对现实的行为与关系的复制与重现，而是按照某种超越于现实的道德理想去塑造与培养人，促使人去追求一种理想的精神境界与行为方式"。④ 道德不全部是、不纯粹是规定、限制人自己的力量，也是人探索、认识、肯定、发展和创造自己的力量。

第三，源于思想界和学术界关于人道主义的论争，使人和人的主体性成为哲学的主题。人性化是对教育的本质、人的本质认识的提升，是对把

① 王啸，鲁洁．德育理论：走向科学化和人性化的整合［J］．中国教育学刊，1999 (3)：17－21.

② 班华．德育理念与德育改革：新世纪德育人性化走向［J］．南京师大学报（社会科学版），2002 (4)：73－80.

③ 同①.

④ 鲁洁．道德教育：一种超越［J］．中国教育学刊，1994 (6)：2－8.

人的本质完全归结于阶级性，把个人完全看作社会的工具、集体的工具的阶级人性论的反对。

因而，在这个时期，“人是主体”的教育思想得以确立，主体性德育思想应运而生。主体性德育认为道德教育应以培养学生主体性道德人格为目标，以人的内在需要为动力，把价值引导与自主建构相结合，在活动与交往中生成主体性道德人格。[①]

这个时期，不仅追求德育的人性化，同时也追求德育的现代化，二者相互交织。教育要现代化，德育也要现代化。[②]学者们批判指出了当时学校德育的低效及无效问题，试图在借鉴西方德育理论与德育实践的基础上勾画出现代德育的理想特征。鲁洁、王逢贤主编的《德育新论》（1994 年）、班华主编的《现代德育论》（1996 年）以及戚万学、杜时忠编著的《现代德育论》（1997 年）等著作或教材，均试图围绕现代德育构建、促进德育现代化的中心议题发力突围。而活动德育论[③]、情感德育论[④]、德育美学观[⑤]等当代中国德育理论的创新与建构也使中国德育研究开始呈现出百花齐放的局面。与此同时，在德育现代化话语的召唤下，西方道德教育的理论与

---

① 肖川 . 主体性道德人格教育［M］. 北京 : 北京师范大学出版社 , 2002 : 152 － 183.

② 班华 . 近十年来德育思想现代化的进展［J］. 教育研究 , 1999 (2) : 18 － 22.

③ 戚万学 . 活动道德教育论［M］. 南京 : 南京师范大学出版社 , 1994; 戚万学 . 活动道德教育模式的理论构想［J］. 教育研究 , 1999 (6) : 69 － 76.

④ 朱小蔓 . 情感教育论纲［M］. 南京 : 南京师范大学出版社 , 1993; 刘慧 , 朱小蔓 . 多元社会中学校道德教育 : 关注学生个体的生命世界［J］. 教育研究 , 2001 (9) : 8 － 12; 朱小蔓 . 情感德育论［M］. 北京 : 人民教育出版社 , 2005.

⑤ 檀传宝 . 德育美学观［M］. 太原 : 山西教育出版社 , 1996; 檀传宝 . 让德育成为美丽的风景 : 欣赏型德育模式的理念与操作［M］. 合肥 : 安徽教育出版社 , 2006; 檀传宝 . 美学是未来的教育学 : 德育世界的探寻［M］. 上海 : 华东师范大学出版社 , 2015.

实践，如道德认知发展理论[①]、价值澄清理论[②]、建构主义德育理论[③]等也被大量引介到中国，成为中国德育人性化、现代化理论与实践探究的思想资源与历史镜鉴。

（五）德育研究的本土化建构（2000 年至今）

经过 20 多年的改革开放，当历史的车轮跨入 21 世纪时，我国的经济、社会、教育、文化都发生了巨大的变化，德育理论也进入了一个多元化发展的新时期。这是因为：第一，德育理论经过科学化与人性化两个阶段的积累，已经有了比较深厚的基础。第二，世纪之交的基础教育改革为德育理论研究提供了难得的机遇与广阔的舞台（生活德育论大有用武之地）。第三，随着大量的、多样性的西方德育思想、德育理论的引进，我国德育理论研究也在不知不觉中融入了多元化的趋势。第四，社会转型的文化冲突、文化危机导致各种文化思潮的兴起，"这也直接影响了德育理论流派的产生与交替"[④]。

在这一时期，中国德育研究不断回应本土性需要，走上了本土化建构的道路。典型表现有三个方面：

第一，推进中华优秀传统文化研究。经过 20 世纪 80 年代、90 年代的理论储备，复兴中华优秀传统文化已经势不可挡，并从底层走向政策、从理论走向实践，成为主导学校德育的一股重要力量。研究者多认同中华优

---

① 郭本禹. 道德认知发展与道德教育：科尔伯格的理论与实践［M］. 福州：福建教育出版社，1999; 岑国桢. 吉利根对道德认知发展理论的修正［J］. 心理科学，1992 (4)：33 － 37 + 66.

② 冯增俊. 价值澄清德育理论述评［J］. 海南师院学报，1992 (3)：28 － 33 + 43.

③ 肖川. 建构主义学习观与学校德育［J］. 教育导刊，1998 (Z2)：36 － 37; 肖川. 建构主义与道德教育中的灌输［J］. 河北师范大学学报（教育科学版），1999 (4)：10 － 15.

④ 叶飞，檀传宝. 改革开放 30 年德育理论发展脉络探析［J］. 教育研究，2009 (1)：19 － 24 + 85.

秀传统文化是中国人的精神家园，在西方强势文化风靡世界的时候，必须要坚持走文化自主路线。[①] 有论者认为，2014 年教育部颁布《完善中华优秀传统文化教育指导纲要》，意味着中国的德育指导思想实现了结构性变革，即由 2010 年之前受马克思主义和社会主义道德一元指导的局面，调整为一种复合型建构性的德育指导方针。[②] 一些研究者致力于从传统文化中发掘现代道德教育的资源，探讨全球化进程中具有中国本土特色的道德教育。如认为传统道德可贵之处在于其强调精神，道德教育的中国形态应该是精神形态，而非西方的理性形态；强调伦理与天理良知相通，而非理智狡黠的算计。[③] 或认为传统"天人合一""仁民爱物"道德观可生发出现代生态道德教育思想。或认为传统道德蕴含丰富的生命教育意识、德性教育传统可资利用，可以将传统美德中的感恩教育、孝道教育、自强教育、责任教育作为突破口，开拓新德育。[④] 或主张在教育理论研究中，应以整体的、多视角的范式来实现对中国传统道德文化的多层次、立体式开发与利用，而非简单的、分割的碎片式继承。[⑤]

第二，加强社会主义核心价值观教育。社会主义核心价值观凝聚着社会价值共识，吸纳了世界先进思想，中华优秀传统文化是社会主义核心价值体系建构的前提与基础。社会主义核心价值观明确而完整地回答

① 鲁洁．应对全球化：提升文化自觉［J］．北京大学教育评论，2003 (1)：27－30.

② 张亚月．德育的历史性变革：从政治认同走向社会认同［J］．中国青年研究，2016 (8)：35－40.

③ 樊浩．道德教育的"'精神'形态"与"中国形态"［J］．教育研究，2013，34 (2)：44－53.

④ 沈建华．传统文化视角下青少年道德教育的活化和链接［J］．教育研究，2015，36 (11)：25－29＋48.

⑤ 易连云．传统道德教育研究的范式转换［J］．教育研究，2010，31 (4)：30－33.

了“教育之道”，表达了中国学校教育的价值立场。[①]对于教育来说就是要解决好学生的人生价值取向问题。培育和践行社会主义核心价值观需要从理论引领、舆论宣传、文化熏陶、实践养成和制度保障五个维度入手。[②]社会主义核心价值观应通过具体化、日常化、形象化和生动化的形式引导学生自觉认同。[③]社会主义核心价值观融入学校教育，应立足于优秀德育教材的开发、高水平师资队伍的建设、德育话语体系的合理转换及德育方式的多元创新。有论者指出，把社会主义核心价值观融入教材，要掌握三种逻辑，即知识逻辑、生活逻辑和教育逻辑，打通三个世界，即符号世界、意义世界和生活世界。[④]

第三，立足于中国学校德育实践场域的多种德育理论应运产生。20 世纪 80 年代以来，中国经济高速增长，取得了举世瞩目的经济奇迹。然而，也产生了环境污染、道德滑坡、贫富悬殊、官员腐败诸多问题。德育研究者们冷静审思伴随着现代化进程而泛滥的经济主义、唯科学主义、极端个人主义、工具理性至上及人类中心主义等谬误[⑤]，凸显生活、情感、生态、制度等过去被忽视、压抑或被边缘化的主题，由此形成了多种德育理论“百花齐放”的可喜局面。除了上一时期出现的活动德育论、情感德育论、德

① 杜时忠，曹树真. 社会主义核心价值观“进教材”的教育学探索[J]. 教育研究，2015，36 (9)：34－39.

② 王琰. 将社会主义核心价值观融入高校立德树人全过程的五个维度[J]. 思想理论教育导刊，2015 (1)：124－127.

③ 靳玉军. 论社会主义核心价值观教育的实践要求[J]. 教育研究，2014，35 (11)：4－7＋15.

④ 同①.

⑤ 鲁洁. 教育的返本归真：德育之根基所在[J]. 华东师范大学学报(教育科学版)，2001 (4)：1－6＋65.

育美学观继续活跃之外，这一时期新产生的主要德育理论有生活德育论①、公民教育论②、制度德育论③等。

综上所述，新中国成立以来，“前三十年”的德育研究伴随新民主主义革命胜利之后的喜悦与自信，力图改造旧道德、旧德育。它以革命者的姿态，否定中国传统道德文化与德育思想，否定西方近现代德育理论与德育模式，“一边倒”地学习苏联思想、政治与道德体系、教育经验与教育理论，也尝试在德育理论建构上追求中国特色。“文化大革命”期间，由于错误地估计了国内外形势，错误地坚持无产阶级专政条件下“继续革命”的理论，强调“阶级斗争”，最终导致学校德育沦为阶级斗争的工具，德育理论的发展也处于完全停滞的状态。

以改革开放为始的“后四十年”的学校德育研究，则在解放思想的旗帜下，乘改革开放的东风取得了重要进步。其重要原因，一是彻底反思、批判并否定错误的教育理论，二是大胆学习借鉴外国德育研究成果。反思与批判中，最根本的教训就是两条：一是不尊重教育规律；二是不尊重人，

---

① 鲁洁．德育课程的生活论转向：小学德育课程在观念上的变革［J］．华东师范大学学报（教育科学版），2005 (3)：9 － 16 + 37; 鲁洁．生活·道德·道德教育［J］．教育研究，2006 (10)：3 − 7; 高德胜．生活德育论［M］．北京：人民出版社，2005; 高德胜．生活德育简论［J］．教育研究与实验，2002 (3)：1 − 5 + 72.

② 檀传宝，等．公民教育引论：国际经验、历史变迁与中国公民教育的选择［M］．人民出版社，2011; 李萍，钟明华．公民教育：传统德育的历史转型［J］．教育研究，2002 (10)：66 − 69; 万明钢．论公民教育［J］．教育研究，2003 (9)：37 − 43.

③ 杜时忠．制度德性与制度德育［J］．教育研究与实验，2002 (1)：38 − 43; 刘超良．制度德育论［M］．武汉：湖北教育出版社，2007; 杜时忠．制度何以育德？［J］．华中师范大学学报（人文社会科学版），2012，51 (4)：126 − 131 + 4; 杜时忠．人文教育与制度德育［M］．合肥：安徽教育出版社，2013; 杜时忠，张敏．国家道德即德育［J］．教育研究与实验，2013 (1)：7 − 10; 张添翼，杜时忠．再论制度何以育德［J］．教育研究与实验，2018 (5)：12 − 15 + 25; 杜时忠．德育十讲：制度何以育德［M］．武汉：华中师范大学出版社，2019; 杜时忠，张添翼．三论制度何以育德［J］．教育学报，2020，16 (4)：20 − 29.

否定教育主体性。对前者的反思，产生了探索教育规律、德育规律，追求德育科学化的思潮，典型表现就是对德育过程规律的研究；对后者的反思，引燃了主体性教育、主体性德育思潮。大胆学习借鉴外国德育研究成果，则给德育研究带来了最新研究信息、理论想象力和世界眼光。当然，当代中国德育研究并不满足于反思过去，更期待未来，不仅借鉴，更追求创新。它既客观理性地批判，更热情洋溢地建设，那就是追求并建构现代化、科学化、人性化的德育理论，并在本土德育理论建构方面收获了累累硕果。毫无疑问，这四十来年是中国德育研究突飞猛进、全面进步的时期，是中国德育学术发展历史上最好的时期。

二、新中国德育研究的重要成就、局限与发展逻辑

新中国德育研究走过了 70 多年不平凡的历程，在思想产出、学科建设、人才培养、实践引领等方面都取得了显著成绩。德育研究获得了独立的学科地位，初步建立起具有明确研究对象、体现时代精神的德育理论体系。与此同时，德育研究也面临着十分严峻的时代挑战，存在着知识体系比较陈旧、研究方法比较单一、原创性成果十分稀少等亟待解决的问题。

（一）德育研究的重要成就

1. 德育研究获得了丰硕的理论成果

新中国成立以来，在 70 多年的理论探索中，不同思想的交锋让中国德育理论研究不断取得进步。在德育研究中实际上存在两种学术争鸣：一种表现为历史性的反思，另外一种表现为同一时期不同理论观点的竞争、交流，最终促成了百花齐放的繁荣局面。特别是 20 世纪 90 年代以来，中国德育研究在不长的时间内，围绕德育本质、德育功能，以及德育与个体、

德育与社会生活的关系等主题开展了有影响力的学术争鸣，彰显了德育研究的学术魅力，提升了德育研究的科学品质，提高了德育研究的学术声誉。

与学术争鸣相伴而生的，是我国德育研究在科学化、人性化论述上的新进展，先后出现了主体德育论、活动德育论、情感德育论、德育美学观、生活德育论、公民教育论、制度德育论等多种德育理论主张。它们从不同的视角出发，运用多种方法，对学校德育乃至社会道德现象和问题进行了深入的研究，各成一家之言，并以各自的方式力图影响和变革学校德育实践。它们深化了我们对德育的认识，丰富了德育理论体系，促进了德育研究的繁荣。

2. 德育研究取得了独立的学科地位

德育逐渐从教育学的一个研究领域，分化发展成为一个独立的二级学科。人们一般在两种意义上使用“学科”一词：一是依学问性质而划分的知识门类，如物理、化学等；二是学校教学的科目，如语文、数学等。无论在哪一意义上，德育科学研究，尤其是“德育原理”，都已经成为教育学体系中一门相对独立的重要分支学科。其主要理由有三：

首先，德育学科是关于德育的学术知识体系，既有明确的研究对象（德育现象或德育问题）[①]，也具备了相应的研究方法（虽无特有的研究方法，但社会科学常见、通用的方法或移植于其他学科的特色方法似乎足以支持德育学科的研究需要），还形成了自己的理论体系。

其次，德育学科是教育学科中的一类教学内容。在高等院校，特别是师范院校或者教育学院中，“德育原理”“德育论”或“德育学”是作为一门课程广泛开设的，德育学科作为一个教学科目是普遍的社会事实。

---

① 班华．略论德育论学科对象与任务的几个问题［J］．教育科学研究，2007 (4) : 5 － 9; 班建武．“十一五”期间德育学科发展的回顾与总结［J］．教育科学研究，2011 (7) : 67 － 75.

最后，德育原理内部，也正在形成一个可观的分支学科群，包含德育主体论①、德育过程论②、德育课程论③等，以及与其他学科交叉而产生的德育心理学④、德育社会学⑤等。这样，德育原理不仅从教育学母体中分化独立出来，而且成为一个拥有众多分支学科的独立学科群，其学科地位和学科特色日益彰显。

德育研究成为独立的学科体系的突出标志，是德育原理形成了相对完整的理论体系：一是思想观念体系，如道德是可教的，品德发展及道德教育是有规律可循的，德育的本质是一种超越，以道德的制度培养道德的人等；二是概念范畴体系，如道德、品德、德育，直接德育、间接德育、隐性课程意义上的德育，以及品德形成、德育过程、德育实效等；三是教材结构体系，目前已经相对稳定，大体分为“学科总论”“理论基础”“实践应用”等几大部分，具体展开为德育学科论、德育本质论、品德发展论、德育目的论、德育过程论、德育课程论、德育方法论、德育环境论、德育管理论、德育评价论、德育比较论等。

经过70多年的努力，我国建立了自己的德育理论体系。值得一提的是，这不是通过全盘否定中国传统德育文化和接受西方德育理论而实现的，而是更加理性地对待中国传统德育文化和世界先进德育理论。许多学者都主张要实现传统德育的创造性转化，包容、自信地借鉴国外德育理论，从单向度地盲从外国德育理论，到提出教育研究、德育研究的中国化，建立具有中国风格、中国气派的德育理论。

---

① 肖川．主体性道德人格教育［M］．北京：北京师范大学出版社，2002; 于光．德育主体论［M］．北京：中国社会科学出版社，2010.

② 范树成．德育过程论［M］．北京：中国社会科学出版社，2004.

③ 佘双好．现代德育课程论［M］．北京：中国社会科学出版社，2003.

④ 韩进之，王宪清．德育心理学概论［M］．上海：上海人民出版社，1986.

⑤ 鲁洁．德育社会学［M］．福州：福建教育出版社，1998.

3. 德育学科的社会建制逐渐完备

综合经典和现代学科分类理论，可以认为：一门学科的独立或成熟，两个方面标准或条件最为重要：一是专业化的知识建构，如明确的研究对象、行之有效的研究方法和严谨的理论体系；二是制度化的社会建制，如专门的研究机构、专业性的研究共同体、专业研究期刊，以及专门人才培养等。德育学科在制度化建设上从无到有、从弱到强，显示出德育研究得到了越来越多的社会支持和越来越高的社会认可。

70 多年来，中国德育研究共同体日益壮大（2017 年全国专业德育研究者有 70 人左右，关注德育研究的专业研究者约有 500 人[①]），不仅成立了全国性的德育论专业委员会（现为“全国德育学术委员会”）等专业学术团体，而且一些大学还建立了多个专门德育研究机构，如教育部人文社科重点研究基地南京师范大学道德教育研究所、北京师范大学公民与道德教育研究中心、华中师范大学道德教育研究所等，还出现了多种专业期刊，如《中国德育》《中小学德育》《班主任之友》《班主任研究》等。此外，在全国众多的教育学术刊物中，也有为数不少的德育栏目，发表大量的德育研究论文。在德育研究专业人才培养方面，我国从 20 世纪 80 年代开始招收硕士生、博士生，目前已经形成了一个由学士、硕士、博士和博士后构成的完整德育人才培养体系，目前在校研究生约为 1500 人。这既是德育学科兴旺发达的标志，更是德育学科持续发展的根本支撑。

4. 德育研究提升了对于德育实践的影响力

我国德育研究有强烈的实践取向，并体现出鲜明的时代特征。“直面社会现实、关怀德育实践，是 40 年来中国德育学科发展最重要的理论品格。

---

① 刘峻杉，平和光．知识生产视角下我国德育研究的特征与展望［J］．全球教育展望，2017，46 (9)：61 − 72 + 85.

从 20 世纪 80 年代对于基础道德重建的呼吁、世纪之交对于新世纪挑战的思考，到近年对于社会主义核心价值观教育、国际理解教育等议题的集中关注，中国德育理论工作者均及时回应了当代社会对于德育实践变革的迫切需要……”①

德育研究者积极参与国家德育决策，指导中小学德育改革。如主持修订义务教育阶段国家德育新课程标准、主编德育教材、开展学校德育诊断、推动教师德育专业化、通过大学与中小学合作（U–S 协同）推进学校德育深度变革等。在德育理论研究的推动之下，我国学校德育正在发生可喜的变化：由过度政治化的强制灌输式的德育逐步走向科学化、人性化、生活化的德育，由追求不食人间烟火的圣贤道德转变为追求社会正义和社会关怀的现代伦理，从封闭式德育走向开放性德育，从学校德育的教育孤岛走向学校、家庭、社会相互支持的合力德育。

（二）德育研究的现存局限

新中国德育 70 多年的发展，在取得长足进步的同时，也存在一些亟待突破的局限。这集中表现在：

1. 德育研究的学科视野相对封闭

道德现象与道德行为是复杂的，是多学科的研究对象。道德理论研究者往往强调道德是社会行为，忽略道德行为的多学科基础，导致对于哲学、伦理学的研究关注较多，而对生物学、心理学、人类学、社会学、经济学、政治学等相近学科关注较少，对于语言学、美学、艺术等跨学科领域对人类道德行为研究成果则更为陌生。一个明显的证据是，尽管对于哲学、伦理学的新进展相对敏感，但德育研究者也仍然未能敏锐地把握当前人文社

---

① 檀传宝，陈国清．改革开放 40 年我国德育学科建设的探索与进步［J］．中国教育学刊，2018（10）：28 － 34.

会科学研究范式的转换，对于道德哲学和伦理学、政治学研究中的权力批判和语言转向等还比较漠视。

权力批判的目的是要揭示道德与权力之间的联系，将道德从压制性的意识形态中剥离出来，以防权力借助道德之名畅通无阻。许多研究者批判道德专制与道德灌输，然而其批判的语言依然是大而化之的宏大叙事，未能深入地揭示与批判微观领域中权力运行规则，诸如借用道德之名所实施的隐蔽的性别偏见、歧视、压制以及不平等。哲学和伦理学研究的语言转向，强调思维必须通过语言符号体现，思想的内容受制于说话的方式。同样，研究道德教育问题必须依凭语言来进行，研究所用的概念不清会带来理论混乱。如有人支持道德的相对性，有人反对道德相对主义，有人赞扬消费文化的好处，有人批判消费主义的害处，但道德的相对性与道德相对主义、消费文化与消费主义之间的本质区别是什么，其界限该如何准确划分，则缺乏必要的语言学澄清。对语言缺乏审视，限制了理论研究者之间的对话与交流，使得许多德育理论研究无奈地成了研究者们的“自说自话”。

2. 德育研究的方法论基础相对薄弱

许多德育理论研究者仍然坚守着哲学思辨范式，尤其是受规范伦理学的影响，以直线性演绎逻辑为主，缺乏复杂性、动态性及整体性思维方式，德育研究的方法论基础相对薄弱。表现在：第一，大量研究直接套用哲学、伦理学、政治学的术语与理论来诠释德育问题，对于理论的教育适切性缺乏反思；第二，德育研究注重对道德规范进行合理性论证，轻视批判性思维的培育，也轻视个体道德内化的生成过程；第三，道德哲学—主体维度的研究偏重于道德认知，对于道德情感的研究则相对薄弱。①

此外，许多德育研究者往往忽视也窄化了实证研究，习惯于运用问卷

---

① 孙学功．道德情感研究综述［J］．哲学动态，1998 (1)：17 − 19.

调查去“处理”复杂的德育问题，而对于批判主义与诠释主义视角下的质性研究则相当陌生。与之相对，一些研究者已经用高质量的研究成果证明，质性研究的两种方法——人种志研究和扎根理论，都是可以较好地从经验中通过归纳来建构理论的方法，它们既保留了理论的系统性，又不阉割教育事实的丰富性。

3. 对重大现实问题缺乏道德审视

“道德教育是整个共同体的事业……进而，它对我们有双重意义。它指教育在某种程度上是道德的，所有计划和实施着的教育都努力将所有与道德相关的内容包括在内；它指这样一种教育，旨在提升受教育者的伦理理想，使得他们能够持续地与他人道德地相遇。”[①] 因此学校教育的伦理基础理应包括自由、公正、民主、关怀、幸福等基本道德价值。这些基本价值不仅是教育哲学、政治哲学的研究领域，更应是道德教育研究者思考的重大问题。德育理论研究有义务追问什么样的教育是道德的，如何以道德的方式培养道德的人，依循这个思路，道德教育研究者对现实的反思和批判力度是不够的。

在教育制度领域，道德教育研究者需要思考如何突破教育制度科层化、等级化、工具理性化的桎梏，将学校建设成为道德共同体以及民主生活共同体[②]；在教育政策领域，道德教育研究者应审视教育政策的正当性，审视政策制定的程序正义与实质正义[③]；在教育改革方面，道德教育研究者应批判反教

---

① 诺丁斯．关心：伦理和道德教育的女性路径［M］．武云斐，译．北京：北京大学出版社，2014.

② 金生鈜．为什么要塑造学校的道德文化：学校作为一个道德共同体的再道德化思考［J］．西北师大学报（社会科学版），2005 (4)：71 － 75.

③ 杜时忠，张添翼．教育制度和教育政策的伦理属性及其实现［J］．中国教育科学（中英文），2017 (4)：91 － 105.

育行为的伪改革，将教育的道德标准作为重要的维度纳入评价指标之中[①]。

此外，我国德育研究还存在一些“痼疾”。比如，不少研究者习惯于做当下教育政策的简单诠释，而损害了德育研究应有的科学品质，其结果是德育概念的大而不当、名实不符等问题至今悬而未决。依据我国学校教育的制度安排，德育的外延远远超出道德教育，不仅包含了政治、思想、道德、心理、法治五大内容，而且教育政策上强调的所有不属于智育、体育、美育的教育任务都会归于“德育”名下。为了迁就这一现实，德育原理教科书只好宣称我国的德育是“大德育”。然而在实际的德育研究中，无论是德育理论的建构、德育规律的阐述，还是德育过程的展开，以及学生品德发展规律的论述等，实质内容仍然主要是道德教育而没有包括政治教育、思想教育、心理教育和法治教育。[②]德育概念理解“守一而望多”[③]的原则落实，仍然任重道远。

（三）德育研究发展的学术逻辑

上述成绩与不足同时存在，其中原因值得深思。人文社会科学与研究物质世界、强调事实与规律的自然科学不同，有其自身的学术逻辑，即以人文世界、社会世界为研究对象，关注价值与意义，注重呼应时代精神、回应时代挑战，强调研究活动的社会历史和人文精神属性。德育研究本质上属于人文社会科学研究，有其内在的学术逻辑，有其内部独特的矛盾和困惑要去面对和解决。在学科信念上，是学科独立与学科依附之间的拉锯；在价值取向上，是集体主义与个人主义的博弈；在发展路径上，是西方化与本土化的此消彼长；在研究方法论上，是人文主义与科学主义的融合。

---

① 吴康宁．教育改革成功的基础［J］．教育研究，2012，33 (1)：24 － 31.

② 张忠华．论中国特色的德育概念之研究［J］．现代大学教育，2008 (3)：86 － 92 + 113.

③ 檀传宝．学校道德教育原理［M］．北京：教育科学出版社，2000：4 － 5; 檀传宝．德育原理［M］．北京：北京师范大学出版社，2017：4 － 5.

1. 德育研究的学科信念：学科独立与学科依附之间的拉锯

在教育学的众多二级学科之中，德育研究的政治从属性特别明显。这一特征可能与其研究对象的政治属性有着重要的关联。德育最突出的特点之一是深受政治影响，因为道德与政治之间具有千丝万缕、密不可分的亲缘关系，有的道德要求本身就是意识形态的要求。从理论上讲，道德教化、道德教育是政治实施的基石。[①] 在我国传统政治思想中，"修身"一直是"治国"与"平天下"的逻辑起点。今天，"培养什么样的人"依然是教育的核心问题，它决定道德教育的走向。因此，道德教育不应也不可能摆脱政治的影响。

然而，德育研究作为揭示德育问题、探索德育规律的科学活动，毕竟不能直接混同于政治上意识形态的宣传工作，不能满足于对现行政策的简单解释和论证。故如何保持学科的相对独立性，这成为道德教育学者们努力的一个重要方向。鲁洁曾经指出："……基础性的工作，就是努力把德育作为一门学问来研究它，既不是对党和政府的政策的诠释，也不是直观经验的描述。"[②]

改革开放以来，道德教育研究经历了三次重大的主题转换，其中对人的关切一直是不变的价值诉求与研究基点。[③] 德育研究者以其对人的关切、对人性的呼唤来建构学科的独立性，来促进学科的原创性。主体性德育、欣赏型德育、生活德育、情感德育、制度德育、公民教育等理论都是围绕着德育的现代化与人性化而进行理论建构的，它们响应了时代精神，试图将德育从政治的附庸变成为人的德育、属人的德育。尽管各自使用的术语

---

① 任剑涛．道德与中国传统政治的合法性［J］．华中师范大学学报（人文社会科学版），2005 (1)：27 − 34.

② 鲁洁．回望八十年：鲁洁教育口述史［M］．北京：教育科学出版社，2014：233.

③ 胡金木．改革开放以来道德教育研究主题的回顾分析［J］．江苏教育研究，2009 (4)：16 − 18.

不同，但它们的追求完全一致。第一，反对道德教育的专制化、唯知识化、唯理性化，希冀道德教育促进人的完整发展、促进人的美好生活；第二，德育理论研究更多地关注儿童，特别是儿童的解放，更多地借鉴现代道德心理学的研究成果，更多地关注儿童的道德发展与道德学习；第三，追求道德理性、道德自主和道德宽容，而反对道德强制、道德绑架和道德高压。

2. 德育研究的价值主线：集体主义与个人主义的博弈

中国德育研究面临的一个理论难题是在社会日趋多元的环境下，如何重构道德价值，并形成道德共识。新中国成立以后，共产主义、集体主义道德观实际上延续了中国传统伦理观中的整体主义（由家族血缘伦理转到集体组织伦理），如重义轻利、重群轻己的道德价值观。之后，集体主义教育在学校教育实践中产生了异化，否定了个人合理欲望及追求个人幸福之行为存在的价值。① 改革开放后，随着市场经济对个人利益的肯定、保障及刺激，义利关系发生了重大的变化与重组，即大众意识形态推崇义利并举，甚至重利轻义。这一过程持续了数十年，使得学校德育面临一个复杂的社会道德环境。社会主义核心价值观的提出，在某种意义上可以看作义利关系重组过程的阶段性完成，自此义利并重、群己和谐应该成为主导的价值观。

在义利关系和群己关系的转型中，道德价值观逐渐突破了传统价值观，走向多元。诺丁斯的关怀伦理的引入②，不仅符合中国重视人际关系的传统，而且其充满人性关怀的笔触也填补了康德、涂尔干、杜威理论中忽视个人情感的缺陷，成为教育理论的润滑剂。并且，诺丁斯所代表的女性主义伦理学，对过于注重理性与公正伦理的男性主义伦理学提出了挑战，引入了

---

① 杨建朝．从虚假到真实：集体主义教育反思［J］．教育学报，2011，7 (5)：41 － 47.

② 侯晶晶，朱小蔓．诺丁斯以关怀为核心的道德教育理论及其启示［J］．教育研究，2004 (3)：36 － 43; 孙彩平．在道德关系建构中生成德性：析诺丁斯道德教育的新理念［J］．比较教育研究，2003 (9)：6 － 10.

道德教育的性别视角，进一步推进了道德教育理论的多元化。21 世纪以来，随着社会发展不平衡矛盾的凸显，大众对社会公平的呼声渐高。在这种背景下，罗尔斯的社会正义理论产生了广泛的影响。[①] 至此，德育理论界基本达成了价值共识，即推崇康德式的道德自由与罗尔斯式的社会正义、涂尔干式的理性权威、杜威式的教育民主与诺丁斯式的教育关怀。自由、正义、理性、民主、关怀已经成为德育学者共同的价值追求，这与整个中国社会转型中的时代精神是相符合的。

3. 德育研究的路径选择：西方化与本土化的此消彼长

中国现代化进程包括现代教育发展中始终有一组基本的矛盾，即如何处理传统文化与现代文化之间的冲突，如何在东方文化与西方文化之间进行取舍。

自五四新文化运动直至整个 20 世纪 90 年代，传统文化都被视为落后文化、黑暗文化而被攻击、被批判。于是，教育现代化的目标一度是科学化与民主化，其过程是不断舍弃传统文化，不断学习、引进和复制西方文化教育。[②]21 世纪以来，随着经济全球化过程中民族主义的复兴、后现代哲学思想对西方中心主义和后殖民主义的挑战，世界各国的文化自觉与本土化需求变得越来越强烈和深刻，传统文化复兴成为必然的趋势。现代化不是西方化、一元化，而是本土化、多元化。这一趋势同样表现在德育理论研究中。德育理论研究者开始自觉地反思全球经济和信息一体化带来的价值多元与文化多元对道德教育的冲击[③]，批判现代化对人精神需求的漠

---

① 罗尔斯．正义论［M］．何怀宏，何包钢，廖申白，译．北京：社会科学出版社，1988；赵敦华，江立成．罗尔斯的正义说［J］．求索，1994 (2)：66 － 68；姚大志．罗尔斯正义理论的道德基础［J］．江海学刊，2002 (2)：37 － 42.

② 杨东平．艰难的日出：中国现代教育的 20 世纪［M］．上海：文汇出版社，2003：4.

③ 黄书光．全球化时代的学校德育思考［J］．思想·理论·教育，2002 (2)：3 － 7.

视，自觉地肩负起道德教育研究应承担的社会责任与文化使命。德育研究者业已形成的共识是：德育现代化必然立足于中国大地，必然包含传统文化教育的现代转型，也必然包含德育理论本土化的探索。[①] 当前对传统德育资源的挖掘，对优秀传统道德文化的重新阐述，对中国特色的德育理论的探索，均属于德育理论本土化的自觉尝试。

4. 德育研究的方法转换：人文主义与科学主义的融合

纵观中国德育研究的主题，经历了从学科本位、主义本位到问题本位的发展历程。20 世纪 80 年代，德育理论研究的重点是探索德育规律，推动学科独立。20 世纪 90 年代，德育理论大量借鉴西方哲学流派和社会思潮，同时，德育各分支学科也开始萌芽，如德育社会学、德育文化学等。及至 21 世纪，聚焦于德育问题的研究更多了，特别是关于德育实效、德育课程、德育改革等实践命题的研究，问题导向得到了前所未有的强调。

从学科本位、主义本位到问题本位，这一过程背后也体现了德育研究方法论的转换。学科本位、主义本位侧重于哲学思辨，主要的研究方法是逻辑演绎，即用某一哲学理论的视角来看德育问题，将其基本原理推至德育研究，其思维方式是整体的、人文的，关涉很多问题，并不聚焦于特别具体的教育实践问题。而以问题为本位的研究，则聚焦于一个个具体的德育问题的解决，常常不拘泥于教育学科，而是用多学科的视野来研究，从而凸显了德育研究的跨学科性质[②]；或者运用实证研究的方法对问题存在的频率、后果进行揭示，用定量研究方法尤其是以问卷法为主、访谈法为辅来揭示德育问题成为一种普遍的做法；或者用行动

① 易连云．全球共同利益视阈下的中小学德育课程改革思考［J］．教育学报，2018，14 (1)：45 − 50．

② 戚万学，唐爱民，韩笑．改革开放 40 年德育理论研究的主题及进展［J］．教育研究，2018，39 (10)：20 − 31．

研究来验证德育理论的效用，用质性研究方法对教育现象的精神意味做更深入、立体的揭示。总体看来，目前中国德育研究在方法论上正在努力超越简单的“主义”与“问题”的二元对峙，逐步走向人文主义与科学主义的深度融合。

以上，我们在回望70多年中国德育的发展历程的基础上，努力总结了中国德育研究的历史、成就与不足以及德育学术发展的基本逻辑。“缺什么，补什么。”这一历史的全面总结，尤其是现存局限的分析，其实已经构成了对未来中国德育研究发展应有趋势的严肃探讨。

当然，任何理论研究从来都不可能没有实体性研究对象或者研究的“质料”。对中国德育研究未来发展方向更为准确的把握，当然还需要从对于新时代中国社会的发展方向以及由这一方向所决定的中国德育发展的逻辑中去获得进一步的深入理解。也就是说，只有清晰了解新时代中国需要有什么样的德育，我们才能更为明晰也更为脚踏实地回答新时代中国德育研究应有的努力方向。

三、时代逻辑的转换与中国德育事业及德育研究应努力的方向

2017年，党的十九大宣布“中国特色社会主义进入新时代”，我国社会主要矛盾已经转化为“人民日益增长的美好生活需要和不平衡不充分的发展之间的矛盾”。[①] 与此相应，新时代的中国德育如何为切实解决“人民日益增长的美好生活需要和不平衡不充分的发展之间的矛盾”作出应有贡献？进一步说，依据新时代的发展逻辑，我们需要什么样的德育实践、德育研究？对于这些时代之问题作出全面、认真的回答，实乃新时代中国德

① 习近平．决胜全面建成小康社会　夺取新时代中国特色社会主义伟大胜利［M］．北京：人民出版社，2017：11.

育理论工作者必须承担的重要历史使命。

（一）新时代教育发展逻辑的重要转换

由于改革开放以来中国社会经济的长足发展，我们已经进入了一个“物质丰裕的时代”，而这无疑是新时代教育发展逻辑转换的物质基础。

我们可以 2019 年的经济发展指标为例。这一年，中国有两项发展指标特别具有划时代意义：一是人均 GDP 首次超过 1 万美元（国家统计局的数据显示，2019 年中国人均 GDP 达到 10276 美元①）；二是城乡居民平均恩格尔系数（居民食物支出占家庭生活总支出的比重）首次降到 30% 以下（国家统计局的数据显示，2019 年全国城乡居民平均恩格尔系数为 28.2%②）。

人均 GDP 首次超过 1 万美元、恩格尔系数首次降到 30% 以下，都是了不起的成就，但对于人民的幸福生活而言，平均恩格尔系数显然更为重要。这是因为国家、社会发展的终极目标都是人民生活的改善，而恩格尔系数所直接反映的，正是人民生活水平的高低。虽然横向比较，我们与发达国家尚有不小差距，现实发展的挑战甚多（如基尼系数居高不下），未来发展也未必会一直一帆风顺，但若纵向比较或做大历史的总体考察，我们仍然要承认一个基本的事实——中国已经进入了一个全新的历史发展阶段：几乎所有国民都摆脱了极端贫困、解决了温饱问题、实现了全面小康，国家在整体上已经进入了一个国民物质生活普遍较为富足的新时代——而这一点具有特别重要的历史意义。因为支持各项事业发展的经济基础日益雄厚，所以我们才有可能、有底气达成许多过去可能难以企及的成就。即便还存在教育质量有待提升等诸多挑战，我国教育事业已有长足的发展就

---

① 据《每日经济新闻》2020 年 1 月 17 日发表的文章，2019 年，中国人均 GDP 首破 1 万美元，GDP 总量与日、德、英、法四国之和大体相当。国家统计局 2022 年 2 月 28 日公布的《2021 年国民经济和社会发展统计公报》显示，2021 年中国人均 GDP 已经达到 80976 元，按当时的年均汇率折算为 12551 美元，已经超过世界平均线。

② 2019 年全国居民恩格尔系数 28.2%　连续 8 年下降[N]. 中国青年报，2020－01－22.

是不争的事实。我们再以 2019 年的数据为例。据有关部门的统计：2019 年，我国九年义务教育巩固率为 94.8%，义务教育普及程度达到世界高收入国家的平均水平；2019 年，我国高等教育毛入学率从 2000 年的 12.5% 提高到 51.6%[①]，高等教育在校学生总规模超过 4000 万人，实现了从大众化向普及化的历史性跨越，中国已建成世界上最大规模的高等教育体系[②]……这些成就，无疑都以改革开放以来国家综合国力大幅度提升从而能够有力支持教育事业的发展为基本前提。以国家对教育的投入为例，2012 年以来，国家财政性教育经费支出连年超越 GDP 的 4%，总规模以数万亿元计[③]。因此，我们完全可以预期，只要国家保持目前的发展势头，不断提升的经济实力、综合国力也必定会在未来支撑中国教育事业的进一步腾飞。

不过，“物质丰裕”的社会对人类发展，尤其是对教育事业的发展的挑战也是空前巨大的。中国教育事业发展从现在开始必须直面的挑战至少来自两个方面：一是教育需求类型的升级；二是社会人口结构的变化。

所谓教育需求类型的升级，指的就是无论受教育者（学生）还是教育者（教师），大家接受和从事教育的动机类型都已经悄然发生范型上的变化。受教育者，以后当然还会继续考虑教育的工具性价值（如获得文凭、找一份好工作），但越来越多的人会从过去接受教育的“饥饿逻辑”（如“跳农门”、找工作等）的控制中逐步摆脱出来，更多地关注通过教育去追求修身养性、实现人生梦想等教育的本体性价值。2020 年，湖南省一位贫困家

---

① 根据美国学者马丁·特罗的研究，以高等教育毛入学率为指标，可以将高等教育发展历程分为精英 (15% 以下)、大众 (15% 至 50%) 和普及 (50% 以上) 三个阶段，当高等教育毛入学率超过 50%，高等教育就进入了普及化阶段。

② 据《2019 年国民经济和社会发展统计公报》,2019 年我国九年义务教育巩固率达到 94.8%。据 2021 年全国教育事业统计主要结果,2021 年我国九年义务教育巩固率达到 95.4%，各种形式的高等教育在学总规模 4430 万人，高等教育毛入学率达到 57.8%。以上数据均不包括我国港澳台地区。

③ 国家统计局数据：2020 年教育经费总投入达 53014 亿元。

庭出生的高分考生不顾网上许多人的劝阻，没有选择更赚钱的金融专业而毅然报考了自己所心仪的考古系，就是一个典型案例。贫困子弟的这一抉择，虽然未必已是普遍现象，但在过去物质匮乏的时代却一定是更难想象的。类似心理需求的变化，在教育工作者身上也呈现出了同样的变化趋势。2015 年河南省一位重点中学教师辞职的理由居然是“世界那么大，我想去看看”，这封“史上最具情怀的辞职信”，当然不是说明教师们以后都不在意薪酬、待遇了，而是意味着在新的历史时期，除了物质上的回报，将会有越来越多的人更倾向于在教育工作、日常生活中寻求生命的安顿、意义的获得。

以上接受、从事教育的动机范型的变化，其实是可以理解的。因为“仓廪实则知礼节，衣食足则知荣辱”（《管子・牧民》）。依据心理学家马斯洛的需要层级理论，当一个人的基础需要获得满足之后，其“优势需要”就一定会转移到对真善美、自我实现等高级需要、超越性需要上去。接受教育、从事教育的心理需求类型变化，或者学习与工作动机类型的变化，正是悄然发生的时代巨变的典型表征之一。就德育而言，获得良好生活所需的道德教养、建构安身立命的价值观念、追求人生的终极意义，同时在社会生活中成为拥有公共参与能力的有尊严的社会主体，对于新时代学习者的重要性将越来越大。

所谓社会人口结构的变化，指的是由于社会经济以及教育事业的迅速发展，我国人口的社会阶层、文化素养等正在悄然发生的结构性变化。首先是中等收入群体（或者中产阶层）的不断壮大。目前中等收入群体有多大，学术界尚有争议，但是改革开放以来中等收入群体迅速发展壮大的趋势，则是大家普遍认可的。而且，只要中国经济、社会继续向前发展，中等收入群体就会不断壮大。中等收入群体，并不只是一个合乎某些财富指标的人群，其突出特征之一就是基本生活问题已经解决，与之相应，心理需要的类型也会随之变革——与获得个体尊严、寻求社会正义等精神需要相关的自由、平等、公正、民主、法治的意识、诉求都会普遍提高。

除了社会阶层结构的变化，还有一项与教育发展直接相关的结构性变化，就是人口文化素养结构的变化——中国受教育人口的比重已经达到前所未有的高度。与新中国成立初期 80% 以上国民是文盲相比较，九年制义务教育已经全面实现、高等教育进入普及化阶段的中国，其人口文化素养结构——其实就是受教育人口占比已经发生翻天覆地的变化。越来越多的国民接受了良好的基础教育、高等教育，固然是我们时代最伟大的成就，也更有利于国家治理现代化的实现，同时，由于“民智已开”，包括教育治理在内的全部社会治理将面临全新的挑战，也是不言而喻的。我们可以肯定地讲，许多不讲公平正义或“不讲道理”的社会治理与教育治理的旧模式必将越来越不合时宜，而社会主义核心价值观所蕴含的自由、平等、公正、民主、法治等精神，将成为我国公民普遍而真实的现实诉求。近年来一些人们过去习以为常的社会“小问题”常常能在一夜之间就迅速形成重大网络“舆情”，重要原因之一，也在于此。

总之，“中国特色社会主义进入新时代”，或者中国进入“物质丰裕的时代”，都已经让国家教育需求的类型、社会大众的结构发生了重要变化。中国教育只能顺应历史大势，努力做出与时俱进的改革。换言之，新时代教育发展逻辑即将发生重要转换——中国教育实践与理论建设一定要有回应“2019 年以后”时代要求的范型之变[①]——以提供优质、公平的教育供给为教育事业发展的基本逻辑。而在德育领域，顺应“物质丰裕的时代”来临的历史大势，我们应该努力做出与时俱进的变革，形成优质、公平的教育供给，至少包括完成在德育主题（内容）、德育形态（形式）两个方面的继往开来与品质提升。

再换言之，依据新时代教育发展的大逻辑，中国德育研究如何为推进德育实践在教育主题（内容）、教育形态（形式）两大转型提供全面、专

---

① 檀传宝. 发展范式转型的意味：论“2019 年以后”的中国与中国教育应有的变革［J］. 中国教育学刊，2022 (8)：64 － 69.

业的理论支持，也就势必成为新时代中国德育理论建构责无旁贷的使命。

（二）新时代必须坚守的德育主题

1. 加强基础道德教育——讲求基本人伦与道德教养

人类生活有一个重要且普遍的常识：若日常社会生活不讲基本人伦和道德修养，社会成员行为粗鄙，人际以及家庭、社会关系普遍紧张，何谈美好生活？所以，加强基础道德教育，既是教育领域一个千古不变的旧主题，又是“物质丰裕的时代”亟待应对的新课题。

中国是一个伦理型的文明古国，一直有强调基础道德的传统。孟子有云：“恻隐之心，人皆有之；羞恶之心，人皆有之；恭敬之心，人皆有之；是非之心，人皆有之。恻隐之心，仁也;羞恶之心，义也;恭敬之心，礼也;是非之心，智也。仁义礼智，非由外铄我也，我固有之也，弗思耳矣。”（《孟子・告子上》）“四端”说固然重点讲的是仁义礼智的发端，但也同时强调了基础道德发乎自然的“天理”属性。“父子有亲，君臣有义，夫妇有别，长幼有序，朋友有信”（《孟子·滕文公上》）等“五伦”与天理的自觉结合，强化了基础道德教育的重要性。故古代设立学校，“夏曰校，殷曰序，周曰庠，学则三代共之，皆所以明人伦也”（《孟子・滕文公上》）。“明人伦”等道德教育无疑是学校德育的基础或者根本。

“道德教育是学校德育的根本”①其实也是许多西方教育学家的共识。杜威曾经明确指出：“民主政治热心教育，这是众所周知的事实。”“民主主义不仅是一种政府的形式；它首先是一种联合生活的方式，是一种共同交流经验的方式。人们参与有共同利益的事，每个人必须使自己的行动参照别人的行动，必须考虑别人的行动，使自己的行动有意义和方向，这样

① 檀传宝. 道德教育是学校德育的根本［J］. 全球教育展望, 2001 (6) : 9－14.

的人在空间上大量地扩大范围，就等于打破阶级、种族和国家之间的屏障，这些屏障过去使人们看不到他们活动的全部意义。”[①]美国著名的品德教育倡导者里克纳也曾经明确指出：“我们民主的奠基人认为，道德教育是我们民主社会得以存在的关键。”“他们的理由是：民主的政府是由人民当家做主，人民自己对社会的自由与公正承担责任。这意味着人民至少在某种意义上说必须是善良的，他们必须理解民主的道德基础，并为之尽责……”[②]因此他们的一个共同点就在于他们看到了政治教育虽然重要，但必须建立在最基本和最有效的道德教育基础之上。

对于当代中国社会而言，基础道德教育不仅具有永恒的、理论的意义，而且还具有十分迫切的现实意义。这是因为，物质生活的相对富裕会凸显人们对于精神生活的强烈需求。2014 年，人民论坛问卷调查中心曾经进行过一项有关中国“社会肌体健康”的调查（调查对象 8015 人）。据此形成的分析报告显示，超过八成的受访者认为当前中国社会正处于“亚健康状态”（“若请您为当今中国社会的健康程度打分，从 0 到 10，分值越高越健康，您的打分是？”选择 5 分及 4 分以下的各为 24.4% 和 57.7%），网民们认为最大的“社会病”包括：信仰缺失（55.3%，百分比越高意味着越多人认为这是最大的“社会病”）、看客心态（48.7%）、社会焦虑症（44.5%）、习惯性怀疑（40.4%）、炫富心态（38.9%）、审丑心理（36.5%）、娱乐至死（34.3%）……传统中国是一个乡土社会，特别强调以道德和信仰形成社会规范来规约各种利益主体。但这一调查发现，当今社会有高达 88.0% 的人认同（完全认同、比较认同者分别占 60.2% 和 27.8%）“信仰缺失、道德滑坡”是中国当代社会一种普遍的“社会病”。[③]基础道德本身及其信仰基础的缺失，恰好与先秦儒家、宋明理学建立的基础道德的“天理”“伦常”的论证逻辑

---

① 杜威．民主主义与教育［M］．王承绪，译．北京：人民教育出版社，1990：92.

② 里克纳．美式课堂　品质教育学校方略［M］．刘冰，等译．海口：海南出版社，2001：5.

③ 数据来自人民论坛问卷调查中心 2014 年 9 月发布的《当前社会病态调查分析报告》。

以及杜威和里克纳的共识走向了完全相反的方向，同时也反映出了日渐富裕的中国社会在精神层面的饥渴状态以及人民群众心理需求的时代转向。

为了因应新时代社会发展趋势和人民群众的精神需要，2019 年 10 月 27 日，中共中央、国务院印发了《新时代公民道德建设实施纲要》。该纲要开宗明义指出："中国特色社会主义进入新时代，加强公民道德建设、提高全社会道德水平，是全面建成小康社会、全面建设社会主义现代化强国的战略任务，是适应社会主要矛盾变化、满足人民对美好生活向往的迫切需要，是促进社会全面进步、人的全面发展的必然要求"，"要把社会公德、职业道德、家庭美德、个人品德建设作为着力点。推动践行以文明礼貌、助人为乐、爱护公物、保护环境、遵纪守法为主要内容的社会公德，鼓励人们在社会上做一个好公民；推动践行以爱岗敬业、诚实守信、办事公道、热情服务、奉献社会为主要内容的职业道德，鼓励人们在工作中做一个好建设者；推动践行以尊老爱幼、男女平等、夫妻和睦、勤俭持家、邻里互助为主要内容的家庭美德，鼓励人们在家庭里做一个好成员；推动践行以爱国奉献、明礼遵规、勤劳善良、宽厚正直、自强自律为主要内容的个人品德，鼓励人们在日常生活中养成好品行。"对于教育工作者来说，这不仅是对社会发展中道德建设的强调，更是对于基础道德教育最为明确的强调。

基础道德教育既是对儿童道德发展逻辑的尊重，也是完整人格建设逻辑的必然要求。因为儿童总是在与身边人友好相处的日常生活中发展其道德的；而没有基本道德人格建设，任何宏大的社会政治理想、价值观念都会失去其有效生长的起码逻辑基础。强调基础道德教育，既是一个超越时空的永恒、普遍的教育命题，也是当代中国德育直面当代中国社会现实精神需要必须作出的理性回答。

2. 开展民主法治教育——协力政治文明建设

"美好生活"一定是共和国每一个公民都拥有人格尊严，合法权利都得到充分保障的生活。因此"不断满足人民对美好生活的向往"，一方面要求大力加强民主与法治建设，建设社会主义政治文明，另一方面则需要扎实开展民主、法治教育，确保公民成为负责任的权利主体、共和国真正的主人翁与建设者。因此，民主与法治教育、社会主义民主政治教育，或者中国特色社会主义的公民教育的开展就是这一美好生活建构的应然之义。

关于人的现代化，美国社会学家阿历克斯·英格尔斯曾经有过精彩的论述。在深入研究西方发达国家现代化进程并考察了第三世界国家现代化发展出现的诸多问题之后，英格尔斯发现：一个国家或企业即使有先进的制度，但如果缺乏能赋予这些制度以真实生命力的广泛的现代心理基础，如果执行和运用这些现代制度的人自身还未从心理、思想、态度和行为上都经历一个现代化的转变，那么就会导致制度的畸形发展甚至失败。再完善的现代制度和管理方式、再先进的技术工艺，也会在一群“传统人”的手中变为废纸一堆。这就是著名的“英格尔斯效应”。因此，英格尔斯断言：“人的现代化是国家现代化必不可少的因素。它并不是现代化过程结束后的副产品，而是现代化制度与经济赖以长期发展并取得成功的先决条件。”①

中共中央、国务院于2019年2月颁布的《中国教育现代化2035》明确指出，要“大力推进教育理念、体系、制度、内容、方法、治理现代化，着力提高教育质量，促进教育公平，优化教育结构，为决胜全面建成小康社会、实现新时代中国特色社会主义发展的奋斗目标提供有力支撑”。而与之配套的由中共中央办公厅、国务院办公厅印发的《加快推进教育现代化实施方案（2018—2022年）》所制定的5年教育现代化总体目标则是：“经过5年努力，全面实现各级各类教育普及目标，全面构建现代化教育制度体系，教育总体实力和国际影响力大幅提升。实现更高水平、更有质量的普及，教育改革发展成果更公平地惠及全体人民，教育服务经济社会发展的能力显著提高，社会关注的教育热点难点问题得到有效缓解，多样化可

① 英格尔斯．人的现代化［M］．殷陆君，编译．成都：四川人民出版社，1985：8.

选择的优质教育资源更加丰富，人民群众受教育机会进一步扩大，学习大国建设取得重要进展。”在以上两个文件中，无论是“推进教育理念、体系、制度、内容、方法、治理现代化，着力提高教育质量，促进教育公平，优化教育结构”，还是“教育改革发展成果更公平地惠及全体人民，教育服务经济社会发展的能力显著提高，社会关注的教育热点难点问题得到有效缓解，多样化可选择的优质教育资源更加丰富，人民群众受教育机会进一步扩大”，都说明教育现代化在制度、观念层面均得到了前所未有的强化。这是因为，无论我们的教育现代化在器物层面的进步指标如何亮眼，若教育制度民主与法治水平还不够高，若我们培育的社会主义建设者和接班人还不完全具备独立人格和创造精神、不能积极和理性参与社会治理，若我们不能在制度、精神层面实现彻底的现代化，我们就不可能真正意义上全面实现教育现代化。

若是做国际比较，社会主义民主法治教育、社会主义民主政治教育、社会主义核心价值观教育，其实就是世界各国所说的公民教育。我们与他人的区别，只在于我们的公民教育是中国特色社会主义的公民教育。公民教育所要培育的“公民”，既与“臣民”相对，也与“私民”相对。前者要求社会成员告别等级社会和人身依附，成为民主社会的权利和责任主体，因此公民教育的核心内容就必然包括自由、平等、公平、正义、民主、法治等；后者要求受教育者告别自给自足、不问政治的小农人格，成为有责任感、有能力参与社会治理的社会成员，因此公民教育的内容就必然包括道德责任、法治精神、爱国、敬业、诚信、友善等。无论中外，公民教育的目的，都在于促进受教育者健全的公民身份（Citizenship）的建构，从而在人格上告别人身依附和小农人格，实现人的现代化。正是在这个意义上，公民教育是现代教育性质的体现，是现代教育的目的性要求，因而公民教育意味着“全部教育的转型”[①]。当然，中国公民教育是中国特色社会主义公民教育。

---

① 檀传宝．论公民教育是全部教育的转型：公民教育意义的现代化视角分析［J］．安徽师范大学学报（人文社会科学版），2010，38(5)：497－503.

教育即生活。要实现人的现代化、培养现代公民，不仅需要设置如“道德与法治”“思想政治”等专门的德育课程，还需要系统“重构学校制度生活”。因此加强学校制度建设以及开展与之相应的制度德育，就成为加强民主与法治教育的必然选择。依据制度德育论的理论主张，第一，“制度是教育资源”，应当彰显学校制度正向的多方面的育德功能；第二，“制度是教育过程”，应当确立优良学校制度的品质，对现行学校制度进行批判性审视，建构公平正义、民主平等、自由发展的学校教育制度，把制度建构活动变成教育过程；第三，“制度是生活方式”，应当把成文的制度规定与有组织的制度活动，通过内化与外化双向机制，变成稳定的制度化行为模式，化为学校制度生活，通过学校制度生活来培养学生品德。① 从本质上看，制度德育论是从学校制度重建、优化的角度主张加强教育生活意义上的民主与法治教育。

3. 推进“人类命运共同体”教育——促进全球公民责任和团结

当代社会，人类生活已经是一个相互依存的整体。一国人民的“美好生活”，一定与其他国家有直接和间接的关联。所以近年中国一直大力倡导构建“人类命运共同体”(a Community of Shared Future for Mankind)。“人类命运共同体”这一理念的提出，既是为了维护中国人民的尊严，维护国家的核心利益、主权、安全及发展，也是为了更好地承担国际义务，反对单极化霸权，推动建立更加公平正义的全球治理新秩序。“人类命运共同体”，是一种政策宣示、一种社会理想，更是一种客观现实。②

“人类命运共同体”理念之所以成立，首先是因为世界经济的“全球化”

---

① 杜时忠. 制度何以育德？[J]. 华中师范大学学报(人文社会科学版), 2012, 51 (4): 126 − 131 + 4.

② 据中国外文局当代中国与世界研究院 2020 年 9 月 15 日发布的《中国国家形象全球调查报告 2019》, 已有六成以上海外受访者认可“人类命运共同体”这一理念对个人、国家、全球治理的积极意义。

已经是一个具有突出现实性、普遍性的客观事实与发展趋势。市场经济的发展已经使得全球化市场成为当代各国经济面临的客观现实，产业、市场、资本的全球化分工会使得资源配置更好地实现优势互补，世界经济的发展也更有效率与活力。所以尽管在理论上一直存在对于全球化进一步加剧了国家间的贫富差距，加重资本对于普罗大众的经济剥削、政治压迫，导致政治、文化、生态危机日益严重等广泛的批评，尽管近年一些发达国家出于一己之私也采取了许多“逆全球化”的政策干预，经济全球化仍然是一个不可阻挡的历史潮流。

经济全球化除了使得世界变小、成为“地球村”，还加快了科技、文化、教育的交流，互联网的产生与发展，新媒体尤其是智能化的社交媒体的涌现和全球化覆盖，也使得整个世界在信息交流方面实现了前所未有的相互开放，而更加开放的世界反过来又使得全球化的范围和程度不断加深，“人类命运共同体”建构的现实性也因此得到进一步强化。

此外，当代世界还面临着许多亟待解决的现实问题，如战争与冲突、环境和气候问题、发达国家与发展中国家的贫富差距等。这些问题也都具有全球性，非一个国家或者某一国家集团可以单独解决。因此，各国如何和平相处、各国国民如何作为“全球公民”参与国际秩序的重建，迫切需要我们努力在德育上开展“人类命运共同体”意识的教育或者“全球公民”身份的培育。

联合国教科文组织 2015 年发布的《反思教育：向“全球共同利益”的理念转变》(*Rethinking Education: Towards a global common good*, 2015)[①] 明确指出，虽然“目前关于公民的定义仍以民族国家为核心，但在全球化

① 中文版已经由教育科学出版社于 2017 年出版。原文“common good”应译作“公共善”而非“共同利益”(common interest)。公共善着眼于社会正义，共同利益强调利害关系。联合国教科文组织的这一报告强调应该重新思考教育的使命，将教育视作在全球范围内促进公平正义、培育全球公民身份的事业。

的影响下，这种概念和相关做法正在改变”[①]。跨国社会和政治共同体，民间社会和行动主义都是新型“后国家”公民的表现形式。全球化创造出了超越民族国家的新型经济、社会和文化空间，正在促成超越民族国家界限的新的身份认同和动员模式。而“国家教育”面临挑战，人类社会要“重新思考多元互联世界中的公民教育”。[②]

超越民族国家层面的“人类命运共同体”教育，与国际上通行的“全球公民教育”（Global Citizenship Education，简称 GCE）相通。总结联合国及世界各国全球公民教育的政策与实践经验，为了真正“促进全球公民责任和团结”，“人类命运共同体”教育，或者“全球公民教育”至少应当包括如下几个重要的教育主题：第一，文化理解与和平教育。第二，经济发展与可持续发展教育。第三，全球治理与公民的建设性参与。

以上基础道德教育、民主法治教育、“人类命运共同体”教育，刚好构成了一个由近及远的逻辑系列。只有在教育内容上不断扎实强化这些主题的教育，我们的世界才可能更加美好，中国德育也才能满足人民群众对于美好生活的向往。但无论是基础道德教育、民主法治教育还是“人类命运共同体”教育，在内容选择、界定和有效开展上，都有许多需要德育理论工作者勇敢面对、深度回应的重大课题。

（三）新时代应当建构的德育形态

实现优质、公平的教育供给这一新时代中国教育事业发展的基本逻辑，不仅要求有高品质的德育内容安排，也要求有高品质的德育形式保障。让中国德育在教育形态上更加美好、让新时代少年儿童有更多接受优质德育

---

① 编译自 TAWIL S. Education for ‘global citizenship’: A framework for discussion［C］// ERF Working Papers, Series No. 7. Paris: UNESCO, 2013.

② 联合国教科文组织．反思教育：向“全球共同利益”的理念转变［M］．联合国教科文组织中文科，译．北京：教育科学出版社，2017：57.

的幸福感，具体说来，让中国德育成为专业的德育、审慎的德育、美好的德育，理应成为新时代德育形态变革的主要方向。

1. 让德育成为专业的教育——对德育规律的严格遵循

立德树人是教育的根本任务，故在教育上“人民日益增长的美好生活需要”也就自然表现为人民群众对于德育实效提高的广泛期待。而要让中国德育实效提高、让德育形态更为美好，这就需要严格遵循德育的客观规律，实现经验型德育向专业化德育的历史转型。

首先，由经验型德育向专业化德育的历史转型，要求德育实践充分尊重儿童道德发展的客观规律。

关于儿童的道德发展，劳伦斯·柯尔伯格（一译科尔伯格）曾经在道德认知发展上有过经典的描述。柯尔伯格不仅通过实证研究归纳出了儿童道德判断三水平（前习俗、习俗、后习俗）、六阶段（奖惩与服从定向、工具主义的相对主义定向、好孩子定向、法律与秩序定向、社会契约定向、普遍伦理原则定向）的发展轨迹，而且通过图利尔等人的试验得出结论：发展性道德教育的第一个心理学原则是，儿童只能同化在发展意义上合乎他们自身水平的那些道德说理；第二个心理学原则是“道德发展上的向前运动不仅依赖于向儿童揭示下一阶段的思维，而且要使儿童体会到运用他们自己当前的思维水平到道德问题情景中发生认知冲突的经验，如果经验不到足够多的认知冲突和不确定性，道德发展就不会发生”。[①] 柯尔伯格的道德认知发展理论及其生发出来的两难讨论、公正团体等德育方法至今仍然有重要的应用价值。当然，儿童道德发展并不只有道德认知发展一个维度，精神分析理论、社会学习理论、积极心理学等许多品德发展理论都从

---

① KOHLBERG L.Cognitive-developmental theory and practice of collective moral education［M］// WOLINS M, GOTTESMAN M. Group care: the education path of youth aliyah. NY: Gorden & Breach,1971 : 367.

人格发展、道德情感、亲社会行为等方面补充了儿童道德发展的其他维度。即便是儿童道德认知发展理论本身，通过图利尔、努奇等人的努力，也发展出了社会认知领域理论，将道德发展领域与社会习俗、个人生活领域的发展严格区分开来，人们对儿童道德认知发展图景的描绘也越来越具体、准确。吉利根、诺丁斯等人则以他们在关怀教育理论上的杰出贡献，从性别视角补充了我们对于儿童道德发展的认识。道德发展理论的不断发展已经告诉我们的基本常识是，儿童道德发展的阶段性特征是客观存在的，发展的逻辑也是有规律可循的。而要求得德育实效提升，教育实践只能遵循这些规律。若我们将“德育”定义为思想、道德、法治、心理教育等更广泛的领域，则思想、道德、法治、心理教育等教育实效提升的前提，也一定是对儿童思想、道德、法治、心理发展实际与客观规律的敬畏与遵循。

其次，由经验型德育向专业化德育的历史转型，还要求德育实践充分尊重德育活动的客观规律。

在当代中国德育实践探索中，德育的课程改革一直是德育实践改进的重点领域，而德育课程改革的一大进步，就是在课程理念上对于德育规律的尊重。其中最重要的就是鲁洁所倡导的“生活德育”理念对于课程改革的巨大贡献。鲁洁指出：“道德学习的本质，不是知识学习，而是生活的、实践的学习。”[①]“当代的教育却无视道德之知的实践特性，同其他知识一样也把它放在科学理性主义的过滤器中筛选成普遍化、客体化的知识，彻底割断了它长在母体身上的脐带，断绝了它与生活实践的联系，也就使它再也回不了自己的家。”[②]因此，“新德育课程的基本理念是回归生活。德育课程要‘源于生活，通过生活，为了生活’，在课程的实施中，不仅要关注课程的内容贴近生活，

① 鲁洁 . 江苏社科名家文库：鲁洁卷［M］. 南京：江苏人民出版社，2015：18.

② 鲁洁 . 边缘化　外在化　知识化：道德教育的现代综合症［J］. 教育研究，2005（12）：11－14＋42.

还要努力促使课程学习能真正改变生活”[①]。德育课程改革的具体目标应当表现为“道德观：从知识道德向生活道德转变”“课程观：从唯知识论走向生活经验论”“学习观：从单向传输转向交互作用”[②]。

不管德育课程标准与课程实践如何发展，我们可以肯定的是：不仅德育课程，而且全部德育实践，在坚持中国特色社会主义德育方向的同时，如何克服德育内容“假大空”、德育方式“强制灌输”等违背规律的德育惯习，始终是中国德育追求进步的重要方向之一。

再次，由经验型德育向专业化德育的历史转型，在教育实践上必然要求德育工作专业化水平的全面提升。

“德育专业化”既是历史的趋势，也是逻辑的必然。在进入现代社会之前，包括德育在内的所有教育活动都是经验型的。从事个体化教学工作的教师，其教育实践与手工艺人师傅带徒弟的模式并无本质差异。其基本逻辑在教育内容上都是“会什么，教什么”，在教育形式上也都是借助经验探索教育的有效性。尽管中外都不乏杰出的教育家和教育思想家，但是他们的教育实践、教育理论都是经验性的探索。以机器大工业为代表的现代生产的迅猛发展以及义务教育普及运动所催生的大规模学校教育，特别是“师范教育”的产生，是经验型教育到专业化教育的一个重要分水岭。师范院校的产生，意味着人类社会在制度上认可了教育工作两种专业性：一是在教育内容上，现代科学各学科知识意义上的“学科专业性”得到进一步认可；二是在教育方式上，教育学、心理学、教学法等所代表的“教育专业性”得到了体制性的认可。如果说“学科专业性”是旧式教育“会什么，教什么”逻辑的延续与升级，那么“教育专业性”则是现代教育与古代教育的根本区别所在。从此，包括德育在内的全部现代教育，都必须

---

① 鲁洁．江苏社科名家文库：鲁洁卷［M］．南京：江苏人民出版社，2015：18.

② 鲁洁．德育课程的生活论转向：小学德育课程在观念上的变革［J］．华东师范大学学报（教育科学版），2005（3）：9－16＋37.

兼顾“学科专业性”和“教育专业性”。在这一意义上，现代教育、德育必须实现由经验型到专业化的范式变革，当然就是一个历史的必然。

之所以说“德育专业化”不仅是历史的趋势而且也是逻辑的必然，还因为：若全部教育都要承认“学科专业性”和“教育专业性”，实现由经验型到专业化的范式变革，德育作为教育的“根本任务”当然也要完成这一历史的转型。而要完成这一历史转型，德育就必须在研究、决策和教师的德育专业化等方面做出应有的努力。

完整的“德育专业化”无疑应当包括德育研究的专业化和德育决策的专业化。因为没有研究的专业化，德育决策及实践就没有“专业”的基础，专业化也就无从谈起。而德育决策的专业化则是德育事业专业化发展的关键。因为没有对于儿童道德发展规律的把握，没有对于德育原理、德育规律的尊重，就不可能有教育政策所追求的德育实效的取得与提高。“文革”时期一些政策对于德育规律的否定直接导致了德育内容的混乱以及德育方式非理性，其结果是灾难性的。“文革”结束后，“五讲四美三热爱”运动在全国范围内广泛开展，其实就是因为绝大多数国民已经意识到基本德性丧失的灾难性后果。20 世纪 70 年代末 80 年代初出现的青年一代的“信仰危机”更是意味着强制灌输无法建构真正的信仰。而新世纪伊始开启的德育课程改革之所以取得重要进步，最为根本的经验无疑也是教育决策对于德育专业或德育规律的应有尊重。

“德育专业化”还应当包括教师德育专业化。① 迄今为止，日常教育生活中人们常常将教师专业化理解为课程、教学意义上的专业化，这是一个严重的“概念的缺损”。其结果，“一方面，教师大学毕业拿到教师资格证书时基本没有学习过如何进行德育，在继续教育过程中对德育的学习也是偶然和不系统的，故所有教师都在以‘摸着石头过河’的方式

① 蓝维．德育专业化的关键：德育教师的专业发展［J］．教育研究，2007 (4)：26－27.

从事德育；另外一方面，现代教育与心理科学已经在德育理念、德育基础理论、德育策略与技能、品德及德育心理等许多维度都累积了十分丰富的研究成果，但这些成果只在教育研究者圈子里面循环，而较少与一线教师和其他实际教育工作者联系”[①]。因此，如何分门别类让所有实际承担着德育使命的从教人员都获得相应教育岗位所必需的德育观念、德育理论与德育事务等方面的专业知识与能力，是新时代中国教育事业尊重德育规律，实现德育实效、品质提升的关键之关键。

2. 让德育成为审慎的教育——对后真相时代的理性应对

当前，由于经济全球化的不断深化以及媒介生活形态的突飞猛进等原因，社会生活的复杂性、价值观的复杂性都已经空前提高。如何应对“后真相时代”的挑战成为全球性话题。

2016 年，《牛津英语词典》将“后真相”（post-truth）一词选为年度词汇，并将之定义为“诉诸情感与个人信仰比陈述客观事实更能影响民意的一种情形”。尔后《经济学人》在一篇文章中将“后真相”解释为：“真相并未被篡改，也未被质疑，仅仅是变得次要了。”[②]也就是说，“后真相时代”的公众在求真相没有希望的情况下，往往不再“较真”，人们更趋向于相信他们在情感上愿意相信的“事实”。概括说来，“后真相时代”的突出特征有二：一是由于种种原因，尤其是基于各种利益的考量，与过去相比，当代社会已是一个真相更难把握的社会；二是由于媒体发达、信息爆炸，人类很难像过去那样轻易获得真相，因此许多人便“方便行事”“反求诸己”，只相信自己愿意相信的“真相”。后者不仅让形形色色的民粹思维大行其道，也让真相的求索、共识的形成变得更为困难。而“未经反思就接受的观点

---

① 檀传宝．再论“教师德育专业化”［J］．教育研究，2012，33（10）：39 － 46．

② NOGUEIRA J. Post-truth politics：art of the lie［J］. The Economist，2016（9）：a27 － a33.

和草率作出的决定有可能给我们的家庭、朋友、同事、社会、环境以及星球造成破坏性的灾难”[①]。

虽然“后真相时代”的到来,也有碍于自然世界里真相的发现,但是“诉诸情感与个人信仰比陈述客观事实更能影响民意的一种情形”肯定更多地发生在社会领域,尤其是价值观及其教育领域。故在当代社会,德育不可避免地面临两大维度的时代挑战。

首先是在教育目标、内容上,当代德育会面临不同价值观的同台竞技,其次是德育的形式方面,如德育的方式、方法等,同样会在不同制度、不同意识形态的国家间竞争,这都要求德育能够帮助道德学习主体在复杂的当代社会生活中作出明智且经得起考验的价值选择。此外,在“后真相时代”,人们对情感与信仰的服膺往往超过了对事实真相的究问。批判性思维有助于人们基于事实追求道德生活的真相。故在“后真相时代”,德育要理性应对上述挑战,批判性思维(Critical Thinking,又译作“审慎性思维”)就显得前所未有地重要。

所谓批判性思维,不过是“做出有目的、自我监督的判断的过程”,是“就观点和行为建构一个合理且公正的判断”。[②]批判性思维的关键能力,包括质疑能力和理性思考能力。[③]与彼得·法乔恩的前述定义相似,诺希克列举过另外三个有代表性的定义:“批判性思维是合理的、反思性的思考,着重于决定相信什么或做什么”(来自恩尼斯);“批判性思维是熟练的、可靠的思考。因为它对背景很敏感,依赖于标准,并且是自动调整的,所以有助于形成有效的判断”(来自李普曼);“批判性思维是你

① 法乔恩.批判性思维:思考让你永远年轻[M].李亦敏,译.北京:中国人民大学出版社,2013:6.

② 同①7.

③ 美国学者恩尼斯的观点,转引自 COTTRELL S.批判性思考:跳脱惯性的思考模式[M].郑淑芬,译.台北:寂天文化,2007:12.

在思考的时候，考虑自己的想法，以使自己更好地思考”（来自理查德·保罗）。①

批判性思维所要求人的，不过是严肃反思自己的判断和行动，不过是“讲理”（reasoning）——依据“理”（依据可靠标准并推理）、“据”（客观事实）作出理性的抉择并服从真理。批判性思维是一种明智的思维方式，其本身并不等同于某种道德上的善或恶。换言之，一些邪恶之徒也可能具有某种批判性思维的能力并让这一能力为犯罪服务。但对于德育而言，批判性思维要求分析信息来源与背景，依据一定标准，通过重新组织概念、展开逻辑推理，从而合理反思、评估所获取的信息及其附着的价值观，这不仅会帮助个体获得事实意义上的真相，更有利于帮助个体在置身于价值信息的洪流时能够以公正客观的态度作出理性的道德判断，避免无意中被未经反思的道德情感带来的猛烈冲击俘获而成为无脑的“乌合之众”。很显然，当代人要在纷繁复杂的价值世界中真正安顿自己、安顿年轻一代的精神生命，与其在眼花缭乱的价值观面前无所适从，不如在德育实践中强化批判性思维的培育，让德育对象在“风吹雨打”中自由、理性地选择并牢固建构起自己的价值观。由于批判性思维具有特别强调反思、强调标准、强调真实、强调理智等特性②，批判性思维的培育当然也一定会让合理的德育活动在内容、形式的竞争中拥有更强大的竞争力。

“物质丰裕的时代”和“后真相时代”无疑是同一个时代。前者意味着精神需要的凸显和德育对于这一需要高质量回应的必要；后者则要求高品质的德育，应该将批判性思维纳入日常德育生活，不仅提升德育的实效，而且因为实效的获得而让德育对象体会自主、自由地接受德育的美好。

---

① 诺希克．学会批判性思维：跨学科批判性思维教学指南［M］．柳铭心，译．北京：中国轻工业出版社，2005：2.

② 同①3－5.

3. 让德育成为美好的教育——主体自由的真正实现

如果用发展批判性思维的方式去应对“后真相时代”的德育的挑战是一种相对“防守”的策略，那么更为积极的教育战略就是让德育成为一种最“美好”的教育事业。当代德育应当成为一种能让道德学习主体自由真正实现的德育，一种自主、生活和审美的德育。

与自主的德育相反，在德育领域最不美好的学习体验，当然就是蔑视学习者的主体性、“按着马头让其喝水”（杜威语）式的强制灌输了。关于“灌输”，或者“强制灌输”，柯尔伯格曾经有过一段十分精辟的论述：“灌输既不是一种教授道德的方法，也不是一种道德的教授方法。说它不是一种教授道德的方法，是因为真正的道德应当包含对可能出现的价值冲突作出审慎的抉择；说它不是一种道德的教授方法，是因为合乎道德的教学必然意味着尊重儿童正在发展的对所学内容进行推理与评价的能力。”①

与灌输式的德育相反，让道德学习主体自由真正实现的德育，一定是自主、生活的德育。“唯物辩证法认为外因是变化的条件，内因是变化的根据，外因通过内因而起作用。”② 因此自主的德育不仅是现代教育学、心理学的主张，也符合唯物辩证法的基本原理。就像石头不可能孵化出小鸡一样，没有德育对象内在学习动机的发动，没有对特定价值观念的情感接纳、认同，没有学习者学习经验（生活）、发展阶段等“内因”条件的支持，就没有任何有效学习发生的可能性。由于涉及情感、态度、价值观的改变，与一般文化课知识学习相比较，强制灌输在德育上会更加无效。也正是因为这一点，柯尔伯格才说灌输“不是一种教授道德的方法”。自主的德育、自我建构的德育不仅是教育“效益”的要求，而且是教育伦理的要求。现

---

① POWER C, KOHLBERG L. Using a hidden curriculum for moral education［J］. Education Digest, 1987 (2) : 12.

② 毛泽东选集：第一卷［M］. 北京：人民出版社，1991 : 302.

代德育乃至全部教育之所以区别于古代德育、教育，一方面是彻底的人身依附的否定，另一方面是教育基于人是目的而非手段的伦理基础。因为无视学习主体的尊严，将学习者看作达成某种目的的工具或者器皿，所以“按着马头让其喝水”式的强制灌输意义上的德育才“不是一种道德的教授方法”。就是说，由于违背现代教育伦理，德育的强制灌输范式在本质上是反德育的。

自主的德育可能面临价值观教育的强制与放任之间的矛盾；强调生活的德育也可能面临德育对生活的适应与超越之间的张力。而促成价值引导与自主建构的矛盾解决的“中庸之道”，在于德育内容与形式的审美化。因为“道德教育的内容与形式如果可以处理成一幅美丽的画、一曲动听的歌，那么与这幅画、这首歌相遇的人就会在‘欣赏’中自由地接纳这幅画、这首歌及其内涵。道德教育的价值引导与道德主体的自主建构两个方面就可以在‘欣赏’过程中得以统一”[①]。所以，让道德学习主体自由真正实现的德育更一定是审美的德育。

正如自主、生活德育的意义不仅在于德育绩效的提升，也在于教育伦理的落实一样，审美化的德育最为重要的也不仅仅在于通过对德育内容、形式、师生关系等的审美化改造而使得德育更为生动、克服道德规范之于学习者的“顽强的疏远性”，审美化的德育最重要的意义，也在于席勒所言的“在有文化教养的圈子里，在审美的国度里，人就只需以形象显现给别人，只作为自由游戏的对象而与人相处”[②]这一极富美感的教育境界的达成。由于道德及其学习自由的真实获得，德育才可能让学习主体摆脱奴隶式的被动道德规训状态，也脱离“人和人以力相遇”的丛林法则所支配的

① 檀传宝．德育美学观［M］．北京：教育科学出版社，2021：224.

② 席勒．美育书简［M］．徐恒醇，译．北京：中国文联出版公司，1984：145.

野蛮生活。因此，审美化的德育实践是一种能使道德主体的意义求索和学习自由兼得的当代德育之道。

无论是自主的、生活的、审美的德育，或是其他许多浪漫、理想的中国当代德育理论主张，本质上都是在主张让德育成为因道德学习主体自由的真正实现而变得更加“美好”的教育，而这正是“物质丰裕的时代”中国社会对于德育最核心的要求。

依据新时代的发展逻辑，我们需要什么样的德育实践、德育研究？

我们认为，加强基础道德建设、开展民主法治教育、促进“人类命运共同体”的形成，应该成为新时代必须坚守的最重要德育主题；让中国德育成为专业的德育、审慎的德育、美好的德育，理应成为新时代德育形态变革的最重要的改革方向。如果上述德育主题（内容）、德育形态（形式）的发展方向的确是新时代发展逻辑的必然，那么新时代的德育研究理所当然服从这一时代转型的逻辑去求得自身的发展。新时代的中国需要高品质的德育，相应地也就需要与之相应的更高品质的德育研究。换言之，如果中国德育理论工作者要“将论文写在大地上”，就一定要投身于以高质量的学术研究推进中国德育在内容与形式维度的品质提升这一伟大的事业之中。

在这一时代背景之下，《中国德育研究大系》可谓当代中国德育学人对于高品质德育实践与理论建构这一时代责任的一次集体性的学术承担。

四、《中国德育研究大系》的缘起与编撰历程

湖北教育出版社是一家情系教育、志存高远的专业出版社。自 2002 年以来，出版社曾经与多位德育研究者一起合作研制、出版国家义务教育新课程标准教材《品德与生活》《品德与社会》（鄂教版），为基础教育课程改革添砖加瓦。在愉快而高效的合作过程中，出版社与德育专家们不仅加深了了解，而且获得了高度互信。2020 年 10 月，全国德育学术

委员会第 29 届学术年会在海南召开，湖北教育出版社方平社长专程与会，提出与全国德育学术委员会合作出版《中国德育研究大系》的详细设想。《中国德育研究大系》选题价值也受到了全国德育学术委员会许多专家的高度肯定。会后，我们就立即着手谋划书系的框架、邀请和遴选作者、商讨编撰工作的日程安排。

2021 年 6 月，《中国德育研究大系》启动会在华中师范大学召开。长江出版传媒股份有限公司领导、湖北教育出版社领导和多位编辑参加会议，全国德育学术委员会时任理事长檀传宝教授、副理事长杜时忠教授，以及十位作者：孙彩平教授、卜玉华教授、齐学红教授、唐爱民教授、程红艳教授、班建武教授、叶飞教授、刘长海教授、李敏教授、刘春琼副教授参会研讨。为了认真总结中国当代德育研究的重要成果、应对德育研究面临的时代挑战、回应社会对德育实践的重大关切，与会专家一致认为在“两个一百年”的历史交汇点，编写《中国德育研究大系》适逢其时。在这次会议上，大家对《中国德育研究大系》的编写思想、风格定位、内容体例等问题进行了深入讨论，并形成如下共识：第一，丛书要成为高水平研究成果的集成，要优先考虑德育研究的学术性、专业性。第二，要突出时代气息和中国特色，充分反映中国德育发展和德育理论进步的整体风貌。第三，要具有国际视野、中国立场，要成为一个具有民族特色和世界眼光的德育研究精品系列。

最终呈现的《中国德育研究大系》由《德育基本理论研究》《学生品德发展研究》《教师道德研究》《德育课程研究》《班级德育研究》《家庭与社会德育研究》《德育方法研究》《德育评价研究》《中国传统德育研究》《中国德育研究新进展》十个分册组成，基本实现了预期目标。为了确保《大系》的学术水准与出版质量，在十册图书编写、审校完成后，我们又特别邀请了十位学者分别对上述十部书稿进行了审阅，他们分别是：周小李教授、张添翼副教授、蔡辰梅教授、郑航教授、李家成教授、李太平教授、朱晓宏教授、唐汉卫教授、冯永刚教授、郑富兴教授。十位审稿人认真阅读了书稿，并提出了大量中肯而有益的建设性意见，各册作者在此基础上进行了修改完善。

在此，我们对十位审稿人表示衷心感谢！

这十册图书汇集了中外德育研究的最新成果，在深入探讨德育基本理论、中国传统德育及面向未来的中国德育等诸多理论课题的同时，也系统分析、回应了教师道德、品德发展以及影响青少年品德成长的课程、教材、教学评价等德育领域的重大实践课题。《中国德育研究大系》既是汇集当代德育研究成果的百科全书，更是推进中国特色社会主义德育理论建构的工作平台。它不仅为中国特色社会主义德育理论的建构提供了一个系统、深入的崭新起点，更为构建方向正确、内容完善、学段衔接、载体丰富、常态开展的新时代德育工作体系，大力促进德育工作的专业化，提升德育的创新性、实效性，落实立德树人的根本任务，奠定了重要的教育理论之基。再加上作者团队——全国一批深具专业实力的德育研究者的积极参与和倾情奉献，我们有充分的理由相信：这是一套集权威性、公益性、原创性和实用性于一体的集大成之作。其出版，无论对于中国德育理论的建设还是德育实践品质的提升，都具有十分重要的时代意义。

汇集一批好学人，做成一桩大事情。在《中国德育研究大系》即将出版之际，作为主编，我们由衷感谢出版社有关领导、编辑团队对于本书系的有力支持，真诚感谢十位作者在百忙之中的积极响应、倾情投入和高品质的产出。与此同时，我们更是和全体作者一样，由衷地希望与更多的读者们同行，携手迎接一个中国德育研究更加美好的新时代！

檀传宝　杜时忠

目录

导　论

改革开放以来，中国德育研究飞速发展。第一代德育学人筚路蓝缕，实现了德育学科的重建；第二代德育学人孜孜不倦，开创了异彩纷呈的德育研究新局面。目前看来，相对于德育理论、德育管理、德育课程与教学的研究，德育评价研究是薄弱的。德育评价研究的相对薄弱并非由于它不重要、不受重视，而是由于它的确是个难题。从理论基础到技术手段再到实践所遭遇的瓶颈，都是导致德育评价研究裹足不前的原因。

德育评价研究困境的理论根源在基础性问题的界定上。从逻辑上讲，德育评价的对象无疑是德育，即德育评价是对作为育人实践的德育的品质的评估。德育的品质自然要通过对德育的诸要素及其互动状况的考察来说明，因而德育评价的核心就是对德育诸要素及其互动机制、运行状况的评价。从这一理解出发，德育评价应该包括目标、内容、过程、途径和方法，以及德育诸要素的运行机制，最后还有德育效果的评价。这些构成德育评价的一级理论框架。但教育研究领域往往更关注学校教育，所以德育评价在狭义上可以等同于学校德育评价。在学校德育评价中目标和内容评价并非重点，因为在现有教育管理体制下，德育的目标和内容是由国家统一规定的，学校的自主权相对较小，因而学校德育评价的核心就缩减为对德育方法和学生道德成长的评价，特别是后者，成为学校德育评价中最为核心的指标。由此，德育评价研究的对象经过层层转化，就变成了对学生道德成长水平的评价。

评价对象确定后，接下来要明确的是评价视角。如果说对德育评价的内涵和对象，理论界有一定的思考和研究，并在新中国成立后取得了一定进展的话，那么对德育评价视角，研究者却少有提及。从一个侧面来说，德育评价就是道德评价的教育学视角。而道德评价，是哲学、社会学、心理学、管理学等领域都关注的重要问题。但除心理学视角外，德育评价较少关注其他视角的道德评价理论与思路。在这个意义上，也可以说当下的德育评价存在着一定的心理学化倾向。引入更广阔的道德评价理论视角，是未来德育评价研究需要努力的一个方向。

从社会学的视角来看，德育评价侧重考察德育所承担的社会责任的完成情况。社会学视角的德育责任包括两个层面，一个是社会人的道德面貌，另一个是整体的社会道德风尚。在一定意义上，社会学视角中的道德评价实际上是对社会德育结果的考察。社会学视角是中观视角，它不仅关注学生群体，还关注不同年龄群体道德状况间的差异与代际变化，特别是社会中坚力量中青年群体的道德倾向。除此之外，社会道德评价的视角也会关注不同阶层、区域、性别的道德差异，关注社会道德评价的主要途径和形式，如通过社会模范、榜样的树立引导整体社会道德风貌变迁，推进主流社会道德风尚向健康方向发展，形成一定社会的精神和文化团结。

伦理学作为道德哲学，对道德评价理论有奠基作用。道德规范和原则的讨论构成规范伦理学的核心问题，义务论和功利论的道德原则，成为道德评价和道德判断的标准。亚里士多德开启的美德伦理，以及中国伦理传统中对人格和精神境界的讨论，不仅为道德评价提供了内容框架，而且其对人格和精神境界层次的划分，也可以为德育目标的确定提供参考，转化为道德评价的发展性标准。20 世纪后，随着价值论的兴起，道德评价研究成为伦理学的专题研究，其对道德评价对象、标准和影响因素的讨论，使道德评价的基础问题更为清晰。近期伦理学中道德运气的热烈讨论，说明理论界开始正视道德评价中的不确定性因素，考虑剥离“运气”对道德评价的影响，有望使道德评价变得更为精确和纯粹。

德育评价的第二个难题是技术难题。应该说，在德育评价研究中，评价技术是受关注的，也常被当作影响德育评价的关键因素。对德育评价技术的讨论，主要集中在道德是否可以量化，或者道德评价适合什么样的技术方法上，信效度是道德评价技术的核心问题。第一，学校德育评价，如上所述，主要是对学生道德状况的评价。这个问题吸引人的原因在于，常识告诉大家：德育评价不同于语文、数学等智育的评价，标准化的纸笔测验考不出学生的道德水平，道德考试的 100 分，不能作为这个人道德品质好的有力证据。第二，在纸笔测验外，常见的还有档案袋（包括电子档案袋）、日常观察等评价方式的探索，但这些评价方式之所以在实践中效果一般，不只是因为其增加了评价的工作量，更主要的是这些评价方法只是提供了不同的数据收集方式，却没有提供对收集到的数据进行分析和处理的技术和标准，而如何通过这些数据给出结论才是评价的核心问题。第三，当下的德育评价为了追求科学性，对量表式测验的接受度比较高。但量表式测验的思路是分析式的，而道德品质则是综合性的、情境性的、文化性的，各个指标的任何加权模式，都很难对作为综合性实践智慧的德性作出准确评估，所以量表式测验依然没有解决德育评价的效度问题。最后，学校德育评价面临的第四个技术难题，是如何将学校德育对学生道德成长产生的影响从其他影响因素中剥离的问题。人的道德成长是受多因素影响、效果不断叠加变化的过程，因而如何从诸多影响因素的叠加结果中剥离出学校德育的效果，在当前情况下依然是无解的难题。

除了上述理论难题，不同于德育理论研究，德育评价研究还面临着比较严峻的实践瓶颈。在德育研究中，相对于理论研究，德育评价与德育方法、德育管理的研究更接近实践，这意味着德育评价研究受实践的影响更大。德育评价研究的强实践性一方面要求德育评价研究的问题源于实践需要，另一方面也要求德育评价研究的结果要回到实践中去，改变德育评价的实践现状。但是德育评价不是纯粹的学术研究，或者说德育评价的方法和设计，不只受科学研究的影响，同时也受德育管理政策的影响，而且后者的影响更为直接，影响力也更大。这形成了德育评价研究的一个怪现象：一方面鉴于德育评价的重要性，实践中对德育评价研究有着迫切的期待；另一方面，德育评价研究结果直接进入实践的空间比较小，需要通过教育管理部门的门槛，转化为教育政策才会被认可，然而，也正是由于德育评价对整体德育实践影响深远，教育管理部门从稳定发展的角度，往往不会轻易改变德育评价的理念与方式。这是德育评价的实践困境。

鉴于以上问题，本书作为对德育评价的专题回顾，在框架设计上努力实现两个突破。一是德育评价学科视野的扩展，主要体现在本书的第一章对哲学、社会学和心理学中的道德评价研究的梳理。二是将德育评价分为理论研究和实践进展两个层面：前三章梳理了德育评价的多学科视野、教育学探索和基础性问题，作为理论研究部分；后两章分别梳理了中国德育评价的立体实践网络以及学生道德品质的时代变迁，侧重呈现德育评价的实践和学生道德的现实状况。

这是一部集体作品，整体框架经过了反复讨论，听取了主编组专家的诸多建议。书的主体内容具体分工如下：孙彩平负责第一章；李占彪负责第二章；王惠颖负责第三章；张峰峰负责第五章；第四章是大家合作完成的，从第一节到第四节分别由孙彩平、张峰峰、王惠颖和李占彪负责。孙彩平还负责导论和余论的撰写，以及整本书的统校和修改工作。希望我们的努力能够对中国德育评价研究有一点推进。

孙彩平

南京 · 清江花苑

2022 年 5 月 28 日

第一章
道德评价的多学科视野

不可否认，道德评价构成德育评价的重要内容，但道德评价却不是教育学研究的专属课题，而是一个跨学科的研究领域。道德评价也并非始于教育学领域，古典哲学中人的精神境界的划分具有一定的道德评价意义，其对道德评价依据的思考也为其他领域相关研究的展开奠定了基础。社会学视角中的道德评价是国家治理的重要方式，也是不同人群自我认同和相互区隔的隐形标准。心理学对道德评价的研究以其科学倾向让人印象深刻，而且对德育评价产生着相对深入而直接的影响，至今依然是德育评价的重要依据。多学科视角不仅让我们看到道德评价在人类研究与生活中的多彩风貌，更有利于德育评价研究思路的扩展和创新。本章尝试呈现多学科视角下的道德评价思路及最新研究进展，为教育学视角中的德育评价研究提供更广阔的理论视野。

第一节　哲学中的道德评价

人的精神性一直是哲学关注的焦点。古典哲学体系中对人的精神层次的划分可以看作初步的道德评价标准。随着价值论的建立，道德评价研究成为哲学中一个专门的课题。不同哲学流派间的道德评价观念存在巨大差异，迄今依然难说有共识，对不同研究推进思路的梳理无疑有利于德育评价思考的深入。本节将对中国哲学思路中的精神境界分层、西方哲学中道德评价依据之争进行梳理，之后对道德评价的专题研究进行简单总结。

一、中国哲学中的不同人生境界

李泽厚说，中国哲学是伦理本位的，人的问题构成中国哲学的核心问题。在春秋战国时期的百家争鸣中，不同思想流派面对当时纷乱的天下格局，从不同的立场提出由乱到治的思想路线。最后经过历史的选择，儒家和道家的思想，与后来的佛教思想融合，形成中国传统道德评价的多元格局，[①] 也是中国文化绵延至今的精神支柱。儒释道三者从不同的视角对人生境界与人格修养划分出不同的层次。尽管这种划分于最初的思想者可能只是表达自己对人生的领悟，并非出于道德评价目的，但最终却以不同的方式融入中国文化体系，成为中国式道德评价的根源。

（一）儒家的人格层次

孔子主张“有教无类”，所以其弟子有寒门出身的颜回，也有名门之后的冉耕。对这些弟子，孔子能够一视同仁，不因其出身而厚此薄彼，屡次称赞颜回之德。但对德行修养，儒家有着明确的划分。“君子之德风，小人之德草”（《论语·颜渊》）是我们熟知的孔子对于君子之德和小人之德的区分。尽管孔子本意为居上位之人应该注意自身的道德修养，垂范民众，但其中所透露出的高尚的德行与普通民众的修养间的差异，已经非常清楚。自孔子后，君子之德也慢慢由处于上位的统治者的德行，转化为一

---

① 向玉乔．中国传统道德评价的多元格局和当代价值［J］．北京大学学报（哲学社会科学版），2022，59（1）：32－41．

种理想人格的道德标准。

关于君子之德的具体内涵，一般以儒家经典为依据，把其中讨论最多，也备受重视的仁、义、礼、智、信作为君子之德的核心。西汉时董仲舒将之列为五常德，使其成为中国伦理传统的核心要素。也有学者认为君子之德的标准更为广泛，除上述五德之外，还包括“忠、恕、勇、中庸、文质彬彬、和而不同、谦虚和自强”①共13个德目。中庸作为儒家至德，学界对其解读的差异很大，有人把它作为一个德目看待，视其为诸德之一或之首，也有人认为“中庸不仅是儒家学派的伦理学，更是他们对待世界的一种看法，是他们处理事物的基本原则和方法”②。而中庸的内涵，最根本的说法多援引《中庸》：“喜怒哀乐之未发，谓之中；发而皆中节，谓之和。中也者，天下之大本也，和也者，天下之达道也。”李翔海曾通过梳理儒家经典，将其概括为简明易懂的三个方面，“过犹不及、和而不同、权变时中”③。无论如何，从孔子“君子中庸，小人反中庸”的说法可见，中庸构成儒家君子人格的一个标准。尽管理论界对君子之德内涵的理解存在差异，但君子作为具有鲜明道德要求的尊称，已成为中国文化绵延至今的伦理概念，君子之德也成为评价人的道德修养的标杆。与之相对的“小人”也由原来对普通民众的代称转化为“在道德上有明显缺陷或不足的人”。摆脱“小人”状态，成就“君子”人格，成为中国人的道德成长之路。

有人提出，孔子的伦理思想不只有上述“君子—小人”的二元划分，而是一个复杂的人生境界体系。林贵长认为先秦儒家的人格层次，按照智慧、境界和价值三个向度来看，在小人与君子之间，还存在一个士的层次，

---

① 汪凤炎，郑红．孔子界定“君子人格”与“小人人格”的十三条标准［J］．道德与文明，2008 (4) : 46 － 51.

② 庞朴．“中庸”平议［J］．中国社会科学，1980 (1) : 75 － 100.

③ 李翔海．孔子的中庸思想与儒学的中道性格［J］．人文杂志，1996 (3) : 18 － 23.

在君子之上，还存在圣人层次。[①] 士是在智慧上低于君子的入德者，君子是理想人格的现实体现，人人通过努力都可以成为君子，但圣人则是理想人格的完美状态，几乎不可达到，孔子说“圣人，吾不得而见之矣”（《论语·述而》）。聂亮和刘泽民认为，孔子的理想人格应该是三个境界，不只是君子和圣人，还包括处于君子和圣人间的贤人。[②] 而孔子眼中的贤人是在德行修养上高于君子的现实存在，君子要尊贤容众。以此为标准，伯夷是孔子认为的贤人代表。孟子对圣人之德的看法与孔子不同，他认为圣人也是现实中可以有的。孟子从对后人的影响力的角度来界定圣人，“圣人，百世之师也，伯夷、柳下惠是也”（《孟子·尽心下》）。后世将孔子称为至圣，将孟子称为亚圣，更多沿用了孟子的说法。

综合以上分析，按照核心德目达成的高低，儒家的道德人格存在着小人—士—君子—贤人—圣人五个层次。圣人位于这个序列的顶点，是非常难以达到的完美境界；小人位于这个序列的起点，代表不能够自觉追求人格完善的道德蒙昧状态。这个序列中，在价值上小人之德是消极评价，其他几个层级，都是积极评价。因而也可以把这作为德目达成或结果视角的消极与积极人格的评价序列。

从养成的角度，儒家的君子人格修养存在着另一个序列，即《大学》中所讲的八目：格物、致知、诚意、正心、修身、齐家、治国、平天下。“大学”是周朝贵族子弟在十五岁后所受的教育，主要是学习政事理论，是大人之学。《大学》作为最重要的儒家经典之一，在流传中几经修订，特别是经朱熹修订后，成为四书之首、儒家学子必读书目。清代以四书取士，进一步使《大学》中的“家国天下”成为中国伦理思维特别是知识分子群体伦理精神的主体框架。按照《大学》所言，这一序列的逻辑是“格物而后知至，

① 林贵长．先秦儒家道德人格层次辨析［J］．吉首大学学报（社会科学版），2011，32(5)：32－37．

② 聂亮，刘泽民．孔子的理想人格三境界［J］．湖北社会科学，2021(2)：87－93．

知至而后意诚，意诚而后心正，心正而后身修，身修而后家齐，家齐而后国治，国治而后天下平”。相对于上述德目修养的达成状况和人格修养结果的层次划分，《大学》八目可以说更接近学习的逻辑，更适合作为德育的教学目标与评价标准。

但《大学》八目中的修齐治平的德育评价意义也不限于学习逻辑，之后演化成独具中国特色的文化伦理图式[①]，以“格局”之名成为中国人格评价的另一维度，至今仍然在日常生活中被广泛使用。追溯文献，格局一词的人格意义，源于《三国志》对夏侯玄的描述，“玄以规格局度，世称其名”[②]。方北辰把这里的“规格局度”解释为“风格和气量”[③]，具有明显的人格意义。到宋时，朱熹在与弟子讨论君子之德时，认为“伯夷有壁立万仞之气”，“伯夷格局更高似柳下惠”[④]，明确把格局作为讨论君子人格的概念。明朝张元忭在自己的文集中，称赞狄仁杰“容人所不能容、忍人所不能忍、以天下之心为心、以天下之事处事”[⑤]的大格局人格。可见此时，容忍之量、天下格局已经成为儒家理想人格的内涵；而与之相应，将个人与家庭利益作为处理准则的，则被称为小格局。大格局背后隐含着在价值上“天下—国—家—个人”由高到低的排列顺序，形成中国顾大局、识大体的民族精神。

中国的“大体”与“大局”意识，实际上与黑格尔所说的伦理的普遍性是相通的。黑格尔认为伦理在本质上是普遍的东西，[⑥]个体、家庭、国家和人类，是代表精神由低到高的普遍性层级的伦理实体。由此看来，家国

---

① 孙彩平，周亚文．追寻格局：中国文化伦理图式敞开与德育路向［J］．教育研究，2021，42（8）：69－77.

② 陈寿．三国志［M］．上海：上海古籍出版社，2011：272.

③ 方北辰．三国志全本今译［M］．西安：陕西人民出版社，2011：564.

④ 朱熹．朱子语类［M］．武汉：崇文书局，2018：957.

⑤ 张元忭．张元忭集［M］．上海：上海古籍出版社，2015：139.

⑥ 黑格尔．精神现象学：下［M］．贺麟，王玖兴，译．北京：商务印书馆，2011：10.

天下的伦理格局的实质，是人的精神的普遍性不断向外扩展的规律。按照精神普遍性的不同程度，儒家人格可以划分为个人、家庭、国家和天下格局四个层级。只是在一般的意义上，人们会把国家以上格局的人格称为大格局人格，作为值得称道的理想人格。这是儒家人格层次的另一个德育评价含义。

综上所述，作为中国文化主流的儒家人格思想，包含着德目（内容）、学习（过程）、精神的普遍性（水平）三个维度的评价意义，为中国文化中人格评价提供了核心标准与主流思路。

（二）道家的圣人之德

面对春秋战国时期礼崩乐坏、诸侯云起的社会大变局，道家提出了与儒家完全不同的国家治理与人格修养理路。相对于儒家对天下一家的期盼，以及通过自强不息的勉力而“为”实现秩序重建的主张，道家认为天下失序的原因是“大道废”，以小邦寡民为理想，认为“无为而无不为。将欲取天下也,恒无事。及其有事也,又不足以取天下矣”(《道德经》第四十八章)。从完全不同的哲学立场出发，道家对人格修养的理解自然与儒家也相去甚远,但老子也同样将自己心中的理想人格称为“圣人”,只是他的“圣人之德”与儒家的“圣人之德”完全不同。

老子在《道德经》中说：“上德不德，是以有德。下德不失德，是以无德。”“失道而后德，失德而后仁，失仁而后义，失义而后礼。夫礼者，忠信之薄而乱之首。前识者，道之华而愚之始。”可见老子对儒家尊崇的仁、义、礼、智（前识）很不以为然，甚至认为是天下愚、乱的祸首。他的圣人之德，完全不以这些德目为标准。不过，一般认为老子的圣人，也是一个完全理想化的人格称谓，并没有具体的榜样或范例存在。《道德经》中所推崇的道德皆为圣人之德。葛荣晋认为《道德经》中有三个得道者的人格形象：古之善为士者、上善若水者和圣人。圣人为三者中最高的理想人格，无为是其人格核心，包括无为而治、无知无欲、返璞归真、不敢为天下先、不争之德、为而不恃、以百姓心为心、中庸和谐、柔弱胜刚强、上德若谷、清静为天下正、求知“不病”12项具体内容。[①]陆建华认为，老子的圣人之德有内圣外王的特征，内圣集中于朴实、谦下之德，外王以无为为主线，体现在救人与救物两个方面。这两个方面都体现了道的特质，尤其是道的无为、柔弱、质朴等特质。[②]邓晓芒认为，《道德经》与儒家的经典一样，贯穿着“劝善”的主题，老子“首先是劝世间君王放弃野心和私欲，无为而治；其次是劝世人戒除骄躁，回归自然朴素”[③]，所以老子的圣人之德，其实是极为高明的治世和处世良方。

老子在将所有美德集于圣人一身的同时，也谈到了一些其他的形象，其中层次最为分明的是对士的讨论，集中在《道德经》第四十一章。“上士闻道，勤而行之。中士闻道，若存若亡。下士闻道，大笑之。”这里的士，显然并非抽象的人格概念，而是指称现实生活中的有修养的人。通过不同的人对道的反应，老子实际上区分了对道理解的三个层次：完全不能领悟因而讥笑道的，是士中最低的层次“下士”；对道将信将疑的，是士的中间层次“中士”；信奉道并依道而行的，是士的最高境界“上士”，也可以说是达到圣人境界了。如果认为圣人是得道之人，这里就是以现实生活中不同的人对道的反应，说明了圣人标准在现实生活中的具体表现。这一点在《道德经》第十五章对善为士（有的版本是善为道）者的描述也可以看到，老子的“善为士者”之德与圣人之德是一致的。

在道家的另一位重要代表人物庄子眼中，儒家的圣人与小人、士、大夫一样，都是以身殉物而失去了本性的人。在《庄子·骈拇》中，庄子犀利地批判道：“自虞氏招仁义以挠天下也，天下莫不奔命于仁义，是非以仁义易其性与？故尝试论之：自三代以下者，天下莫不以物易其性矣。小人

---

① 葛荣晋.《道德经》的人生境界［J］.中原文化研究，2016，4(3)：5－11.

② 陆建华.士和圣人：老子的理想人格［J］.管子学刊，2020(4)：84－87.

③ 邓晓芒.作为“伦理学之后”的“三玄”［J］.道德与文明，2021(2)：5－21.

则以身殉利，士则以身殉名，大夫则以身殉家，圣人则以身殉天下。故此数子者，事业不同，名声异号，其于伤性以身为殉，一也。”特别是对儒家所推崇的圣人之德，庄子进行了深刻的批判：“夫妄意室中之藏，圣也；入先，勇也；出后，义也；知可否，知也；分均，仁也。五者不备而能成大盗者，天下未之有也。由是观之，善人不得圣人之道不立，跖不得圣人之道不行。”（《庄子·胠箧》）当然，庄子所批判的主要是儒家的圣人之德，而非老子的圣人之德。

在终极道德理想人格上，庄子对老子是有继承的，他同样赞赏“虚静恬淡寂漠无为”（《庄子·天道》），认为这是万物之本，是至道，但庄子的理想人格却也不完全等同于老子的圣人，或者可以说是在老子的圣人人格之上有所拓展。在《庄子·天下》篇中，庄子依据对道的领悟列出他自己的人格序列：“不离于宗，谓之天人；不离于精，谓之神人；不离于真，谓之至人。以天为宗，以德为本，以道为门，兆于变化，谓之圣人；以仁为恩，以义为理，以礼为行，以乐为和，熏然慈仁，谓之君子；以法为分，以名为表，以参为验，以稽为决，其数一二三四是也，百官以此相齿；以事为常，以衣食为主，蕃息畜藏，老弱孤寡为意，皆有以养，民之理也。”对这个序列，庄子研究者中有不同的理解。一种观念认为圣人、至人、神人、天人实际上是异名同实，都是达到无己、无功、无名的得道高人，都是庄子的理想人格的名称；另一种观念主要以“至人无己，神人无功，圣人无名”为依据，认为这四者间存在着高低的区别。[①]本书比较认同异名同实的说法，这样庄子的人格序列就简化为至人（包括圣、神、天人在内）—君子—官—民四级。需要注意的是，尽管这个序列中最低一级是民，次之是官，但庄子的人格序列并不以社会身份来划分，这不同于老子人格划分——圣人多是对统治者或在位者的描述或要求，庄子所描述的至人，常常是避于庙堂

---

① 杨成孚.《庄子》至人·神人·圣人异名同实论[J].南开学报，1996(5)：54－62.

之外、处于山野之中“与天地精神独往来”的自由不羁的人格形象。

根据庄子的描述，邓晓芒作了至人的结构图：天地—大美—无为—至乐—至人—至德—心斋—天乐—道。他认为这个结构反映了庄子的至人“独”立于世的人格形象，即无己、无功、无名，“不把自己的生存方式当作手段，既不是为了治天下，也不是为了自保，甚至也不是为了‘与人和’的‘人乐’，而是当作一种个人对‘大美’‘至乐’的精神追求，一种对高洁清静人格的向往”[①]。而这一切的核心，无疑是超越一切束缚的精神解放。陶渊明在《归去来兮辞》中所言“怀良辰以孤往，或植杖而耘耔。登东皋以舒啸，临清流而赋诗。聊乘化以归尽，乐夫天命复奚疑”，可谓现实版的至人。庄子的至人理想，可以说是中国人格文化乡愁的源头。

（三）禅宗的心性修养层次

佛教与中国本土的儒家和道家文化融合，形成独具特色的禅宗，自唐朝以后，成为中国文化的重要内涵，支撑起中国精神的超验关怀，自此形成中国儒、释、道一体的文化系统。佛教能够融入中国文化的原因，一方面在于佛教自身“入乡随俗”的自我改变，另一方面也在于其与中国文化的内在契合。禅宗的实质是通过心性修养实现精神超越，与儒家的心性论和道家的道法自然间存在着内在的相通之处。儒家本身即修身养性之学，禅宗的心性一体、心即佛的观念，在本质上是性善论的，所以六祖“不悟，即佛是众生；一念悟时，众生是佛”(《坛经·般若品第二》)的观念，与孟子“人皆可以为尧舜”(《孟子·告子下》)如出一辙。道家的自然之道使中国文化本身就具有追求精神超越的先验论思想基础，庄子“无我、无功、无名”的回归天性路径，与禅宗心即佛法、超脱一切烦恼达至佛性的修行方式间也存在着高度的相似性。

---

① 邓晓芒.作为“伦理学之后”的“三玄”［J］.道德与文明，2021 (2)：5－21.

上文分析了儒家与道家按照心性修养层次而进行的人格划分，可看作人格评价的不同标准。佛是禅宗修行的终极目的，空是佛家修行的法门。关于修行的过程，宋朝六祖下第十四世吉州青原惟信禅师的参禅三境界广为流传。“老僧三十年前未参禅时，见山是山，见水是水。及至后来，亲见知识，有个入处。见山不是山，见水不是水。而今得个休歇处，依前见山只是山，见水只是水。”（《五灯会元》卷十七）显然，第一个境界是不开悟的境界，以山水为自在，会为之欢喜为之忧愁，即众生境界；第二层境界是半开悟境界，悟到一切皆空，万物由心生；第三层境界即佛的境界，悟到山水由心生，不为其所动、所染、所羁绊。这个说法比较形象，但划分相对简单。

一般认为，禅宗的自性五分法身香是五种成就佛身的功德法，可以看作禅宗的精神修炼过程。尽管从佛性直觉、顿悟角度来看不一定对应五个阶段，但因为它与不同的心性状态与做法相对应，因而可以将其看作一个逐渐达到定慧程度的层级。“一戒香，即自心中，无非、无恶、无嫉妒、无贪嗔、无劫害，名戒香。二定香，即睹诸善恶境相，自心不乱，名定香。三慧香，自心无碍，常以智慧观照自性，不造诸恶。虽修众善，心不执着，敬上念下，矜恤孤贫，名慧香。四解脱香，即自心无所攀缘，不思善，不思恶，自在无碍，名解脱香。五解脱知见香，自心既无所攀缘善恶，不可沉空守寂，即须广学多闻，识自本心，达诸佛理，和光接物，无我无人，直至菩提，真性不易，名解脱香。”（《坛经 · 忏悔品第六》）此五分法可以看作修行的五个境界：第一层境界是先戒除一切杂念，做到不染杂念；第二层境界是收住心神，不被扰乱，做到心定；第三层境界是时时反省自己的内心，有善心但不偏执一念；第四境界是自由境界，超越善恶，了无牵挂；第五境界是和光同尘，直至菩提。

禅宗的精神修炼，与庄子的“逍遥”于世相合，为中国人在穷困的处境中提供了在儒家倡导的“自强不息”之外的另一种精神超越路径和处世态度，对陆王心学产生了很大的影响，也成为中国历史上仕途失意者的精神庇护所。

中国传统文化中的人格层次划分，几乎可以涵盖出世、入世，得意、失意等所有人生处境。如果剔除其所包含的等级观念，可以将其看作人生在世精神修养的层次、过程和标准，从不同维度为不同处境的人提供了“这是一个什么样的人”的衡量尺度。

二、西方哲学的道德评价意蕴

不同于中国哲人对人生现实伦理状况的高关注度，西方哲学理论包含多层面的道德评价意蕴。其中与中国哲学思路比较相近，甚至包含相通观念的是美德伦理学。它从过幸福生活的目的来思考人的德性问题，更接近人的生活实践。尽管它对拥有美德者的整体人格样态（特别是其过程性）并没有像中国哲学那样投入太多关注，但它强调人之德与活动的内在统一性，为道德评价的客观性提供了中介。而且 20 世纪中期后复兴的新美德伦理注重对德性的文化视角考察，也为道德教育内容的选择提供了更广阔的视野。西方哲学主流更关注进行道德判断的普遍原则的讨论，聚焦伦理的形而上学问题，提供道德判断的公式，不同的哲学派别对道德原则的看法有明显分歧，而且它们对道德判断的讨论，也不限于对人的道德评价，还包含对事件的价值判断。另外，西方哲学也包括对人的精神现象形态的划分和伦理存在状况、伦理秩序及恶的平庸性的思考，为道德评价提供了更为深刻的理论基础。下文从以下三种哲学思路展开其所包含的道德评价意蕴：美德伦理及其实践原则的德育评价意义、普遍的道德判断原则和人的精神状态及伦理秩序的划分。

（一）美德伦理及其实践原则的德育评价意义

与中国百家争鸣中所涌现的诸多理想人格遥相呼应的，是古希腊哲人亚里士多德（Aristotle）的伦理思考。如前所述，中国古代哲学思考的重

点是什么是好 / 善人，并常常根据表现将人格划分为不同的层次。在古希腊的语境中，世间善是有很多形态和层次的。不同于柏拉图（Plato），亚里士多德首先关注什么是“属人的善”。在他看来，幸福是人世间“始终因其自身而从不因他物而值得欲求的东西”①，因而是最高善，是所有活动的目的。“人的善就是灵魂的合德性的实现活动，如果有不止一种的德性，就是合乎那种最好、最完善的德性的实现活动。”②这样看中西方哲学的区别就比较明显，西方哲学认为人的善不是人本身，而是灵魂的某种特定的实现活动。那么什么是德性呢？亚里士多德认为：“人的德性就是既使一个人好又使得他出色地完成他的活动的品质。”③在《尼各马可伦理学》中，他非常详细地讨论了公正、自制、友爱等具体德性。

亚里士多德把德性看作区别于感情和能力的品质，但并不是如中国的“道”或禅宗的“佛性”一样先验地存在于人身上的，而是后天通过习惯获得的。在上面关于德性的定义里已经可以看到，他把德性与活动联系在一起，“我们先运用它们而后才能获得它们”，“我们通过做公正的事成为公正的人，通过节制成为节制的人，通过做事勇敢成为勇敢的人”。④他在这个意义上强调重视活动的性质，因为成为什么样的人取决于我们参与的活动的性质，人是通过做某些事而成为某些人的。这个观念与中国的“做”人的观念是接近的，两者都重视德性的实践属性。这样的观念无疑为人的道德评价提供了一个中间变量，即通过评价其做的事而评价人。

除了活动性，亚里士多德认为：“德性是一种选择的品质，存在于相对于我们的适度之中。”⑤这一点与中国哲学的“中庸”观念相通。如前所

---

① 亚里士多德．尼各马可伦理学［M］．廖申白，译注．北京：商务印书馆，2011：17.

② 同①20.

③ 同①45.

④ 同①36.

⑤ 同①47.

述，“过犹不及”是儒家的中庸之德的重要内涵，亚里士多德也明确，德性是适度的品质，勇敢的德性是鲁莽和怯懦之间的适度，慷慨是挥霍与吝啬之间的适度，自信是自负与自卑之间的适度等。只是适度并不那么容易把握，并非绝对中间，而是以在具体的情况中出色地完成活动为依据。因为“实践的逻各斯只能是粗略的，不很精确的”，“实践与便利问题就像健康问题一样，并不包含什么确定不变的东西”。[①]这与儒家所重视的权变也是一致的。也正是德性的这一不确定性特点，给评价带来理论上的困难。

亚里士多德以幸福为最高目的的德性论，开创了西方哲学的美德伦理观念，并因其对人的现实生活情境、意愿及具体德性的详细讨论而更贴近现实问题的解决和实际行为的指导。因而，在经历了元伦理学对现实生活问题的忽视，以及现代生活中相对主义的价值混乱后，德性伦理在20世纪中叶后再次受到重视。针对现代生活中的伦理碎片化和传统断裂问题，新美德伦理的代表人麦金太尔（Alasdair Maclntyre）还强调了美德的两种文化特征。其一是美德在生活中的整体性特征。他提出“某人真正拥有一种德性，就可以指望他能在非常不同类型的环境场合中表现出它来”，“在某人的生活中的一个德性之整体，唯有作为一个整体生活，即一个能被看作也可被评价为一个整体的生活的特征才是可理解的”[②]，这与亚里士多德强调的德性的稳定性特征具有一致性。其二是美德的时间性特征，“德性必须维持的不仅有对现在的关系，还有对过去的关系，甚至对将来的关系”[③]。显然，他将美德看作实现文化传承的重要因素。这一点对道德教育内容的选择具有很好的启示意义。

---

① 亚里士多德．尼各马可伦理学［M］．廖申白，译注．北京：商务印书馆，2011：38.

② 麦金太尔．德性之后［M］．龚群，戴扬毅，等译．北京：中国社会科学出版社，1997：258.

③ 同②279.

（二）普遍的道德判断原则

18、19 世纪是西方规范伦理学的鼎盛时期，道德原则研究构成规范伦理学的核心话题，形成了义务论和功利论两大学派。而后的道德原则争议，基本上是这两条线路的细化、发展和完善，所以这里只简要地呈现这两大道德原则。

首先是康德（Immanuel Kant）的义务论道德法则。康德在认识论上努力化解理念论与经验论间的分歧，提出“理性无感性则空，感性无理性则盲”，力主理性与经验分别构成知识的形式与内容。但他依然认为，知性和理性是高于感性的认识形式，是理性的普遍性和客观性使得杂多的感性得到抽象与概括，从而脱离了感性的杂多性和不确定性，所以他依然被认为是理性主义立场的哲学家。康德的理性不仅为人的认识提供了可靠的思维逻辑，而且也是现实的和实践的，为人类的实践领域立法。康德由此提出了著名的纯粹实践理性（也可以说是纯粹理性实践）的基本法则：“这样行动：你的意志的准则始终能够同时用作普遍立法的原则。”[①] 康德的实践法则是有逻辑前提的，即意志自由、灵魂不朽和上帝存在。这里需要解释的是，意志自由是解决作为超越感性和经验世界的理性存在物的人的自我决定的可能性；灵魂不朽是由于至善这一最高理想的实现只有在无休止的时间绵延中才得以可能，这是极限思维中的无穷大在道德问题上的具体化；上帝只是作为至善的一个形象代言人，上帝存在即是立论至善这一终极理想的存在。

为了更好地说明这一普遍道德法则的纯粹理性立场，康德也给出了四个定理：①凡是把欲求能力的客体（质料）作为意志决定根据的先决条件的原则，一概都是经验的，并且不能给出任何实践法则。②一切质料的实

① 康德．实践理性批判［M］．韩水法，译．北京：商务印书馆，2000：31.

践原则本身皆为同一种类，并且从属于自爱或个人幸福的普遍原则。③如果一个理性存在者应当将他的准则思想为普遍的实践法则，那么，他只能把这些准则思想为这样一种原则：它们不是依照质料而是依照形式包含着意志的决定根据。④意志自律是一切道德法则以及合乎这些法则的职责的独一无二的原则；与此相反，意愿的一切他律非但没有建立任何职责，反而与职责的原则，与意志的德性，正相反对。[①] 从以上四条定理的内容，可以很清楚地看到康德坚决将质料、经验、个人自爱和幸福等排除在道德法则之外。这与他在认识论领域中对经验的承认形成鲜明对比。

康德的法则只提供道德判断的思维形式，不提供内容，这是纯粹理性能够为实践领域提供的唯一的东西，具体内容要由道德经验生活来填充。这一原则，与儒家的“己欲立而立人，己欲达而达人；己所不欲，勿施于人”所表达的几乎一样。不同的是，他有严密的逻辑论证体系。

实际上在康德的普遍道德法则之前，休谟（David Hume）就提出了他的情感加效用的道德原则——他因此成为义务论者的批判对象，实际上是为后来的功利主义和所有的情感主义路线的伦理学奠定了基础。1740 年休谟在自己的《人性论》第三卷非常清晰地论证了自己的道德原则，但没有受到预期的关注，又于 1751 年出版《道德原理探究》，将道德篇进行改写，再次明确自己情感加效用的道德原则。区别于理性主义的逻辑论证，休谟在研究方法上采取了接近科学研究的经验归纳和心理分析的方法。在他看来，作为完善人们自身、调节人们相互关系的道德准则，只能通过观察现实生活、从经验事实中引申出来。在经过对道德经验的分析后，他明确提出“恶和德的区别不是单单建立在对象的关系上，也不是被理性所察知的”，“道德宁可以说是被人感觉到的，而不是被人判断出来的”。[②] 继而，他提出了自己的道德判断原则：“人格的价值完全在于拥有对自己或他人有用

---

① 康德．实践理性批判［M］．韩水法，译．北京：商务印书馆，2000：19，20，26，34.

② 休谟．人性论：下册［M］．关文运，译．北京：商务印书馆，2011：510.

或者使自己或他人愉悦的心灵品质。”[①] 这个原则中融合了情感（愉悦）和效用（有利）两个向度，一方面使他的道德判断原则克服了理性主义不近人情的缺点，另一方面，由于他的道德判断是基于同情这一自然人性和社会效用这一客观标准的，从而摆脱了极端的个人相对主义立场，成为另一思路的普遍道德原则。可惜的是，他的这一努力不仅被以康德为代表的理性主义者作为批判的靶子，也没有被功利主义者很好地承继。

一般认为，功利主义原则的提出者是边沁（Jeremy Bentham）和穆勒（John S. Mill），特别是穆勒，他明确“把‘功利’或‘最大幸福原理’当作道德基础的信条主张，行为的对错，与它们增进幸福或造成不幸的倾向成正比。所谓幸福，是指快乐和免除痛苦；所谓不幸，是指痛苦和丧失快乐。”[②] 由此修正了边沁前期论证中对自我利益和感受性快乐的强调，明确了最大多数人的幸福是功利主义的终极善，同时幸福不只是个体感受性的快乐，而是包括理想的快乐、感情和想象的快乐，道德情感的快乐所具有的价值要远高于单纯的感官快乐。这样就使功利主义摆脱了只是为庸俗的个人感官快乐辩护的问题。

显然，在看重人的感受性和行为所带来的结果上，功利主义的道德原则与休谟的道德原则有很大的相通性。这也使功利主义在两个方面受到严格批判。在理性主义者看来，一方面，趋乐避苦倾向是一种生物性倾向，以此为道德判断的依据，可能的结果是引导人去做一头快乐的猪。尽管穆勒对此进行了修正，强调幸福感包含高级道德情感带来的满足，但以人的感受性为依据的理论设计依然不能排除停留于简单快乐感受的庸俗快乐主义，这是将道德作为人的崇高性体现的普遍观念所无法接受的。另一个方面是从一个人的个人感受出发，无法保证他能够更优先地考虑其他人或社会的整体利益。实际上这个问题休谟已经作出过理论努力，穆勒也对此再

---

① 休谟．道德原理探究［M］．王淑芹，译．北京：中国社会科学出版社，1999：88.

② 穆勒．功利主义［M］．徐大建，译．北京：商务印书馆，2019：8.

次强调，功利主义是追求最大幸福，是最大多数人的最大幸福，而非只限于个人的得益。但这种设定依然存在着一个理论难题，就是如何让个人感受到他人的痛苦和整体的不幸。休谟的办法是借助人的同情心理机制，而穆勒认为除了同情，“功利主义道德标准的约束力也是人类出于良知的感情。”① 这样的论证显然不够有说服力，即功利主义从与其他道德标准一样的原因，如何推出不同于其他道德标准的原则问题，没有得到很好的理论证明。

相对于义务论道德原则基于逻辑的论证方法，功利主义道德原则的路线是事实证明，“事实上人都是……”是功利主义的论证句式。在这个意义上，它更像是对流行的道德标准的总结，是归纳推理的论证方式。这样的论证当然存在着休谟所说的从“事实”推出“应该”的逻辑漏洞。但事实的广泛性，意味着功利主义原则是在生活中被普遍使用着的原则，相对于哲学家推理出来的绝对命令，它在现实生活中接受度更高。也可以说，义务论的道德法则是理论上的应然，功利主义的道德标准是现实中的实然。相对于义务论道德法则的冷峻，功利主义的道德标准被广泛应用于社会生活的各个领域。不仅如此，罗尔斯（John B. Rawls）在他的《正义论》序言中曾说：“在现代道德哲学的许多理论中，占优势的一直是某种形式的功利主义。”② 可见不只在现实中，功利主义在现代道德哲学中也有着广泛的影响。

（三）精神状态的层次和伦常价值秩序

除了上述的美德伦理、规范伦理可能带给德育评价的启示外，在西方哲学中关注人的精神与意义世界的现象学理论对人的精神状态层次与伦理

---

① 穆勒．功利主义［M］．徐大建，译．北京：商务印书馆，2019：35

② 罗尔斯．正义论［M］．何怀宏，何包钢，廖申白，译．北京：中国社会科学出版社，1988：1.

价值秩序的划分，也丰富着道德评价的理论基础。

1. 黑格尔从伦理到道德的精神运动

尽管黑格尔（Georg W. F. Hegel）的《精神现象学》与后来的现象学派对现象的理解存在着非常大的差异，但他们对人的意识的关注是一致的。在其“意识的经验学”中，黑格尔将伦理与道德看作意识的客观形态，是意识达到绝对精神的重要逻辑环节。当然这并不意味着人的意识在达到伦理与道德前不需要在直接意识中孕育，也不意味着在达到伦理的最高层级的普遍性后不再向更高级的绝对精神升华。实际上黑格尔对意识的三种形态的分析，恰恰是在其否定之否定的辩证论下展开的。因而，除了伦理与道德的内在结构与环节——为道德评价提供可直接借鉴的考察框架——黑格尔将伦理与道德置于其孕育形态及升华形态的连续形态中的讨论，还为我们思考道德评价展开了更为广阔的理论视野。

黑格尔是西方哲学史上为数不多的对道德与伦理进行区分的人。在他眼里，伦理与道德是自我意识运动的不同向度。伦理是个别意识走向普遍性的直向运动，它通过意识到自身与伦理实体的统一，实现精神的普遍性提升，因而伦理在本性上是普遍的东西。[①]“个别的意识，当它在它的个别性中意识到普遍的意识即是它自己的存在时，当它的行动与实际存在即是普遍的伦常礼俗时，它只是这种存在着的一而已”[②]，这是意识由个别的状态上升为普遍的伦理状态的过程。所以，黑格尔说：“伦理只不过是各个个体的本质在个体各自独立的现实里的绝对的精神统一，是一个自身普遍的自我意识。”[③]从发生的意义上，可以看作是精神由个体经由与家庭、社会、国家、世界这些伦理实体的统一而实现的一种自我扩展。这一逐渐扩展的过程，也是实现自我意识普遍性的不断升级的过程，其中

① 黑格尔．精神现象学：下［M］．贺麟，王玖兴，译．北京：商务印书馆，2011：10.

② 同①264.

③ 同①263.

包含着一个由小到大的普遍性秩序，即伦的序。这一伦的序，在教育中转化为教育的序，划分成不同时段的教育目标，因而也成为德育评价的参照。这一点与上文所说的中国哲学的家国天下的格局培育的德育传统是相通的。

黑格尔认为，道德“乃是一种比伦常更高的意识形态”①。这样的定义是基于两个方向的原因，一是在发生的意识上，在自我意识向着绝对精神的运动过程中，当发现自己与伦理实体的统一之后，“它意识到这伦理实体是它自己的本质”②，由此道德形成或实现，在这个意义上，道德本质是自我意识。二是道德的形成也意味着自我意识从伦理实体中摆脱出来。“自此以后，自我意识自身就是目的，因为它同时既是普遍的自我意识又直接在它自身中具有着法则。但在实施它内心法则时，它经验到，个别的本质并不能同时被保存下来，只有通过对个别的本质的牺牲，善才能得到实行；而自我意识于是变成德行。”③由此可见，在黑格尔这里，如果说伦理是个别意识获得自己的普遍性的过程，道德则是个别意识通过自己意识到并实现自己的普遍性的过程。由于黑格尔的道德主要是道德意识，或者用他自己的概念，是“道德世界观”，所以尽管他的道德现象讨论了欲望、苦恼等内在心理感受对道德意识的交织影响，但对于道德意识如何在实践中转化为行动，着墨不多。而在偏重生活实践的中国哲学看来，伦理是悟道的过程，道德是让道通过自己得以实现的过程，也是践行道的过程，即道德是伦理——普遍精神在具体现实情境中的实践形态，或者说是普遍精神获得其实践形态的过程。按照樊浩的分析，中国“伦—理—道—德”的精神体系，“相当程度上是人的精神从实体的家园中诞生并向生活世界转化的

---

① 黑格尔．精神现象学：上［M］．贺麟，王玖兴，译．北京：商务印书馆，2011：269.

② 同①300.

③ 同①270.

过程”①。

2. 海德格尔的两种存在状态

黑格尔从自我意识切入的精神现象体系，有着浓厚的理性主义气质。相对而言，海德格尔（Martin Heidegger）对意义世界的观照，显然更有人间烟火气息，他对存在的常人和本真状态的划分，可被看作基于平凡人生中良心现身与否的道德状态洞察。海德格尔将“操心”作为此在的在世本质，奠定了其存在论的伦理色彩。邓安庆把海德格尔看作现象学伦理学的重要代表人物之一，认为《存在与时间》“是围绕人生的实际性与原初的生命经验来展开的具有基础伦理维度的一部实践哲学巨著”，“给人们展示出一种本源的元－伦理（Ur–Ethos）思想”。②他对人的常人与本真状态的深入分析，堪称对平凡人生善恶交织情形的逼真而生动的刻画。

在海德格尔笔下，人总是生活在与他人打交道的世界中的。“无论在与他人合谋、赞成他人、反对他人的时候手中掌握的是什么东西，反正操劳于这种东西之际总在为与他人的差别操心；哪怕只是为消除这种差别，也是为差别而操心——无论为自己的此在落在他人后面而要在对他人的关系上奋起直追，还是此在已经优越于他人而要压制住他人。为这种差距而操心使共处扰攘不宁。”③常人状态是此在的心安状态，海德格尔也将其称为“平均状态”，其实质就是跟别人保持一致、不许有些许差异。“常人怎样享乐，我们就怎样享乐；常人对文学艺术怎样阅读怎样判断，我们就怎样阅读怎样判断；竟至常人怎样从‘大众’抽身，我们也就怎样抽身；常人对什么东西愤怒，我们就对什么东西‘愤怒’。”④此在的常人状态就是

---

① 樊浩．伦理道德的中国精神哲学范式与中国话语［J］．学海，2016 (2)：5 － 13.

② 邓安庆．现象学伦理学对于我们为什么如此重要？［J］．现代哲学，2016 (6)：55 － 61.

③ 海德格尔．存在与时间［M］．陈嘉映，王庆节，译．北京：生活・读书・新知三联书店，2012：146.

④ 同③ 147.

人云亦云、随波逐流的生活状态。说别人说过的话、按照别人做事的方式去做事。当要进行道德选择时，常人状态的此在的做法不是诉诸自己的思考与判断，而是去听别人怎么做，或多数人怎么做，并把这个别人或多数人的行为作为自己行为的理由，“既然人家都这样做，那肯定是有道理的”成了他的道德判断准则。即使有了错误，他也有他的理由，“这不是我说的，是别人说的”，“这不能怪我，别人都是这样的”。因而常人状态实际上就是一种逃避责任的心理，因为把责任推给“别人”，此在就不用再有责任的负担。与他人一样，常人状态带给此在一种安全感和轻松感，而且可以免去苦苦思考之苦恼和焦虑。这就是此在甘愿说常人所说、做常人所做，甘愿沉沦在常人状态的原因。常人状态是此在的通常状态。

除了责任卸载，海德格尔没有对常人状态进行更多的道德分析。他的学生阿伦特（Hannah Arendt）却通过艾希曼人格揭露出，特殊情境下的极端的恶的存在论根源，恰恰是这种常人状态。放弃思考和推卸责任的常人，“看守着任何挤上前来的例外”，“任何优越状态都被不声不响地压住”。[①]正是这一常人心理，使得在极权情境中，别人和多数人的沉默成为选择顺从极权统治、执行种族清洗命令的理由，而且不会为此不安。这种对其他生命的冷漠，只是因为别人和多数人都是这样做的。这种无思的选择放弃了基于理性和良知进行判断的道德责任，“从这种不愿或不能通过判断力把自己与他人联系起来的情况中，产生了那种真正的 skandala，那真正的绊脚石，人类的力量不能移动它，因为它们不是被人类和人类可以理解的动机所引致的。在那里存在着恐怖，同时，也存在着恶的平庸性”[②]。

如果完全为常人所主宰，此在就会失去自己“去存在”的本质。所以除了常人状态，海德格尔给出了人的本真状态。本真状态就是此在向自己

---

① 海德格尔．存在与时间［M］．陈嘉映，王庆节，译．北京：生活·读书·新知三联书店，2012：148.

② 阿伦特．责任与判断［M］．陈联营，译．上海：上海人民出版社，2011：115.

的无限可能的敞开状态。常人与本真状态的切换，依赖此在愿听良知的召唤。来自此在内心的良知的呼声可以将其从常人的庸庸碌碌中唤醒，使之幡然醒悟到自己本真的能在，于是在后悔与自责中下定决心，摆脱人云亦云、随波逐流的常人状态，去展开自己可能的生活。相对于良知，阿伦特更愿意把人摆脱恶的平庸性的希望寄托于人的自由意志，或者说是理性的思考与判断。在她看来，以服从法律和命令为自己的罪恶辩护的艾希曼，只是放弃了作为一个个人的理性自由，将自己的意志交给了命令和对极权的服从。

3. 舍勒的人格价值秩序

舍勒（Max Scheler）的人格伦理学无疑是现象学伦理学中一朵璀璨的学术之花。他将胡塞尔（Edmund G. A. Husser）的价值论与人格现象学相结合，在批判理性主义和形式主义的立场上提出独具特色的质料的价值伦理学，并以此建立起伦常人格的爱的秩序。

舍勒将人格看作“精神的本质必然的和唯一的实存形式”,[①] 是“为所有本质不同的行为‘奠基’”[②] 的具体精神，是人格使得人的各种行为差异具有统一性。但他批判将精神抽象化和理性化的前哲学，认为精神不只是抽象的思维形式和观念，而是包含着具体的感受性的质料内容的。在他看来，人格是活生生地存在着的精神统一性，“它仅仅作为它所进行的行为的具体统一而‘存在’（ist），并且仅仅在这些行为的进行中存在；它亲历（er-lebt）每个存在和生活——包括所谓的心理体验，但本身永远不是生活过的（gelebt）存在和生活”[③]。这意味着人格的时间与空间上的无限开放性，也意味着所有现实人格都是有限的——神是唯一的无限人格。需要注意的是，

① 舍勒．伦理学中的形式主义与质料的价值伦理学［M］．倪梁康，译．北京：商务印书馆，2018．568.

② 同①559.

③ 同①693.

舍勒在强调人格对自身行为的统一性的同时，也强调自己的愿欲与异己的愿欲的明确区分，并且他同理性主义者一样认为对自己（包括）身体的主宰构成人格的条件。

舍勒特别明确地讨论了个别人格和总体人格的关系，把它们看作一个有限人格的两个不可或缺的维度。“每一个有限的人格都‘含有’一个个体人格和一个总体人格；它的每一个世界都含有一个总体世界和一个个别世界：两者都本质必然地是一个具体的人格与世界之整体的两面。”[①]

舍勒同时把人格看作价值的载体，所以其人格排序在本质上是价值秩序。他对价值的排序有两层标准，首先是依照从低到高的顺序而排列的感性价值、生命价值、精神价值和神圣价值四个等级，然后是延续性、不可分性、被奠基性、满足感的深度和载体的量五个指标。同时他对人格的伦常价值的排序，也以人格与理性法则的关系为标准，“一个人越是听凭自己通过一个超个体的理性法则来活动，他在伦常上就越有价值”[②]。从这一点可以看出，在他的先天质料伦理学中，依然给理性法则留下了重要的位置。

他依照这个价值排序标准和复杂的人格统一体，将榜样人格等级秩序由高到低地排为：圣人（神圣价值）、天才（精神价值）、英雄、引领的精神（生命价值）和享受的艺术家（感性价值），[③] 对社群人格即总体人格按照时间的延续性由低到高地排为家庭—氏族—部落—住房—民族（生命共同体）—国家—文化圈—（民族）国家（精神价值）—教会（神圣价值）。[④]

毫无疑问，舍勒的人格秩序是一种天才式的复杂体系，他努力从西方哲学与文化传统中开辟出一个新的人格天地，他所揭示的伦常明察之现象

---

① 舍勒．伦理学中的形式主义与质料的价值伦理学［M］．倪梁康，译．北京：商务印书馆，2018：749.

② 同①722.

③ 参①834. 其中的对应关系来自：李革新．舍勒人格论和柏拉图人性论的比较［J］．中国现象学与哲学评论，2018(2)：87－113.

④ 同①801.

学路径以及爱的伦理人格动力机制，与儒家之间有着深刻的共鸣。但正如他的秩序等级安排所体现的，他的思考明显带有宗教文化的烙印，这也使其与儒家文化间出现不可调和的分歧。①

三、道德评价成为哲学的专门领域

善恶标准问题是贯穿哲学或伦理学研究的核心问题。任何一个理论体系，都在试图回答“什么样的人是好人”“什么样的行为是好的行为”的问题，这些构成道德评价的前提性问题。但评价本身，在相当长的一段时间内并没有成为哲学和伦理学研究中的专题，直到 19 世纪末 20 世纪初价值论的兴起。价值论作为最广义的善或价值的哲学研究，与道德评价密不可分。可以说道德评价的专题研究在价值论兴起后成为哲学的一个重要领域。20 世纪 70 年代，针对道德责任担当的现实困境，威廉姆斯（Bernard Willams）和内格尔（Thomas Nagel）提出了“道德运气”的概念，使道德评价问题被高度关注，成为价值论的焦点问题。目前哲学界对道德评价问题的讨论，可以大致归结为以下三个问题：道德评价的对象是什么，是人还是人的行为？道德评价的依据是什么，是意图、动机还是后果？道德评价是否受到运气的影响，是确定的还是不确定的？

（一）道德评价对象之争

道德评价是一种价值判断，是依据一定的原则或标准对人、人的行为表现进行好与坏、正确与错误的判定。在传统的意义上，道德评价的对象是人，因为道德是人特有的品质。在价值论创建之后，道德评价作为一种价值判断，逐渐关注对事物，特别是行为的道德结果的评价，或者说侧重

---

① 张祥龙．舍勒伦理学与儒家的关系：价值感受、爱的秩序和共同体［J］．中国现象学与哲学评论，2018 (2)：3 − 47.

于对事或行为的道德结果的价值评估，这在一定程度上也可以克服道德动机的客观性论证困难。

1. 评人与评行为之争

对道德评价的理解，往往与某种伦理观念密切相关，其本身也构成某种伦理体系的重要内容。美德伦理学关注人的完美品质，将美德及其养成作为自己的核心论题，将道德评价看作对人的评价，主张把美德的养成与践行状态作为道德评价的内容。而规范伦理学则主张道德评价要基于一定的规范或原则进行。义务论者从人的道德义务出发，以人的自由意志为理论出发点，强调主动履行道德法则的行为是道德行为，在将道德法则作为道德判断标准的同时，强调行为的动机与意志自由，基本上偏向于对作为目的的人的评价。而结果论或目的论的伦理学则倾向于通过结果进行道德行为评价。由此衍生出对行为本身的深入讨论。一种观点认为，人是复杂的存在，人的动机、情感和意图存在着内隐性和不确定性，无法为评价提供客观的依据，只有行为是外显而客观的，因而道德评价只有依据行为作出的价值判断才是客观的。但多数以行为作为道德评价对象的人，并不只依据行为的结果进行评价，而倾向于把行为看作一个包含动机、意图和结果的结构体系，也有人认为对道德行为的评价，要同时考察行为的动机与效果、目的与手段四个要素。[①] 这样，出现了将对人的评价与其行为相统一和相分离两类观点。

2. 人与行为评价统一论

这种观点认为，人的行为只是实现对人的道德评价的方式，行为与人是统一的，道德行为的评价最终是为了更好地实现对人的理解，人是道德行为评价的最终对象。主张人的评价与行为评价相统一的观念，往往强调行为并非一个简单的外在表现，而是一个由内而外，甚至受环境影响的反

① 韩东屏．论对行为的道德评价方法［J］．华中科技大学学报（社会科学版），2011，25（4）：10－14.

应系列，是一个复杂结构。它把人看成基于内在的生物性欲望、社会和精神渴求，经过社会教育和文化传统等建立起道德观、价值信念，再结合情境性的临时动机和复杂的后果权衡，最终通过话语、表情、肢体行动表现出来的统一体。文学平认为道德行为是“一个层级结构，其最根本的也是总的对象是人，而对人的评价通过对人的品德与行为评价实现，而人的品德实际上是人格自我，人的行为是包含行为动机在内的内在结构的外显表现。人格自我与行为的内在结构都构成影响人的道德评价的细节对象”。[①] 具体如图 1–1 所示。可见，这一思路尝试在行为与品德的内在要素间建立起有机互动的内在联系，进而将人的评价与行为的评价还原为一个问题：人的问题。显然，这也是在道德评价中实现美德伦理与规范伦理统一的思路。

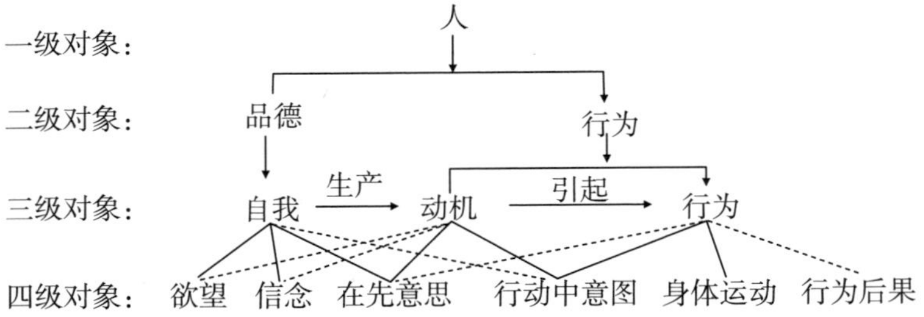

图 1–1　人格与行为的内在结构图

3. 人与行为评价分别论

这种观点认为，应该把行为者与行为分开进行评价，因为人与人的行为是相区分的两个领域。人是一个理性存在物，有着意志、愿望、情感、观念等内在要素系统，这些要素具有明显的流质特征，不断地随时间的变化而变化，很难区分某一刻与前一刻间的差异，因而具有明显的不确定性。而行为，是一个与外界环境相互作用的机制，尽管也是由人发出的，但其外显性决定其与环境密切关联，一个行为一旦发生，就是确定的，其与周

① 文学平．论行为的结构与道德评价的对象：兼与王海明教授商榷［J］．华中科技大学学报（社会科学版），2011，25（3）：41－45.

围环境间的关系及相互影响是明晰的。因而把行为的道德评价与人相分离，可以提升道德评价的客观性和科学性。同时，行为的评价因为强调其与环境的关联，使道德评价对象由人转向物，从而使道德评价的领域不再局限于人而得到广泛的扩展，进而使价值判断成为人的整个生活领域的课题。这一思路早在穆勒那里就已经非常明显。在回应人们对功利主义的批评时，穆勒提出了区分道德行为动机与道德行为本身的评价的主张，他认为"动机虽然与行为者的品格有很大的关系，却与行为的道德性无关"①，所以对行为者的评价可以将动机作为主要评价因素，而对行为本身的评价要遵循结果标准。因为"救人于溺水之中，总是道德上正确的行为，无论救人的动机是出于义务还是希望为此得到报酬。背叛对自己很信任的朋友，总是道德上的犯罪行为，即便这样做是出于行为者对另一个朋友负有更大的义务"②。将人与行为分开评价，可以解决"好心办坏事""坏人做了好事"的道德评价难题。

王海明也持这一观点，他批评动机效果统一的观念，认为这是将认识论上的效果问题与价值论上的动机问题混为一谈，不利于对人和对事形成确定、统一的评价。针对这一错误，他力主"动机效果分别论——评价行为者品德依据其动机，评价行为本身依据其效果"③，认为这才是道德评价的真理。

（二）道德评价的标准之争

在作为未来哲学序言的《善恶之彼岸》中，尼采（Friedrich W. Nietzsche）总结了人类道德评价的三个阶段：前道德时期，行为的价值或非价值被从其后果推导出来，行为本身和它的来源都不被加以考虑；狭窄

---

① 穆勒．功利主义［M］．徐大建，译．北京：商务印书馆，2019：22.

② 同①.

③ 王海明．新伦理学［M］．北京：商务印书馆，2001：589.

意义上的道德时期，一个行为的价值在于它的意图的价值中，意图作为一个行为的全部来源和前史，从道德上被称赞、谴责、判决，也在哲学上被探讨；超道德时期，一个行为的决定性的价值恰恰在于非意图的东西中，一切意图性的东西，一切在它之中可以被看到、被知道、被意识的东西，还属于它的表面和皮毛。[①]不管尼采对人类道德评价发展进程的描述是否为真，哲学领域或伦理学领域关于道德评价标准的确存在着动机论和效果论两大阵营。同时有人从马克思（Karl H. Marx)的辩证唯物论立场出发，提出社会经济关系论的说法。

1. 义务论的道德标准

如前所述，在规范伦理学内部，一直存在着动机论与效果论的争议，人们对道德评价遵从动机标准还是效果标准各执一词，而这两个标准也成为两大道德评价的主流标准。由于义务论者把意志自由作为道德价值的理论前提，动机就成为义务论道德评价标准的核心内容。在义务论阵营中，康德的论证一向被认为是最具代表性的。鉴于前述中对康德的道德法则及其补充定理已经有过说明，这里不再重复，只简要对康德在道德评价中的核心立场做补充性的说明。

首先，自由意志是义务论道德评价标准的核心，义务论认为只有出于自由意志的行为才配称道德，普遍道德法则的实质是意志对自己的实践行动提出的要求。所以道德归根到底是表现为行为动机的善良意志，它必须是由行为者在完全自由状态下出于善良意志的自主选择，是人的能动性的实践样式。“纯粹实践理性法则之下的判断力规则是这样的：扪心自问，如果你打算做的那件行为会通过自然法则而发生，而你自己本身是这个自然法则的一部分，那么你是否能够把它看作乃是通过你的意志而可能

① 尼采．论道德的谱系：善恶之彼岸［M］．谢地坤，宋祖良，程志民，译．桂林：漓江出版社，2000：172.

的？”[①]

其次，义务论的道德法则对出于义务的行为会遭遇什么样的结果并不关心，认为它不构成评价行为的必要因素。因而义务论的道德评价也可以说是不计后果的道德评价，只要是出于义务和合乎道德义务的，哪怕并不能带来有利的后果，甚至可能产生痛苦的感受，也是要去做的；相反，不合乎义务的，哪怕会出现有利的结果，也不能去做。按康德的说法，“单单对幸福的促进决不能够直接就是职责，更不是全部的职责”，但是康德并不认为幸福原则与德性原因之间是对立的，他只是不希望幸福成为干扰理性作出实践选择的因素，“而且纯粹实践理性并不希望人们应当放弃对于幸福的要求，而只是希望一旦谈到职责，人们应当完全不瞻顾幸福”[②]。

另外，在义务论体系中，由于道德法则的强制性，对法则的践行在一定程度上是与克服自身的感性欲望相伴随的，甚至可以说感性欲望就是实现道德价值的障碍。所以，对感性欲望和障碍的克服能力，也成为德性或行为价值的衡量标准。如同样是捐 1 万元善款救助灾民，在一个亿万富翁和一个靠收集废旧物品生活的人之间，大家往往认为后者的道德行为更值得肯定，因为对于他来说拿出 1 万元捐款的难度更大。

2. 效果论的道德评价标准

相对于动机论在理论界的优势，效果论可以说饱受批评。很多批评者认为效果论以快乐、幸福、利益为判断标准，支持人追求低级的快乐满足，最终导致道德评价远离道德，同时导致道德评价的相对主义。对此，穆勒作出了系列的阐述，以澄清人们对功利主义道德标准的种种误解。

首先是关于效果论的个人主义问题。由于快乐是建立在主观体验的基础上的，所以很多人批评效果论是从个人快乐出发的自私的伦理学。针对这一误解，穆勒重申了功利主义判断标准中的个人与他人间的关系，一方

---

① 康德 . 实践理性批判［M］. 韩水法，译 . 北京：商务印书馆，2000：75.

② 同①101.

面“构成功利主义的行为对错标准的幸福，不是行为者本人的幸福，而是所有相关人员的幸福”；另一方面“功利主义要求，行为者在他自己的幸福与他人的幸福之间，应当像一个公正无私的仁慈的旁观者那样，做到严格的不偏不倚”。[①] 他把“己所欲，施于人”“爱邻如爱己”看作功利主义的最高理想。为了实现这一原则，他强调“首先，法律和社会的安排，应当使每一个人的幸福或（实际上也就是所谓的）利益尽可能地与社会整体的利益和谐一致；其次，教育和舆论对人的品性塑造有很大的作用，应当加以充分利用，使每一个人在内心把他自己的幸福，与社会整体的福利牢不可破地联系在一起，尤其要把他自己的幸福，与践行公众幸福所要求的各种积极的和消极的行为方式牢不可破地联系在一起”[②]。

同时，功利主义并不一味地反对牺牲自己或自己的利益。“功利主义的道德只是不承认，牺牲本身就是善事。它认为，一种牺牲如果没有增进或不会增进幸福的总量，那么就是浪费。它唯一赞成的自我牺牲，是为了他人的幸福或有利于他人幸福的某些手段而作出牺牲，这里所说的他人，既可以是全体人类，也可以是为人类集体利益所限定的个人。”[③]

由以上可见，功利主义的道德评价原则，是整体利益置于个人利益之上、高级欲求的满足高于低级欲求带来的快乐的，与极端的个人享乐主义有着本质的区别。

3. 社会经济关系论

无论是动机论还是效果论，都是从抽象的人性出发来思考道德评价问题的。从马克思主义的唯物论立场来看，道德观念是建立在一定社会的经济基础之上的，是一种有阶级性的意识形态，那么道德评价的标准就是一种上层建筑，尽管在表现形式上是由每个具体的个人作出的，但却不是由

① 穆勒．功利主义［M］．徐大建，译．北京：商务印书馆，2019：21.

② 同①.

③ 同① 20 – 21.

个人的喜好和自由意志决定的。因而“道德评价的依据既不是情感，也不是理性。道德评价的客观依据只能是一定社会的人们及其整体经济利益关系，而这些经济利益关系又是不以个人的意志为转移的客观存在。人们只能在一定的社会历史条件下进行道德评价，只能从他本身所处的经济地位出发来理解道德关系”[①]。从这个观念来看，义务论和效果论都忽视了人的社会性，任何人都是一定社会关系中的人，是具体而现实的人，是有其文化传统和民族性格的人，其道德评价与判断方式，不可能脱离其所在的社会关系和文化传统，更不可能脱离其现实生活。在一定历史时期的主流道德评价标准，是由这一时期的经济状况与政治制度等综合性因素决定的，具有鲜明的时代特征，而非个人特征。当然，这一视角更接近宏观社会学的视角。

（三）道德运气与道德评价的不确定性

20 世纪 70 年代，道德运气成为伦理学中的热门话题。有人认为，“道德运气的出场是现代性反思，让道德回归伦理生活”[②]；也有人认为，“运气论所讨论和关注的问题超出了道德，也超出了伦理学，它是对伦理学的扩展和延伸，是一种广义上的实践哲学”[③]。而如果从它把道德判断问题的场景扩大到人的整体存在境遇，超越人为自然、为自己立法的人类中心的立场，关注存在的不确定性的角度来看，道德运气可以说是 20 世纪的伦理学在走出脱离现实生活的理论象牙塔，回到人的伦理生活之后，再次走向在世界中生活的人这一视域而涌现出来的伦理课题。因为它建基于生活的不确定性，或不为人控制这一生存论境遇，所以，不管提出这一概念的人是否意识到，这一概念具有明显的后人类中心的伦理倾向。而这一问题之

---

① 邓凯文 . 道德运气：含义、出场路径及启示［J］. 理论观察，2017 (5)：31 － 34.

② 黄济鳌 . 休谟道德评价理论研究［J］. 现代哲学，2003 (3)：64 － 69.

③ 马寅卯 .“道德价值”与“道德运气”［J］. 哲学研究，2020 (4)：100 － 111.

所以比一般的伦理问题更吸引人，就在于它一方面以直接挑战西方主流的动机论的面貌出现，另一方面直接切入了引人关注的道德评价问题。甚至可以说，道德运气的讨论，使得道德评价问题成为当代伦理学中的热门话题，如李义天所言："当代伦理学关于运气问题争论的核心是——如果运气影响和改变了行为后果，使其偏离行为者的能动性计划，那么我们应该怎样对行为者进行评价？"[①]

1. 道德运气论题的提出

运气在伦理学中并不是一个新问题。在《尼各马可伦理学》中，亚里士多德就讨论了运气、德性和幸福的关系问题，认为"幸福和不幸并不依靠运气"，"微小的好运或不幸当然不足以改变生活，但重大的有利事件会使生命更加幸福（因为它们本身不仅使生活锦上添花，而且一个人对待它们的方式也可以是高尚［高贵］的和善的）。而重大的频繁的厄运则可能由于所带来的痛苦和对于活动造成的障碍而毁灭幸福。不过，就是在厄运中高尚［高贵］也闪着光辉"。[②] 显然，亚里士多德并没有把运气当作道德评价的标准，没有把运气纳入人的德性评价当中。而作为热门话题的"道德运气"，意味着运气是具有道德评价意义的，它会影响道德评价结果的性质和程度，影响当事人是否受到道德谴责、受何种程度的道德谴责，成为道德上的"幸运儿"还是"倒霉鬼"。

对运气的道德理解的巨大变化，是从 1976 年内格尔和威廉姆斯在《亚里士多德学会学报》上发表"道德运气"论文开始的。但到目前为止，并没有一个严格的有关道德运气的定义，内格尔也只是给出过一个描述性定义："凡在某人所做之事有某个重要方面取决于他所无法控制的因素，而我们仍然在那个方面把它作为道德判断对象，那就可以称之为道德上的运

① 李义天．当代伦理学关于运气问题的争论与辩护［J］．学术月刊，2014，46(1)：70－79.

② 亚里士多德．尼各马可伦理学［M］．廖申白，译注．北京：商务印书馆，2011：28－29.

气。”[①] 他们通过现实生活中的典型的道德评价案例[②]，说明运气的确对现实中的道德评价产生明显的影响。

案例 1：画家高更出于对绘画艺术的热爱，出于对自我艺术才能的执着，尽管他意识到社会的一般要求，但他依然选择抛家弃子，独自前往大洋孤岛去钻研他的画技。对于他所采取的这个行为抉择只有等到实际后果出现之后，才能予以评判。（1）如果他成功地成为一名伟大的画家，那么他的行为可以得到辩护；（2）如果他没有成功地成为一名伟大的画家，那么他的行为就无法得到辩护。

案例 2：一名粗心大意的司机没有按时检查刹车，在驾车途中撞倒了一个在他面前突然横穿马路的小孩，而另一名同样粗心大意、没有按时检查刹车的司机却没有遇上这样一个小孩。于是，对于这两名在能动性层面同样存在过失的司机，我们给出的评判是不一样的。（1）对于撞倒小孩从而造成糟糕后果的司机，我们会给予严厉的谴责；（2）对于没有撞倒小孩，从而没有造成糟糕后果的司机，我们不会给予那么严厉的谴责甚至不会给予谴责。

在内格尔和威廉姆斯看来，传统的单纯从动机出发或从结果出发对行为者和行为进行道德评价的理论，与现实中人们进行道德评价的结论是不一致的，或者说简单的动机论和后果论都无法对这一现实生活中的道德评价问题给出自洽的理论解释，实际上两者都忽视了现实中不为行为者控制的不确定性因素带给道德评价的影响，而这样的“好心办了坏事”的遗憾，或“无心插柳柳成荫”的惊喜却是生活中不可避免的常态。道德运气的提出是对传统的规范伦理（义务论和效果论）的质疑与挑战，这一问题直面动机论主张的完全依据行为者动机进行道德评价的思路面对现实生活中的复杂性与不为人控制的一面时所出现的空白。

---

① 内格尔．人的问题［M］．万以，译．上海：上海译文出版社，2021：36.

② 威廉姆斯．道德运气［M］．徐向东，译．上海：上海译文出版社，2007：33－38.

2. 道德运气的类型与评价标准

虽然没有为道德运气下一个严格的定义，但威廉姆斯和内格尔都根据分析的需要，对道德运气进行了类型的划分。威廉姆斯根据存在于外在环境还是人本身，将运气划分为内在运气和外在运气，相对比较简单；内格尔对道德运气的划分更为细致，他从人成为一个独立行为者到做出具体行为的过程中运气对其本人及其行为产生的影响出发，将运气划分为构成运气、环境运气、原因运气和结果运气四种类型。

构成运气主要指对人的性格、气质、禀赋产生影响的因素，包括遗传因素、家庭教养环境等。这些因素影响着人的思维品质、情感反应方式、个性特征，却是个人无法自己选择和控制的，因而具有运气成分。如因为遗传而发生的智力超常或胆汁质的气质类型、出生在书香门第或贫寒之家所带来的家庭教养的差异等，会对人的道德思维方式、行为反应方式带来影响。

环境运气主要指影响人的道德立场的生活背景方面的因素，相对来说是指一些大于家庭影响的社会环境，如时代的背景、文化传统、宗教信仰等，这些客观的社会文化环境，形成不同时代、不同人群的特殊的道德行为与反应方式。相对于个人，这些是外在的、客观的环境，对未成年人来说常常是不可选择的，是一种文化和时代的遭遇，所以具有偶然性和运气的成分。

原因运气是指影响行为者作出某个行为的直接原因，这种原因往往是情境性的、临时性的、受偶然因素影响的。如一个平时非常吝啬的人，某天心情非常好，出门时遇到一个行乞者，偶然大方地作出施舍的善举。而一个经常助人为乐的人，某天急着去做一件非常紧急的事情，心里非常焦虑，在路上遇到求助者，可能就没有给予帮助。这些都是受到现实生活情境影响的具体行为，这些现实因素，常常是临时的，或者是突发的，受更遥远的因素影响的，是行为者个人计划和控制之外的，但却影响了具体行为的发生。

结果运气是指事情没有按照行为者原先的计划或设想的路线进行，出现了其他不为行为者控制的意外因素，从而出现了意想不到的结果，如一个勤奋努力的青年李某某在自主创业的同时，也想带自己的朋友一起发家致富。他们一起团结奋斗，合伙开了个餐馆，第一年效益不错，大家都挣到了钱，很开心，认为李某某是个有能力、讲情义的好人。第二年新冠疫情发生，餐馆经营不下去，除把赚到的钱赔进去外还拖欠了房租水电等费用，于是李某某成了带朋友入坑的人。

在这四类道德运气中，前两者是影响个人道德观念、情感和行为方式等人格因素的不确定性因素；第三类是影响行为方式的临时性因素，但这些影响通常是行为发生前的，表现为行为者本人方面的因素，如上例所举的心情、内心的焦虑状态，会影响行为本身；第四类结果运气，则是出于行为之外的原因，只影响行为的结果。从道德运气的划分就可以看出，道德运气对道德评价的影响，不只是道德行为结果，而且包括行为者本人，因而可以说是无时不在，或者说，道德上的运气，是与人生时刻相伴因而不应该被道德评价忽视的一个变量。那么将这个运气纳入道德评价体系，会对原有的道德评价标准产生什么样的影响呢？或者会产生什么样的新的道德评价的准则呢？又或者道德运气的加入会如何改变道德评价的结论呢？

概括而言，道德运气加入道德评价体系，一方面会有利于剥离因运气因素产生的对人的道德性敬重，实际上是有利于义务论的道德标准的纯粹性提升；另一方面也会有利于澄清因运气因素产生的对坏结果的责任担负，从而使人减轻不属于自己的道德责任，实际上是有利于效果论的道德标准更为精准。从下面的经典案例的对比分析中可以清晰地看到这两点。

案例 1：对高更抛家弃子的道德评价

义务论：只追求自己兴趣，放弃承担家庭义务，不能成为普遍法则，所以是不对的。

效果论：如果高更成了著名画家，这个行为就是好的，高更本人是有远大志向、追求自由的人；反之，则这个行为是坏的，高更本人是异想天开、好高骛远、不负责任的人。

运气论：高更的成功与否一方面受天赋（构成运气）的影响，另一方面受他的努力（意志）的影响，所以成败都有运气的成分，成功固然可喜，失败也无可厚非；高更有抛家弃子之举，的确没有尽家庭义务，这可以看作其道德上的缺陷，但这可能与他从小缺少爱与责任的家庭氛围有关，他对艺术的执着跟他的个性（构成运气）有关，因而他在道德上的缺陷不全归咎于他个人。

案例 2：粗心的司机的道德评价

义务论：没检查刹车（工作义务），他是个不负责任的人。

效果论：如果撞到了小孩，作为肇事人，是要受到道德谴责和惩罚的；如果没有撞到小孩，只是应该受到批评。

运气论：没检查刹车，是不对的，撞到小孩，不是他主观有意，虽然只是意外，运气不好，但应该受到较重的道德谴责甚至惩罚；没有撞到小孩，是运气好，也应该受到较轻的道德谴责。

在马寅卯看来，不同于义务论者对道德评价的质性强调，“运气论者的思维则正是一种可以量化的价格思维：在事前找出一个行动的‘最好的理由’，在事后对各种因素对这个行动及其后果的影响进行评估，并借此确定行动者是否以及在多大程度上承担责任”①。在这一点上，运气论者实际上是执行了更精细的道德评价标准，相当于在动机与效果的基础上，增加了一个道德评价的考量因素，或者说是去掉了一个“运气滤镜”。

3. 运气论的道德评价启示

道德运气概念的提出促进了道德评价问题的深入讨论，让我们想起尼采“一个行为的决定性的价值恰恰在于非意图的东西中”的断言，运气

① 马寅卯．“道德价值”与“道德运气”［J］．哲学研究，2020 (4)：100 － 111.

论者对运气对道德评价的影响以及其可能带来的道德评价体系的变化的分析,也许正是尼采的超道德时期的回响。当然,它在带给我们新启示的同时,也引发一些批评的意见:“当威廉姆斯强调运气对于道德生活的重要性时,他是正确的;但是,当威廉姆斯把运气抬高到决定性的地位时,他无疑把人及其意志看作是一个无关紧要的因素,与其说人服从的是自由的法则不如说人服从的是自然法则。”①

(1)健全行动者视角的道德运气

在充分分析道德运气与传统规范伦理间差异的基础上,也有更多人看到了二者的相容性,有学者尝试以此作为新的道德责任理论的起点,如吴童立所提出的健全行动者的理论框架,尝试建构与不确定的运气相容的健全行动者概念,并在这个框架下提出能够兼容道德运气与传统的道德评价标准的新标准体系。

吴童立从人的现实存在境遇出发,将行动者还原为一个他称之为健全的行动者的状态,这个状态包括行动者的同一性、开放性和生成性,使得行动者摆脱孤立的、固定的、分离的设定,成为一个“在与世界的相互作用中获得自我的理解”的人,承认“所有可能结果都是与他相关的,他应当为运气和不确定性负责”。② 正是这种在世界中面向可能性的存在,愿意承担起与自己相关的所有责任。

在这种与世界共在的存在境遇中,健全的行动者将不确定性的因素纳入自己行为的计划,同时也将可能的后果与责任纳入自己的考虑,应该承担自己信念指导下所有可能的结果。在这个框架内,理性计划与意外的不确定性实现了和解,运气与责任形成了统一。

(2)数据分析视角的道德运气

如果说运气是用来描述人的存在处境的不确定性因素,那么道德运气

---

① 马寅卯.“道德价值”与“道德运气”[J].哲学研究,2020(4):100－111.

② 吴童立.道德运气与健全行动者[J].世界哲学,2013(3):43－52.

则是指不确定性因素给生活带来的伦理意义，包括原因和结果。可以说，它是人类道德生活中的一个变量。道德运气概念所引起的争论，实际上是对这一变量所引发的如何理解道德生活的争论。放下前文所述其所带来的对伦理学视野的扩展意义，既然它的核心议题是道德评价，我们也许可以以数据分析的思路对其进行一个分析。

首先，道德运气是否可以作为道德评价的自变量？道德运气论的基础性论题是不为人控制的、不确定的因素是无处不在的，从人格形成到道德立场，从行为的原因到结果。这意味着道德运气是对所有人而言都存在的一个影响因素，因而是一个普遍性问题。从数据分析的角度看，如果所有被试都受同一变量的影响，那么可以把这个变量看作控制变量或无关变量，在结果测算中不考虑其影响。如气候对同一区域的农业收入来说，是一个变量，但如果分析该区域某年种植小麦的农民间的收入差异，这个变量只会作为控制变量，而不是自变量。从这个角度来看，存在论意义上具有不确定性的运气问题，是否适合作为道德评价的自变量，或在什么情况下适合作为道德评价的自变量，这本身是需要考虑的。而事实上，从科学的角度来看，不确定的因素，也就是不可控制或测量的因素，是不能作为自变量的。如气候，虽然原生态意义上的气候变化不是人可以控制的，但它可以通过温度湿度进行测量，实际上可能实现一个实验情境的气候控制，所以才可以在研究气候变化与某种植物生长的课题中作为自变量。

其次，如何在因变量中剥离道德运气的影响？如果运气无法控制因而不可作为自变量，但因为它的确对道德评估有着影响——这正是运气论者的贡献，那么接下来要考虑的问题就是：是否可能在道德评估中将运气产生的影响实现剥离？怎样实现这种精确的剥离？从粗心的司机案例来看，小孩的出现是这一事件中的运气因素，影响了对司机的道德评价。问题是这一因素可以剥离吗？一种回答是可以。剥离的情境是小孩子没有出现时对司机的道德评价，这样的评价与小孩出现被撞倒的情况下司机的道德评价相对照，将两者间的评价差异作为道德运气值。事实上运气论者正是因为看到了这两种情况下的评价的差异，才提出了运气的问题。即使这一思路可行，可以清楚地看到，道德运气在这一案例中只会影响到道德评价的程度，而不会影响其性质，即司机道德上应该受谴责的这一性质是不会变的，只是谴责程度有差异，也就是运气不能将坏的变为好的。如果一个好心的司机，主动给一个赶路的人搭车，结果路上被刹车失灵的后车追尾，导致搭车人重伤，那么在这个好心办了坏事的事例中，司机的道德评价的性质也是不会受这个意外影响的。而如果这个好心的司机在开车中因操作不当，发生车祸导致搭车人重伤，则司机的评价要分两种情况：在主动让人搭车的行为上是可嘉许的；在操作不当的行为中是要承担责任的。但因为这个操作不当不是有意的，因而不是道德问题，而是技术不佳导致的交通责任。所以，在这个事件中，好心的司机并不会因为运气而受到不同性质的道德评价。

从以上的分析来看，道德运气的确是影响道德评价的一个变量，但因为它是一个不为人控制的变量，所以不能够作为一个影响道德评价的自变量或操纵性变量，而只能在因变量中试着剥离其带来的影响。从案例分析可以看到，运气或意外因素对道德评价结果的影响不产生性质的变化，只有程度的变化，在这个意义上，实际上运气影响得更多的是道德责任的划分问题。

第二节　社会学的事实道德评价

哲学的思考对各学科具有奠基作用，却不能取代各学科视角。不同于哲学视野中把道德作为精神的普遍性及其修养境界，也不同于心理学视野中把道德作为个体心理特征的微观层面，社会学视野中的道德是“存在于人们身体以外的行为方式、思维方式和感觉方式，同时通过一种强制力，施以每个个人”，是一种“综合现象，一种与已经形成的个体现象相脱离的现象”。[①] 社会学视野中的道德具有不同形态，有宏观、中观和微观的道德评价机制。社会学视角中的道德评价作为一种个人之外的强力，支撑、约束、控制着人的日常生活，编织着无处不在的意义网络，形成有秩序的社会价值体系。

一、作为社会事实的道德形态

社会学对道德的关注，从 19 世纪到 20 世纪经过了一个大的变化。19 世纪的主流社会学家关注长时段的社会进程，对道德的考察也放在整体社会进程中进行，而且由于这一时期工业资本主义正处于上升阶段，整个思想领域弥漫着进步和发展的浪漫主义气息，对人类未来充满美好憧憬。与之相对，20 世纪后更多社会学家在发展过程中看到了资本主义社会的问题，开始反思简单的进步主义，这种反思使他们放弃了长时段社会进程研究，转向关注具体社会状态。埃利亚斯（Norbert Elias）称这种转向为从赫拉克里特的流动之河到埃利亚学派的不动之矢的转变，[②] 都有一定的局限性。

无论是持连续的社会发展观，还是关注具体的社会状态，主流的社会学家总是承认在人类社会历史进程中出现过不同的道德形态。分歧在于这些道德形态的出现是否具有线性的、进步意义上的发展规律；一定的道德形态和其共同的社会政治、经济形态是决定论（如马克思主义观）还是复杂的相互作用关系甚至有相对独立的伦理立场（如贝尔所言）；同一时期的社会生活中所存在的多元的道德观，是否有先进与落后的区别，还是只是不同人群间的区隔（如布迪厄所关注的）。如果跳出线性与非线性、进步与落后、一体与分化的争论，在事实的意义上，社会学视角下的道德既

① 迪尔凯姆 . 社会学方法的规则［M］. 胡伟，译 . 北京：华夏出版社，1999：5.

② 埃利亚斯 . 文明的进程 I［M］. 王佩莉，译 . 北京：生活 · 读书 · 新知三联书店，1998：15.

不完全属于个人，也并非纯粹普遍的精神，而是一种社会实在，它因不同的社会组织而形成不同的形态，因处于不同的社会场域而有不同特征。同时社会学视角中的道德是人人都接触和感受到的事实状态的道德，时时存在于人的日常生活之中，相对绝对超越的普遍精神更加贴近人间生活。从社会组织形式的角度，可以把社会道德划分为个体化社会的道德和集体化社会的道德。

（一）个体化社会的道德

个体化社会是鲍曼（Zygmunt Bauman）提出的概念，但对这个问题的研究却并非从他开始。独立的个体是启蒙的目的，在这个意义上可以说，现代化进程伴随着个体化社会的建立过程。从社会构成的视角，贝尔（Daniel A. Bell）说："现代主义精神像一根主线，从十六世纪开始贯穿了整个西方文明。它的根本含义在于：社会的基本单位不再是群体、行会、部落或城邦，它们都逐渐让位给个人。这是西方人理想中的独立个人，他拥有自决权力，并将获得完全自由。"① 可以说，现代西方社会是个人的集合，每个成人不仅可以完全自由地决定个人生活的事务，而且可以以公民的身份、投票的形式成立民有、民治、民享的政府实现社会的治理。"每一种社会类型都有其必需的道德，就像每一种生物类型都有使其延续自身生命的神经系统一样。"② 个人主义是个体化社会的道德。

实际上个人主义可以说孕育于宗教社会。对上帝的信仰是个人行为，原则上每个人都有选择信仰或不信仰上帝的权利，而且也有选择信仰哪一个上帝或神的权利，这在宗教与政治形成权力结盟前尤为明显。宗教中对异教徒的迫害乃至不同信仰者间的军事冲突，只是在某种宗教拥有了巨大

---

① 贝尔．资本主义文化矛盾［M］．赵一凡，蒲隆，任晓晋，译．北京：生活·读书·新知三联书店，1989：61.

② 涂尔干．道德教育［M］．陈光金，沈杰，朱谐汉，译．上海：上海人民出版社，2001：87.

的权力时才发生的，这时的信仰已经不再是个人信仰，而是对国家甚至某种身份的信仰。但在所有的信仰体系中，上帝或神都是单独对每个人施恩的，或者每个人因自己个人的虔诚和顺从而获得上帝或神的眷顾，这甚至与自己家庭的成员、最亲近的人也并不相关。可以说信徒与上帝或神间的关系是一一对接的关系，牧师或其他神职人员，只是信徒与上帝间的使者，不能代替上帝也不能代替信徒个人。因而实际上宗教社会也是个体化社会。虽然这一社会中的个体因共同的信仰而具有的精神统一性和类似的修行方式，结成平等的兄弟姐妹关系，但如上所述，人在上帝面前是独立的个体，每个人因自己的在世修行情况最后独自面对上帝的审判。所以李泽厚在道德类型的划分中将宗教道德与社会道德作为对称的类型，认为宗教性道德是自己选择的终极关怀，它是个体追求的最高价值，看上去是绝对的，但却未必每个人都履行，是一种个人修养。①

从道德内容上看，作为个人修养的个人主义的宗教道德与构成现代资本主义精神的个人主义道德有着很大的区别。宗教道德是禁欲主义的，强调服从和虔诚，强调以今世的勤俭苦行偿还原罪、换取救赎；而现代的个人主义道德以理性的自由意志或感性的需要为指引，主张通过劳动积累财富，享受自己创造的财富。“资本主义的文化正当性（如果不是道德正当性的话）已经由享乐主义取代，即以快乐为生活方式。”②这两种看上去截然相反的道德，实际上有着紧密的内在联系。按照马克斯·韦伯（Max Weber）的研究，追求个人享受的现代个体道德在历史上脱胎于新教伦理，在以天职概念为核心的新教教义中诞生了资本扩张的动力。新教的教义“认为上帝所接受的唯一生活方式，不是用修道禁欲主义超越尘世道德，而是

① 转引自万俊人．道德类型学及其文化比较视境：兼及现代伦理问题与罗尔斯和麦金太尔对话［J］．北京大学学报（哲学社会科学版），1995（6）：32－44.

② 贝尔．资本主义文化矛盾［M］．赵一凡，蒲隆，任晓晋，译．北京：生活·读书·新知三联书店，1989：68.

完成每个人在尘世上的地位所赋予他的义务。这就是他的天职”[①]。这是对宗教苦行道德的极大改变，而且当把尘世的义务作为天职，就意味着“只要道德品行白璧无瑕而且在财富的使用上无可指摘，资产阶级实业家就可以随心所欲地追求金钱利益,同时感到这是必须完成的一项义务”[②]。显然，资本主义精神是在上帝赞许的眼光中成长起来的。

由此可见，个体化的社会道德不只有一个面目，它可以是禁欲的勤劳修行、克己服从，也可以是贪婪的攫取、无度的享乐。其相通之处在于将道德善恶的责任归于个人，区别则不仅在善恶标准本身，还包括善恶标准的来源。前者来自超个人的上帝，后者将选择权利交给既有理性自由又有情感欲望的个人，演化出文化领域的享受主义、政治领域的协商谈判和法律仲裁、经济–技术领域的实际效用原则。[③] 由于上帝作为全知全能和至善的理想存在，具有超越于个人的绝对权威，在上帝的绝对权威下的宗教道德有绝对的标准，维持相对稳定的社会秩序。随着上帝的退场，绝对和超越的道德标准日渐松弛，因为上帝在退场时自然也带走了他给个人制定的那些禁令，于是个体享有了自由，有权对自己的生活作出选择，同时意味着人的欲望的解放。“在过去,满足违禁的欲望令人产生负罪感。在今天，如果未能得到欢乐，就会降低人的自尊心。”[④] 个人成为道德标准仲裁者的结果，是每个人凭自己的好恶进行道德判断，社会生活因充满个体化道德判断而丧失了统一的道德标准，陷入相对主义的混乱之中。

---

① 韦伯．新教伦理与资本主义精神［M］．彭强，黄晓京，译．西安：陕西师范大学出版社，2002：57.

② 同①170.

③ 贝尔．资本主义文化矛盾［M］．赵一凡，蒲隆，任晓晋，译．北京：生活·读书·新知三联书店，1989：56－62.

④ 同③.

（二）集体化社会的道德

与个体化社会相对，集体化社会把集体作为社会的基础构成单位。集体是有共同的经济、思想基础和奋斗目标的联合整体。集体有大有小，小的如一个小组、一个班级，大的如一个工厂、一个民族、一个国家。但集体不等于人群，并非所有群体都是集体，只有有共同目标、按一定组织形式组织起来的联合体才是集体。集体化社会中几乎不存在孤立的个人，所有个人都属于一定的集体，社会的主要活动都是以集体的方式组织的，个体以某个集体成员的身份开展经济、政治和文化社会活动。

集体化社会有初级和高级两种形态。人类早期的部落社会可以看作初级的集体化社会。由于单个人生存能力有限，同一部落的人一起渔猎，食物共享，没有私有财产，是一种原始的共产主义社会，与之相应的是原始的群体道德。而高级的集体化社会是现代社会的一种形态，是马克思主义所倡导和实践的社会主义和共产主义社会。

作为 19 世纪最杰出的社会学理论之一的马克思主义，是以对资本主义社会的批判为基础建立起来的，阶级分析是其重要的理论视角与研究方法。在马克思主义看来，道德是一种社会意识形态，属于上层建筑范畴。经济基础决定上层建筑，因而作为社会意识形态的道德也是由其所在社会的经济和政治状况决定的，“人们自觉地或不自觉地，归根到底总是从他们阶级地位所依据的实际关系中——从他们进行生产和交换的经济关系中，吸取自己的道德观念”[①]。因而，处于同一阶级或阶层的人往往拥有相同的道德观念和善恶判断的标准，不同阶级地位的人有着不同的道德观念，这就是道德的阶级性。资产阶级的道德是为资产阶级扩张和维护资产阶级的统治地位服务的。

---

① 恩格斯 . 反杜林论［C］// 华东师范大学教育系 . 马克思恩格斯论教育 . 北京：人民教育出版社，1992：283.

因为道德是一定阶级的道德，因而随着生产力的变化，阶级的地位会发生变化，整个社会的生产关系也发生变化，无产阶级经过自己的斗争最终会夺取政权，建立社会主义制度，成为国家的统治者。社会制度的变化，必然要求与整个社会制度相一致的道德和意识形态的变化。“善恶观念从一个民族到另一个民族，从一个时代到另一个时代变更得这样厉害，以致它们常常是互相直接矛盾的。”[①] 在社会制度的变迁中，包含着相互矛盾的道德观念的转变。也可以说，不同道德观念的矛盾和斗争，与不同经济和政治地位的阶级间的斗争一起，谱写着整个人类社会向前发展的变奏曲。因而，具有阶级性的道德不只是善恶标准，也为无产阶级的解放提供精神力量。无产阶级道德是崇尚集体主义的道德。

集体主义道德是马克思主义道德的重要内容。集体主义道德的核心在于个体与集体关系的定位。集体主义观念认为，个人从属于集体和社会，因而个人利益服从于集体、国家和社会的利益。集体主义并不否定个人利益，而且两者间并不是对立的关系，相反，集体是个人的集体，集体利益是在保证合理的个人利益之上建立起来的，是为保障属于集体的所有人的共同利益服务的。集体主义道德是整体利益优先于个人利益的道德观。

强调道德的社会性是社会学中的普遍立场。涂尔干（Ëmile Durkheim，一译迪尔凯姆）是社会学中另一位主张集体和社会道德的思想家，他对道德的社会性的论述在社会学领域具有广泛影响。

涂尔干的道德观念与他关于人的观念、社会的观念是一体的。不同于现代的单子论立场，涂尔干明确主张人是社会性的存在，人性的完善要在社会中才能达成。“除非是个人投入社会之中，否则他无法成为真正的自己，无法完全认识他的本性。”[②] 这一观念与亚里士多德“人是政治的动物”

---

① 恩格斯．反杜林论［C］//华东师范大学教育系．马克思恩格斯论教育．北京：人民教育出版社，1992：282.

② 涂尔干．道德教育［M］．陈光金，沈杰，朱谐汉，译．上海：上海人民出版社，2001：68.

遥相呼应，成为克服现代个人主义的一面旗帜。但他的社会不只是人的关系性，而是一种超越个体自身的存在状态。“这样的状态构成了社会本身，同时也存留在我们身上，在我们身上起作用。”[①] 人与社会的关系在他这里有点复杂。他认为：“社会比我们更大，它超越了我们，因为它无限地大于我们的个体存在；可是，与此同时，社会也走进了我们每个人。它在我们外面，围住我们，它也在我们里面，完全是我们的本性的一个方面。”[②] 在人与社会相融一体的基础上，涂尔干把社会看作人的精神营养的来源。

以上述观念为基础，他提出了自己关于社会与道德关系的重要命题，“社会领域的起点，即是道德领域的起点”[③]。因为在他看来，社会是超越个体的存在，道德同样是使人不断超越自己的存在，在这种相通性上，他甚至认为社会是在个人以外唯一存在的精神实体，是一种通过经验可以观察到的、能够把我们的意志与之连续起来的道德存在。“如果人要成为一种有道德的存在，他就必须献身于某种不同于他自己的东西；他必须感到与社会一致，而不管这个社会可能多么低级。”[④]

在将社会与道德、与人的完善相统一的立场下，生活于资产阶级上升阶段的涂尔干同样怀着对资产阶级发展的积极乐观的盼望。在超越个人主义的立场上，涂尔干强调道德的个人超越性。在他看来，任何以个人利益为目的的行为，哪怕是为了除自己之外的他人，都无法具有道德价值，必须是以集体和社会利益为目的的行为，才是道德的。他认为：“除了集体目的之外，不存在任何真正的道德的目的。除了包含在对群体的依恋中的道德力之外，不存在任何真正的道德力。”[⑤] 在这个意义上，涂尔干的道德

---

① 涂尔干．道德教育［M］．陈光金，沈杰，朱谐汉，译．上海：上海人民出版社，2001：71.

② 同①.

③ 同①61.

④ 同①78.

⑤ 同①82.

是社会性、集体性的道德。

二、道德的社会评价机制

道德之所以能够成为社会事实，源于它作为价值标准、黏合剂、尊严与卑微的生产机制的社会功能。如果没有道德，社会便没有善恶、团结和自豪，就变得混乱和无序。在涂尔干的眼里，“道德是社会对个人行为的制裁力，使他们合于规定下的形式行事，用以维持该社会的生存和绵延”[①]。其实，道德的社会意义不仅在于对个体的规训与使人格达到完满，也在于为社会树立善恶旗帜和指明发展方向、对不同的社会群体进行区隔。这些功能得以实现的核心机制便是社会道德评价。从宏观、中观与微观视角，社会道德评价可以粗略地划为高调的奖励与惩罚、无言而鲜明的空间区隔以及细微的分寸修养三种机制。

（一）高调的奖励与惩罚

宏观层面的社会道德奖惩与国家权力和广泛的社会公众参与相关，因而往往高调进行，其功能在于向整个社会宣扬明确的善恶标准和社会道德立场，标明社会的价值旗帜与方向。正是由于这一目的，宏观的道德评价往往并不是针对个人（但是通过个人实现），而是针对一批人——这一批人中可能存在一个价值序列。因为批量的奖惩波及者众，从而会产生更为广泛的社会影响。当然有时也会把个别人当作善或恶的典型，这时就一定会大力宣传，使这一典型人物和事件产生轰动效应，也可以达到影响更大的社会面的道德目的。宏观的社会道德评价，是以国家名义进行的道德奖励与惩罚，在所有社会类型中都广泛存在，传统社会中尤其明显，因为在

① 费孝通．乡土中国　生育制度［M］．北京：北京大学出版社，1998：31.

法治社会之前道德构成国家奖惩体系的标准。以伦理为中心的传统中国社会中，汉朝时期察举取士的做法最为典型。

实际在汉朝的察举制前，中国就存在非常明显的宏观层面的社会道德评价，只是到汉文帝时道德评价才与选士制度结合起来。公元前 178 年，汉文帝下诏“举贤良方正能直言极谏者”来辅助他。公元前 165 年，汉文帝又赋权给诸侯王、公卿、郡守，要求他们为他举贤良。同年，他以治理天下为题，选拔贤良直言极谏的人才，并对入选之人委以官职。这是汉代察举制的正式开端，之后成为两汉的选士制度，甚至可以看作中国科举制度的雏形。[①]“贤良方正”者即正直、有德行的人才。到光武帝时，“德行高妙、志节清白”成为察举制的第一项标准，“孝悌廉公”成为各科必备标准。[②]察举制完善后，贤良方正和孝廉成为独立的科目稳定下来。品德作为国家人才选拔标准，国家对具有示范作用的管理者提出道德要求，是引领社会风尚的国家治理方式。后来科举制度取代了察举制，但品德作为重要的考察内容并没有改变，至宋代后以四书五经取士，以伦理为核心的儒家学说成为国家考试的核心内容。国家视贤良为人才，以国家最高权力的声音，宣布道德对社会和个体的价值，是极高调的社会道德评价。当然，这是对道德的积极评价，也可以说是奖励性质的评价，会对社会风尚产生明显的强化作用。举德之贤者为国之才，本身就是一种化民成俗的社会教育。

与选贤纳才的奖励性道德评价相对的，是国家司法体系中的道德惩罚。法律是成文的道德，道德是不成文的法律。可以说，国家司法体系所处理的，既是法律案件，也是道德事件。而且，不仅惩罚的内容，连惩罚方式本身，也预示着社会道德的变化。在《规训与惩罚》中，福柯（Michel Foucault）以谱系学方法对西方国家对极刑犯人的惩罚方式的变化进行精细考察，让我们看到了高调社会评价的另一副道德面孔：从令人发指的残暴展示到悄

---

① 毛礼锐，沈灌群. 中国教育通史：第二卷［M］. 济南：山东教育出版社，1995：129.

② 同 ① 134.

无声息的临终关怀。

福柯在此书的开篇用 3 页篇幅通过档案、报纸、现场监视官的记录等多种材料，详细地描述了 1757 年因谋刺国王被判处“在巴黎教堂大门前公开认罪”的四马分肢、焚尸扬灰的处罚。阅读这些文字都让人不寒而栗，无法想象当时观众的心情。显然，这种惩罚的目的不在于处死一个罪犯，而在于通过公开这种极端残暴的惩罚方式，给观众上一节现场法律 / 道德课，“教诲在场的所有观众”[①]是这一事件中的牧师的重要职责。这是一场有着明确教育意图的公开惩罚仪式。“公开处决的目的是以儆效尤，不仅要使民众意识到最轻微的犯罪都可能受到处罚，而且要用权力向罪人发泄怒火的场面唤起恐怖感”[②],这种恐怖不仅是肉体的极端痛苦和生命的终结，还应包括在众人面前遭受无法预见的羞辱，如身体的裸露、蓬头垢面形象的示众，以及各种被插在后背、贴在身上或挂在胸前的标签，这是极为高调的国家惩罚。公开的对罪犯处决的场面，是权力向公众肆意展示一种消极的道德评价结果。与选才制度中的道德评价方式相比，这是由国家暴力支持的否定性的道德评价。其实这一让人不安的国家惩罚的变迁不只发生在西方，而是存在于整个人类文明的变迁中。

现在这些都已经成为历史。对死刑犯的处决过程转向隐蔽的甚至秘密的方式，特别对于不相关的民众而言。而且处决的过程变得非常人性化，暴力的宣泄和对人的恐吓都被剔除在外。在这一过程中“医生会照顾死刑犯，直到最后一刻。他们作为慈善事业的代表和痛苦的安慰者与那些执行死刑的人共同工作”[③]。这种原本高调的否定性道德评价变得低调起来，只保留了在公共媒体与官方传媒中发布对大案要案处决结果的公告的做法。

① 福柯．规训与惩罚［M］．刘北成，杨远婴，译．北京：生活·读书·新知三联书店，1999：3.

② 同①63.

③ 同①12.

（二）无言而鲜明的空间区隔

相对于权力支持的高调道德奖惩，中观层面的社会道德评价总是在默默地运行。在高调的社会评价中，道德评价因与权力的结盟而身份显赫，引人注目，因而成为具有政治性的社会道德评价。相对而言，中观层面的社会道德评价是在民间运行的，常以生活习俗的面貌、社会舆论的方式现身。

“百里而异习，千里而殊俗”说明生活习俗的区域差异。习俗是稳定的生活方式的综合体。生活在同一习俗中的人通过与习俗间的评价互动，形成一种价值共契。“当某种行为模式已经在群体中变成习俗时，任何偏差都会引起一阵非难，这种非难与道德过失所引起的非难极为相似。习俗通过某种方式赋予道德行为以特有的尊重。即便并不是所有社会习俗都合乎道德，所有道德行为也都依然是习俗行为。无论谁拒绝这种习俗行为，都得冒公然违抗道德的风险。”[①] 所以习俗像一个圈子，把有共同习俗的人圈在一起，并对他们的言行进行道德监管，从而使这一习俗得以延续。“习俗与道德行为之间的关系如此密切，以致一切社会习俗几乎不可避免地具有一种道德特性。”[②] 这是原初意义上的社会道德评价。它甚至并无确定的执行者，又或者说人人都是执行者。但这一道德评价的威力同样不可小觑。一方面它可以满足人对社会的依恋，使人在归入某个有道德标签的圈子时获得归属感和安全感，对忠实的践行者，它回报以人人渴望的尊严和敬重；另一方面，违背社会道德规范也会招致“众口铄金”“积毁销骨”的巨大压力和恐惧，所以社会道德评价也是一个情感控制系统。

除了物理空间差异，习俗也深受经济、教育、交往圈子的影响，与审美趣味相关联。布迪厄（Pierre Bourdieu）的研究表明，上层社会的人不仅在政治与经济资本上占有优势地位，他们的生活方式、行为习惯、审美

---

① 涂尔干．道德教育［M］．陈光金，沈杰，朱谐汉，译．上海：上海人民出版社，2001：29.

② 同①.

情趣也往往被认为是优雅和值得效仿的，成为道德和审美上的精致和高端人群；与之相反，生活在底层的民众，往往与他们所吃的粗粮一起，被认为是粗俗的甚至卑贱的，有时候他们自己也认可这样的标签。所以社会道德评价在提供归属感的同时也将不被归属的人排斥在外，成为一种社会区隔的力量。《红楼梦》中出身底层的刘姥姥进入代表着上层社会的大观园，其衣着、行为举止、文化修养与大观园中人物形成鲜明的对比，刘姥姥自己也承认自己是粗人，与这些上流社会的人和这个高雅的地方格格不入。所以她时时小心紧张，处处拿捏自己的言行，却依然是这个上流社会的笑料。不同的道德观念以社会习俗、行为习惯、审美情趣的面貌弥散在生活中，生产出不同的社会空间。在与自己三观相合的空间中，我们犹如在自己家里一样自在和舒适，反之则会有强烈的异质感，产生逃离的冲动。进入某个圈子或社会空间的人，想要获得圈层的认可，首先要做的就是接受其行为规范和价值标准，即“入乡随俗”，否则就会被拒之门外。这是社会道德评价对人群的鲜明区隔。

社会舆论是中观层面社会道德评价最主要的表现形式。舆论并非某个人的看法，而是一种隐形社会共识，“舆论是一种集体事物。舆论是群体的判断”[①]。这个群体的判断，不是不相识的人商量后形成的共识，也不是相互认识的人之间的共谋，而是一种互相没有交流、互不相识的人出于良心、传统甚至直觉进行的道德评价。舆论似乎是一个无处不在的隐形道德监察官或声音，时时监视着每个人的言行，守护社会的道德体系。在我们的行为与道德要求一致时，这个声音就在表扬，我们心里则很是踏实和开心；“当我们不能履行我们眼前的义务时，也会听到同样的声音在谴责我们的所作所为”[②]。传统社会中日常生活里的社会舆论也常常以旁人之口或眼神的方式表达，当然这些表达也不一定同时出现，只有在现场围观的场

① 涂尔干.道德教育[M].陈光金，沈杰，朱谐汉，译.上海：上海人民出版社，2001：90.
② 同①89.

景下（如福柯所描述的公开认罪现场）舆论才会通过现场的众人之口或眼神现身。“社会的舆论具有一种威力，它可以禁止或者惩罚公民违反道德的行为举止。尽管在某些方面强制的程度不是很厉害，但强制力依然存在。这同我们不遵守习俗，穿的衣服不合时宜或不合身份会惹来嘲笑和轻视一样，虽然算不上很强大的强制，也总是一种处罚。”[①] 舆论可以说是道德评价的社会实现机制，给每个人的言行分配不同的社会尊严。

现在的网络空间提供了舆论现身的虚拟平台。网络实现了对物理空间的超越，其文字记录功能也使意见超越发表的时间而得以保存，这使网络围观形成了超时空聚集效应，成为社会舆论的动态展示窗口。在网络空间，社会舆论不仅针对个体的失范行为，也会指向隐藏在具体行为背后的道德观念，非常容易形成持不同道德观念的人群间的争论和对立。由此也可以看到，现代社会舆论也是一个多元的价值体系，有着主流和非主流的区别。

（三）细微的分寸修养

学校教育对个人修养有一定的影响，但更深入的影响来自家庭和社会的真实生活。汉语的修养概念，广义上包含知识、技能和品德等多个方面；日常生活中的修养，多是狭义上的，专指道德水平，内涵是结果意义上的，词性是名词。其实个人修养也是一个过程，是一个主动的精神涵育过程，特别指在品德方面对自己严格要求和有意训练。微观层面的社会道德评价，是与自我修养过程一致的。它通过激起个人内在的细微感受，使人在言行中把握好适宜的分寸，如同精致的刻刀，时时在人的内心刻画下自尊或羞耻的烙印，雕琢人的性格。

涂尔干说：“性格最根本的要素就是这种约束的能力，或根据他们的说法，是一种禁止的能力，这种能力可以使我们收敛我们的激情、我们的

---

① 迪尔凯姆．社会学方法的规则［M］．胡伟，译．北京：华夏出版社，1999：5.

欲望、我们的习惯，使它们服从法律。”[①] 性格的日常形成过程，就是这种自我约束能力的形成过程。但自我约束的能力并非越强大就越成熟，其成熟状态是在应该约束的情境约束，不应该约束的情境不约束。而且在应该约束的情境中，也还有约束力度的差异，也可以称为分寸的把握。只有能够在相应的情境中把握好自我约束的分寸，才是性格上的成熟与智慧，这也是中国哲学的中庸状态。这自然是一个难度很大、需要在日常生活感受中仔细拿捏的过程，福柯称之为自我技术学。在分寸修养的过程中，前面提到过的自尊与敬重感很重要，这是在恰到好处的分寸把握中给人带来的积极体验，也是人追求自我约束的动力，可以看作微观社会道德评价的奖励；与之相对的羞耻感，则是在失了分寸时人会产生的消极体验，是人在自我修养的过程中极力避免却经常会发生的感受，可以看作微观社会道德评价的惩罚。

在一定意义上可以说，分寸修养就是在自尊与羞耻感受之间的反复运动。埃利亚斯说：“羞耻感是一种特殊的冲动，是一种恐惧，在某种诱因之下会自动地、习惯性地再生产出来。”[②] 正是这种如同唾液分泌一样的消极情感，为分寸失当的言行画下禁止线，成为自尊追求过程中的警示。一旦失了分寸就自动地产生出羞耻感，促使人进行细微的调整和打上下次注意的烙印，如此循环往复，直到人掌握好不同情境中恰当的言行细节。这当然是一种长期而细致的自我调节修炼过程。“在这当中，在人的身上培养一种审慎的态度，培养对本能与情绪的调节机制，不仅仅直接是成年人的职能，而且成年人通过自己的行为方式和习惯，半是自动半是自觉地为孩子在制造相应的行为方式的习惯。”[③] 在埃利亚斯看来，人类文明的进程

---

① 涂尔干．道德教育［M］．陈光金，沈杰，朱谐汉，译．上海：上海人民出版社，2001：47.

② 埃利亚斯．文明的进程Ⅱ［M］．袁志英，译．北京：生活·读书·新知三联书店，1999：316.

③ 同②263.

就是在这样细微的自我调节能力的养成与子代培养中不断前进的。“这种由于交织于长长的行动链条而从小便培养起来的自我强制和一直瞻前顾后的职能，部分有着有意识自我控制的形态，部分则是以自动运作的习惯的形式出现；它们按照一种细致的、与社会状况相符合的范式影响人的本能与情绪表达，使其得到缓和抑制，持续不断的克制，以及精心的调节。”①

如果说埃利亚斯是从个体心理感受的角度来解释社会道德评价在人类文明进程中的作用，是一个个体的内部心理视角，戈夫曼（Erving Goffman）则是以戏剧表演隐喻个体社会生活的方式，提供了一个观众或旁观者的外部视角。在戈夫曼看来，社会现实生活与戏剧的不同之处，是现实生活是没有观众席的舞台，或者说是观众与角色合一的舞台。在现实生活中，个体扮演各种角色以迎合其他在场人所扮演的角色，但不同于戏剧中演员间是共同合作表演给观众看的情况，生活中每个演员自己即是观众，生活中相遇的每个他人都是自己的对手戏演员，同时也是自己人生的观众即评论员。所以个体在社会生活的各种情境中向他人呈现自己和自己的生活方式，引导和控制他人对自己形成印象的方式。成功的引导和控制是通过社会生活场景中的诸多细节处理发生的。因为其实有经验的表演者清楚，“表演所建立的现实印象是娇嫩而脆弱的，任何细微的失误都有可能将其摧毁”②。比如，一些想在老师心中成为好学生的学生，会认真地写好自己的作业，尽量不违反规定在课堂上讲悄悄话；在自习课上正在跟同学讲悄悄话时，发现老师的影子就立即停止，坐正身体假装正在读书。这时的学生是把老师当对手戏角色的，他在老师面前就是表演，表演一位老师眼中的好学生的样子。演得好的学生会注意到表演的细节，如先把书本和作业

① 埃利亚斯．文明的进程Ⅱ［M］．袁志英，译．北京：生活·读书·新知三联书店，1999：265.

② 戈夫曼．日常生活中的自我呈现［M］．冯钢，译．北京：北京大学出版社，2013：45.

本打开，坐得很端正，手握着笔放在作业本上，表现出正在写字的样子，然后跟同学说悄悄话，这样一旦老师出现，除了消逝的声音，老师是看不出任何“不好”的痕迹的。所谓演戏演全套。这样的日常生活的细节处理技术并不只影响人与人间的亲密关系，而且影响当事人的社会身份与阶层流动。“向上流动需要人们呈现出恰如其分的表演，并且，无论是为向上流动所做的努力，还是为了避免向下流动所做的努力，实际上都是人们为维持前台而作出的牺牲。一旦人们获得了恰当的符号装备并能驾轻就熟，那么人们就能以一种有利的社会方式来运用这种装备，使自己的日常表演得以美化和彰显。”①

需要说明的是，如果说内心的自尊与羞耻是自我修养的内在调节阀，是个体的分寸把握技术带来的道德感后果，表演者对细节处理意识和技术带来的结果却并不一定是道德感，而是成功感与失败感，因为表演与真实生活间，还存在着距离。出色的表演者可能将细节处理得很好，如认真倾听的表情、说话时的语气、对别人表达尊敬的眼神，但一旦表演者认为这只是表演，就意味着将这些原本寄托着道德的因素工具化了，这些表情、语气和眼神，只是成功的装备，而非真诚。只有入戏的人，将表演与真实的生活合一的表演者，才会在这一过程中通过细节的完善获得道德成长。所以入戏的演员，由于其在这一过程中投入了真诚的道德体验，会实现演技与人格的双重提升。

三、社会道德的价值秩序

主流的社会学因为突出事实性视角会避免在多元道德间表现价值倾向，而尽量以价值中立的立场描述社会道德的多元或差异，同时进一步发

---

① 戈夫曼．日常生活中的自我呈现［M］．冯钢，译．北京：北京大学出版社，2013：30.

现多元与差异间的流动性或生产机制。但如果不把道德看成德目或价值观念，而当作社会结构的重要因子，如果社会的结构不是一个平面网络，而是一种秩序化运行，那么活跃在这个秩序中的道德也就有了秩序的高低。价值秩序的变化，实际上构成社会变迁的内在动力。如前所述，正是劳动在宗教道德体系中由低价值活动到高价值活动的转变，解开了资本发展的道德束缚，才使资本主义获得了巨大的前进动力。

（一）社会伦理的多重格局与道德评价秩序

如果说不同时代的社会道德变迁是一种历史性的、时间意义的纵向变化，那么在横断面上，社会的秩序化运行意味着一个道德的价值秩序。家庭、民族 / 国家、人类作为社会的不同形式，实际上也是不同的精神实体。这三种精神实体所代表的精神性，是否只能用差异来讲呢？显然并非如此。涂尔干说："如果这三种群体能够并应该同时共存，如果每个群体都能构成一个值得我们努力追求的道德目标，这也不等于说，这些不同的目标拥有同样的价值。它们构成了一种等级体系。有证据表明，家庭目标服从并且应该服从国家目标，理由如下：民族是处于更高水平上的社会群体。"[①] 而人类显然是比民族 / 国家更高水平的社会群体或精神实体。所以在家庭、民族 / 国家和人类间，是存在着一个由低到高的价值秩序的。

涂尔干所言的证据，尽管并没有在他的书中出现，但中国绵延两千多年的伦理秩序，却是这一社会价值秩序的践行样板。20 世纪上半叶费孝通先生通过对比中国的传统（乡土）社会与西方的现代社会，发现传统中国"以'己'为中心，像石子一般投入水中，和别人所联系成的社会关系，不像团体中的分子一般大家立在一个平面上的，而是像水的波纹一般，

---

① 涂尔干．道德教育［M］．陈光金，沈杰，朱谐汉，译．上海：上海人民出版社，2001：74.

一圈圈推出去，愈推愈远，也愈推愈薄。在这里我们遇到了中国社会结构的基本特性了。我们儒家最考究的是人伦，伦是什么呢？我的解释就是从自己推出去的和自己发生社会关系的那一群人里所发生的一轮波纹的差序”[①]。费先生所谓“伦”的差序，到底是什么呢？显然不是个人间的人际关系，而是人与不同社会群体或精神实体间的关系。按黑格尔的说法，伦理在本质上是一种普遍性，是个体与社会群体间的普遍性，正是这种普遍性使个体的人与社会的不同群体间形成统一，从而实现人的精神性的一次次扩展。“在儒家伦理的差序格局中，最高级别也是终极的普遍性即天下秩序，天地是这一普遍性的实体；次之是国家大义，庙堂是这一层次的伦理实体；再次是低于国家大义而高于小家庭血亲的远亲聚落，实际上是介于血亲与非血亲之间的一种伦理实体，即宗族村落；接下来是以亲密血缘为基础的家庭伦理。在普遍性的意义上，个体是最低层次的伦理实体，是所有普遍性扩展的基础性伦理实体。”[②]

中国传统社会是伦理—道德社会，只是在日常话语中，我们并不严格区分伦理与道德评价，或者说是把伦理格局合在道德评价中，把达到天下格局的人看作最高人格状态。在中国社会中，“我—家—国—天下格局，是按不同层级的普遍性在现实生活中的载（实）体组建的四阶伦理格局”[③]，道德即在各个伦理实体范围内要遵守的具体行为规范，如忠、孝、尊、听、信、悌等，如图 1–2 所示。在这个结构中，道德如同系在每个“伦”上的核心要素，按照这样的道德规范去生活的人会在社会上获得尊敬，反之则失去社会尊严或面子。如前所述，有天下格局的人，在中国社会中成为最

① 费孝通．乡土中国　生育制度［M］．北京：北京大学出版社，1998：27.

② 孙彩平．道德教育的空间思维：伦理空间视角下的道德教育［J］．教育研究，2018，39（6）：33－40.

③ 孙彩平，周亚文．追寻格局：中国文化伦理图式敞开与德育路向［J］．教育研究，2021，42（8）：69－77.

值得敬重的人格。

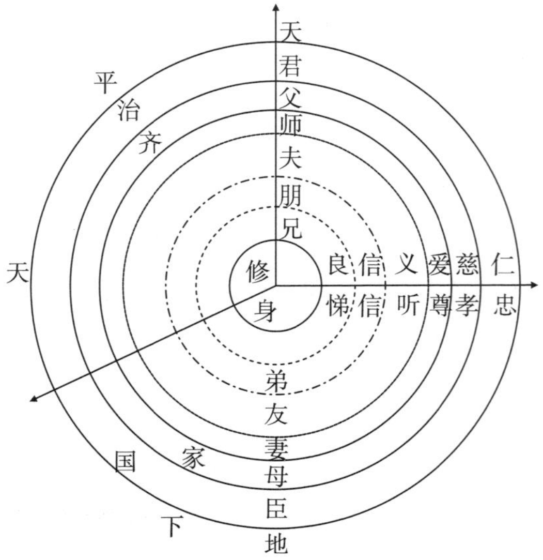

图 1–2　中国传统社会的伦理道德结构

（二）民族国家作为中间伦理实体的两面性

家庭是天然的伦理实体，它不仅以血缘这一自然生物性为联结纽带，而且是人来到世间遇到的第一个社会组织。家庭的血缘特征使这一伦理实体总是充满着对个体的仁爱与关怀。当然家庭成员间也会有冲突与矛盾，也会有为了家庭整体利益要求家庭成员牺牲的情况。如落后地区出现的特殊婚姻形式“换亲”和“转亲”[①],就是为了家族的繁衍而让女儿作出的牺牲。家庭成员的牺牲，在贫困家庭中也会表现在受教育机会上。当一个家庭无力承担所有儿女的受教育费用时这种情况就会出现。但由于血缘关系以亲

---

① 一种特殊的婚姻形式，一般发生在贫困家庭中，家中的儿子因为家庭经济情况而无法以正常渠道娶到媳妇，就会让儿子的姐姐或妹妹嫁给目标家庭中女儿的哥哥或弟弟，相当于用家中的女儿给儿子换一个媳妇，俗称“换亲”。“转亲”是“换亲”的一种变式，是在三个家庭间的相互换娶。

情为基础，这种家庭成员的牺牲很少出现激烈的冲突与矛盾，或者说家庭作为伦理实体的两面性往往被血缘带来的亲情掩盖了。

民族国家的情况就完全不同，作为处于家庭与人类之间的中间伦理实体，它与家庭和人类 / 世界伦理实体间的矛盾与冲突会非常明显甚至激烈。中国的伦理格局中，一直有“忠孝不能两全”的说法，这是国家与家庭伦理冲突的典型表达；揭竿而起的底层民众所举大旗上的“替天行道”，也清楚地书写着国家王权与普遍的“道”之间的冲突。人们似乎总是希望国家能够更正义，但国家好像总是达不到大家的理想。即使处于民族国家上升阶段的涂尔干也不禁感慨：“我们这里似乎面临着一种矛盾。一方面，我们忍不住要设想出一些比国家目标更高尚的道德目的；另一方面，要想使这些更高尚的目的能够在完全适合它们的人类群体中得到体现，似乎完全没有可能。”[①] 这种矛盾的出现，是没有认识到民族国家作为一个有限的伦理实体无法承担超越自身可能的伦理理想，而将伦理普遍性寄托于不适当的伦理实体的结果。

两次世界大战暴露了民族国家的道德局限性，也暴露了爱国主义的两面性，打破了人们对民族国家的道德幻想，激起了对它的深刻反思。安德森（Benedict Anderson）从社会事实的角度给民族下了冷静的定义：“它是一种想象的政治共同体——并且，它是被想象为本质上有限的（limited），同时也享有主权的共同体。”[②] 想象是一种认识方式，也是一种存在状态，它与当下和现实保持距离，但当你沉浸其中时，你会全然忽视这种距离，把想象的当作是正当和真实。它以并非真实的情境带给人真实的情感体验甚至行动的冲动，如你想象一件美好的事情时，心里会真的开心，并产生

① 涂尔干．道德教育［M］．陈光金，沈杰，朱谐汉，译．上海：上海人民出版社，2001：76－77.

② 本尼迪克特·安德森．想象的共同体：民族主义的起源与散布［M］．吴叡人，译．上海：上海人民出版社，2003：5.

要让那件美好的事情变为现实的冲动，这种冲动会成为你当下行动的力量。想象的共同体具有同样的心理效应，“尽管在每个民族内部可能存在普遍的不平等与剥削，民族总是被设想为一种深刻的、平等的同志爱”[①]，这种爱促使它成为一个伦理实体，激起人们为它的温暖和美好、解放和自由的努力、奋斗和牺牲。民族之爱使民族国家社会融为一体，成为对国家之爱的爱国主义。而爱国主义，因为民族国家这一伦理实体在整体伦理格局中的中间处境，就具有了两种不同的可能。一种是通过强调自己与其他民族国家的不同，特别是优秀，诱使民族国家超出它的边界，以解放或优化的名义改造其他民族国家；另一种是清楚自己作为主权共同体的主权的边界，将国家和民族之爱限制在主权内部，使之成为民族国家内部事业的发展力量。显然，这两种可能导致了爱国主义的两个伦理面目，“第一种途径是侵略性的、军事性的，第二种途径是科学性的、艺术性的，总之，基本上是和平的”[②]。

当年涂尔干曾经给民族国家提出过美好的设想或者说劝诫：“国家就应该承诺不以从物质上扩张并危害邻国为目标，不以获得比邻国更强大的实力或更多的财富为目的，而以在本国人民中实现人类的普遍利益为目标，也就是说，使自己迈向正义的通途，迈向一种更高级的道德，并通过这种方式来组织自己；在公民的功德与旨在减少或预防个人痛苦的生活条件之间，始终存在着更为密切的呼应关系。”[③]这甚至可以说是他在世界大战发生前对民族国家的忠告。尽管学者的思想显然无法阻止民族国家走向第一种可能，但这种侵略性扩展导致的两次世界大战以血的教训证明了思想者的洞见。

---

① 本尼迪克特·安德森. 想象的共同体：民族主义的起源与散布［M］. 吴叡人，译. 上海：上海人民出版社，2003：7.

② 涂尔干. 道德教育［M］. 陈光金，沈杰，朱谐汉，译. 上海：上海人民出版社，2001：77.

③ 同② 76 – 77.

（三）联合国作为最高伦理格局的曲折努力

联合国作为协调民族国家间的矛盾与冲突、团结全世界的力量解决人类面临的共同问题的一个全球性组织，在第二次世界大战后成立。在其成立至今的近 80 年间，尽管一直存在区域范围的冲突，但世界性的大规模战争没再发生。除了军事争端的协调，联合国在全球的经济合作与发展、环境问题、世界卫生与健康问题、粮食问题、文化发展与教育改革等诸多问题上起了积极的推进作用。这当然与联合国各机构人员的共同努力不可分离，但这些努力成为现实有其理论前提。在洞见民族国家的局限性的同时，对人类和平充满期待的涂尔干也深入分析了不同社会群体的关系，他认为："家庭、民族和人类，代表着我们社会进化和道德演化的不同阶段，而且，这些阶段是一些互为准备和互为依赖的阶段。所以，这些群体是相互叠置，而非相互排斥的。……所以，这里的问题不是在它们之间作出一种排他性的选择。只有当人们受到它们施加在他身上的这三重力量的支配时，他们在道德上才是完善的。"[①] 联合国的出现，从人类历史进程来看是为了应对当时的世界战争，解决人类面临的现实问题，而实际上是人类精神性对更高的统一性要求的必然。联合国实际上成为超越民族国家、代表人类最高精神统一性的伦理实体，如同《联合国宪章》中所规定的、寄托着人类最为普遍的伦理诉求：和平、合作与发展。

然而，正如民族国家这一伦理实体总是难以把握好自己的伦理性一样，作为更为普遍的伦理实体的联合国在实现人类共同的伦理诉求的探索中也难一帆风顺。第二次世界大战的结束，也是世界范围内以苏联为代表的共产主义阵营和以美国为代表的资本主义阵营间冷战的开始，诞生在这一背景中的联合国是两大阵营妥协的结果，之后直到 1991 年苏联解体，联合

---

① 涂尔干.道德教育[M].陈光金，沈杰，朱谐汉，译.上海：上海人民出版社，2001：74.

国一直是两大阵营冲突与较量的重要阵地。除联合国这个名称上的全世界联合的实体外，两大阵营的羽翼下也出现了许多区域性的、主题性的跨国组织。据不完全统计，20 世纪初国际组织只有 200 个，到二战结束后的 50 年代已骤增到 1000 多个，70 年代增加到 8200 多个，到 1990 年增加到约 2.7 万个。正如亨廷顿（Samuel P. Huntington）所描述的："冷战时期，全球政治成为两极化的，世界被分裂为三个部分。一个由美国领导的最富裕的和民主的社会集团，同一个与苏联联合和受它领导的略贫穷的集体展开了竞争，这是一个无所不在的意识形态的、政治的、经济的，有时是军事的竞争。许多这样的冲突发生在这两个阵营以外的由下述国家组成的第三世界里：它们常常是贫穷的，缺少政治稳定性的，新近独立的，宣称是不结盟的。"① 这种世界景象，当然可以看作人类走向"自由人的自由联合"的初级形式，也可以说是对主权国家的限制与超越，但世界被两个超级大国撕裂为对立的两极的状况，显然与人们憧憬的人类命运共同体相去甚远。如同人们很难把残暴统治的国家看作伦理实体一样，这样的国际组织，也很难让人把它与超越主权国家的更为普遍从而也更为高级的精神统一性联系起来，所以从伦理意义上看只是徒有其名的存在。

随着苏联的解体，世界范围内的冷战局面整体上宣告结束，世界一体化的进程加快，到 2016 年，区域性的、国家集团和全球性的跨国组织增长到 6.2 万余个，是冷战结束前的 2 倍多。但是苏联解体后的世界一体化，是否走向了全世界人们自由联合、平等和谐的伦理共同体了呢？人类社会的现实告诉我们：不是。冷战的结束被以美国为代表的西方国家宣布为西方阵营所代表的资本主义自由民主制度的胜利，从而坚定了他们把自己的价值观作为文明与先进的发展模式、作为"普世伦理"的信心，同时也坚定了他们将自己的价值观与生活方式推广到全世界的决心。因而形形色色

---

① 亨廷顿．文明的冲突与世界秩序的重建［M］．周琪，刘绯，张立平，等译．北京：新华出版社，2002：5－6.

的国际组织，由平衡两极的意识形态对立转向推广西方的价值观念，“普世伦理”之风随着麦当劳餐厅在全世界开设连锁店刮遍全球。

人类的确有相通的价值观念，有共同的美好诉求，有精神的统一性，按照数学的思维，即全世界人们有道德标准的最大公约数，因而可以说人类是存在普世伦理的，这是最高级的社会伦理形式。但这样的普世伦理是所有民族和国家共有的，因而是属于所有国家和人民的，也应该会受到所有民族和文化的认可，不支持文明间的冲突、压制和殖民。但此普世伦理并非在冷战结束后由西方国家在全世界推进的“普世伦理”。因为如前所述，目前被宣称为“普适”文明的，只是“西方文明中的许多人和其他文明中的一些人目前所持有的假定、价值和主张。这可以被称为达沃斯文化”①。这一文化主导的国际组织成为世界标准的建立者，从政治经济到文化教育，出自国际组织的国际标准随着全球化的推进成为各民族国家的指导标准和努力方向，民族国家内的各行各业，从实体经济到日常消费，从政治体制到课程标准，与国际接轨的努力转变成按照西方标准进行自我改造。在“国际的等同于先进的、先进的等同于西方的”这一递等式逻辑下，科学进展以国际期刊的认可为高级，制造业以 ISO（International Organization for Standardization）认证为标准，教育改革以 UNESCO（United Nations Educational Scientific and Cultural Organization）宣言为指导纲要，在从市场一体化到文化一体化的背后，是道德标准的一体化，是西方伦理成为“普适伦理”的全球化运动。当代表西方意志的国际组织取代了民族国家的意志，当西方文化通过国际化成为所有文化的发展方向，西方的道德标准就成为衡量人类的标准。不符合这一标准的，不是被标示为不同和差异，而是被标示为落后和野蛮，从而被“正当地”剥夺了存在的权利，成为被改造、被制裁和被抛弃的对象。

---

① 亨廷顿．文明的冲突与世界秩序的重建［M］．周琪，刘绯，张立平，等译．北京：新华出版社，2002：44.

可见，一些寄托人类和平、合作与发展愿景的国际组织，在冷战结束后已经异化为西方伦理的代言人，成为西方国家实现文化帝国主义的推手，并非全世界或人类共同利益的代表。因而，它们不仅无法实现超越民族国家有限性的伦理寄托，反而成为某些民族国家实现全球扩张的平台。这当然是人类走向命运共同体路上必须纠正的歧途，也必然招致全球非西方民族和国家的反抗，这可能意味着一场以反全球化为目标的新的民族主义浪潮的到来。

第三节　心理学的科学道德标准

心理学与精神哲学有着密不可分的学术渊源。按照胡塞尔的说法，心理学本源地是精神科学，但在“作为与新的自然科学并列的新的心理学最初创立的时候，它就已经忽视了对自己的，作为关于心灵存在的普遍科学的，从本质上说是唯一真正的任务之意义进行探究”[①]，而是以自然科学为典范，走上了经验研究的道路。不同于胡塞尔对心理学通过描述心理学重归精神哲学的期盼，舍勒选择尊重心理学发展的现实路向，主张精神哲学和心理学要各安其位。他认为“将心理之物错误地精神化，败坏心理学；将精神错误地心理学化，败坏哲学”[②]。心理学在由精神科学走向部门科学的过程中，人格问题一直构成其重要的研究内容，但因为对科学的崇尚，心理学放弃了原来哲学中对人格进行层次划分的做法，放弃价值立场，坚持事实性的科学立场，走向了人格发展规律的科学探索之路。在科学主义盛行的时代，心理学的人格发展规律恰恰成为道德评价的科学标准。目前看来，心理学对人格发展规

---

① 胡塞尔．欧洲科学的危机与超越论的现象学［M］．王炳文，译．北京：商务印书馆，2017：254.

② 舍勒．伦理学中的形式主义与质料的价值伦理学［M］．倪梁康，译．北京：商务印书馆，2018：801，570.

律的探索可以大致划分为两类标准：一是精神健康标准，二是道德发展标准。

一、健康：人格评价的医学标准

1985 年，世界卫生组织在健康标准中加入了道德健康的概念，使得健康概念在原有的身体和心理健康基础上，又有了新的扩展。而在这之前，健康概念已经经历过一次大的扩展，即由身体健康扩展为身体、心理健康。在传统意义上，身体或生理健康是医学概念，精神分析心理学的诞生使这一传统观念发生了第一次扩展，并发现了身体的病态与精神和人格的病态之间的内在关联。之后，心理或精神健康由心理学逐渐扩展为医学与心理学共有的概念和问题。与医学与心理学的融合相比，道德健康的说法，至今没有成为伦理学的课题，依然限于心理学领域。因为将人格评价的标准转换成健康，完全不合伦理学的口味。

很多精神分析学家都有另外一个角色——医生，这是健康成为精神和人格评价标准的一个可以称为“知识型”的原因，不管是精神分析理论的创立者弗洛伊德（Sigmund Freud），还是该领域另一重要代表人物荣格（Carl G. Jung），都是如此。实际上也可以说，精神分析学派的人格理论，是以临床经验为基础建立起来的，是经验研究的成果。但精神分析学派的诞生，使道德、人格、精神之间的关系变得复杂起来：一方面，人格和道德有了新的评价标准——健康；另一方面，按照精神分析理论及福柯在《癫狂与文明》中所揭示的，严格的道德与文化氛围，是导致精神和人格内在结构失衡、出现病态的原因，甚至可以说被当作病患的精神状态，根本上是一种文化的道德裁决。弗洛伊德将其解释为超我的失灵，而荣格则更多将之归于文化原型的情结紊乱，新近的心理学测验则采用了统计学的概率思维，以标准样本的平均数和标准差来确定人格发展的常模。由于社会文化因素的影响，人格常模也许并不是一个普遍性的精确客观的阈值，或者与其说这一阈值具有一定的文化差异性，毋宁说它是一种科学化的道德评价思维。

（一）弗洛伊德的三维人格

弗洛伊德对精神分析的开创性工作，是从他在梦与精神病间建立起关联开始的。他认同格里辛格尔（Wilhelm Griesinger）的观念，认为梦和精神病中的观念具有欲望满足的共同特征，并以此为起点展开了他的梦和精神病的心理学理论建构：无意识、本能和人格理论。

弗洛伊德的人格理论建立在他对无意识的突破性分析之上。以神经症的临床治疗为基础，他对无意识进行了进一步的划分，将前意识从无意识中划分出来，形成三类意识状态。前意识是无意识中“潜伏的但能够转化为有意识的”部分，它是“描述意义上而非动力学意义上的无意识”。[①] 弗洛伊德对于前意识在人的精神状态的意义非常看重，把它看作“在深蕴心理学（depth-psychology）的暗夜中照亮我们的唯一一束光”[②]。这样，无意识就只是一个动力学意义上的无意识，是动力学意义上的被压抑的、无法或者说不能成为有意识的意识。这是他对意识理论的一个重大贡献，也是其人格理论框架中的重要基础。

弗洛伊德认为人格是一个动态过程，上述三种意识状态是这个动态过程呈现的三种形式。而这一过程之所以能够动起来，或者说处于不停变化的过程的动力根源，在于人的两种本能：性本能和死亡本能。性本能也叫爱欲本能，“不仅包括不受禁律制约的性本能和受目的制约或由此而派生出来的具有升华性质的本能冲动，而且包括自我保存本能”，自恋是其典型表现，它是保全和升华生命的本能动力；死亡本能的任务“是把有机的生命带回到无生命状态”，是让生命走向消亡的本能动力，施虐狂是死

① 弗洛伊德. 与自己对话的 3 个维度［M］. 杨韶刚，张梦茵，朱采薇，译. 北京：中国法制出版社，2018：117.

② 同①.

亡本能的典型代表。[①] 这两种本能以混合、融合和合铸的方式结合在一起。两种本能的结合，并非总是和谐愉快的，而是充满着冲突、矛盾和各种不和谐。在这种争斗中，有时候爱欲本能占上风，而有时候死亡本能会处于上风，从而使两种本能处于一种非融合的解离（defusion）状态。正是两种本能间的融合或解离状态与程度，决定了人格的多种状态。矛盾心理代表一种尚未完成的本能融合状态。弗洛伊德认为："本能的解离和死亡本能的明显出现，是某些严重的神经症，如强迫性神经症所产生的影响中，最值得予以特别考虑的表现。"[②]

人的两种生命本能在三种意识的形态中不停地流转，对应本我、自我和超我三种形态的人格。在弗洛伊德的人格理论框架中，现实中的人格表现实际上是三种人格此消彼长的结果。

本我对应人的无意识部分，弥漫着爱欲和死亡的本能；自我是人的心理过程的连续组织，它是以意识的形式控制着人的能动性，调节着人的精神状态。自我意识像个稽查机制（censorship），通过把人的"某些心理倾向排除在意识之外，而且禁止它们采取其他有效的形式或活动"[③]，因而自我对没有通过审查的本我起着压抑的作用。实际上自我是从本我中分化出来的、本我通过知觉意识被外部世界改变了的一个部分。人对外部世界的知觉通过自我的现实原则对本我施加影响，对在本我中不受限制的快乐原则进行限制。弗洛伊德把自我与本我的关系比喻成骑手和马的关系，作为骑手的自我通过对道路情况的观察控制着作为马的本我，用他的话说，"自我代表我们所谓的理性和常识，它和含有情欲的本我形成对照"[④]。正是对

---

① 弗洛伊德．与自己对话的 3 个维度［M］．杨韶刚，张梦茵，朱采薇，译．北京：中国法制出版社，2018：156－157.

② 同 ① 159.

③ 同 ① 120.

④ 同 ① 133.

自我的这个设定，让彼得斯（John D. Peters）把弗洛伊德的人格理论看作区分理性行动和非理性行动的一种方法。

超我是自我的分化，是理想自我，区别于自我的现实取向，这个理想自我经常以“你应该（像你父亲那样）做某事”和“（像你父亲一样）你不应该做某事”的方式使自己与自我区别开来，对自我从而也对本我发布命令，成为对本我或本能的另一个压抑力量。“超我保持着父亲的性格，俄狄浦斯情结越强烈，并且越迅速地屈从于压抑时（在权威、宗教教义、学校教育和读书的影响下），超我以良心的形式，或者以一种无意识罪疚感的形式对自我的支配就越严格。”[①]“应该做”和“不应该做”就是良心这个超我发出的声音，它生产出罪疚感，这种罪疚感可以是自我的意识形式，也可以是被压抑的无意识形式。来自超我的指使和压抑的绝对必要形式被弗洛伊德看作人格问题的根源，他认为“在相当数量的神经症中，这种无意识的罪疚感起到了某种决定性的实际作用。而且在疾病恢复的道路上为患者设置了最强大的障碍”[②]。

本我、自我和超我及其与意识、前意识、无意识的关系、活动原则、典型话语如图 1–3 所示。

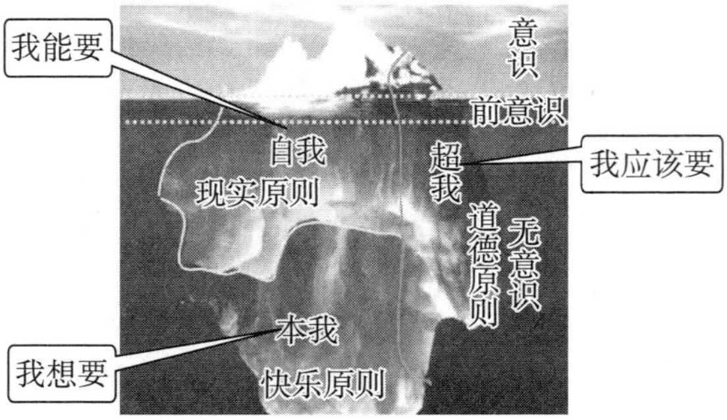

图 1–3　弗洛伊德人格理论图

① 弗洛伊德．与自己对话的 3 个维度［M］．杨韶刚，张梦茵，朱采薇，译．北京：中国法制出版社，2018：147.

② 同①136.

从本我、自我和超我的三种状态可以看出，健康人格面临着三种力量的压力，一是来自两种互相对立的本能倾向，二是外面的现实世界的限制，三是以良心形式表现出的超我的压抑。健康人格实际上就是这三种力量的恰当的融合。如果说梦是本能力量在自我意识睡着时的一种释放形式，以各种神经症为表现的人格病态就是三种力量不协调的结果。而精神分析师的工作就是诊断和分析这些病态人格发生的内在深层原因，并努力帮助病人实现各种力量的协调，从而回到正常的健康的精神状态。

弗洛伊德的人格理论，尽管并不直接关心人的道德性，但从其三类人格的划分中不难看到它与道德间的密切关联。它将基于本能的本我排除在道德之外，使本能处于价值中立的地位，以自然和事实的名义将人的欲望从传统的“恶”名中拯救出来；将自我看作基于现实而朝向理想的中间状态；以良心的声音出现的超我在这里成为导致病态人格的一个根源。这无疑是对传统道德观念的一个彻底颠覆。由此可见，以医生面目出现的精神分析师，并非不关心道德问题，只是他们对传统意义上的高尚人格兴趣不高，而只关心并投身于病态人格的探索与修复。如弗洛伊德所辩称的，精神分析工作“从一开始就把进行压抑的功能归于自我中道德和美学的倾向”①，将健康作为人格的道德标准，以健康为道德评价的底线。

（二）荣格的集体无意识与人格类型

即使在与弗洛伊德分道扬镳之后，荣格也从没否认过弗洛伊德的巨大贡献，他认为“弗洛伊德的独特功劳并不在于发现了无意识活动，而是揭示出了无意识活动的真实属性，而且最重要的是，弗洛伊德研究出

---

① 弗洛伊德．与自己对话的 3 个维度［M］．杨韶刚，张梦茵，朱采薇，译．北京：中国法制出版社，2018：148.

了探索无意识的实用方法”[①]。在他自己后续的研究中，荣格依然沿用通过梦展开对无意识的分析的方法，承认性本能对人格发展的影响。但荣格无法认同弗洛伊德将人格发展的动力完全归于性本能的观念，并以自己的临床经验为依据，反对弗洛伊德将无意识局限于个人的视角，提出了文化的集体无意识概念，创立了自己的分析心理学派和独特的人格发展理论。

荣格这样描述他的分析心理学与早期心理学流派的差异：“分析心理学勇于探索最困难和最复杂的过程。此外，分析心理学的方法也有所不同。我们没有仪器精密的实验室，我们的实验室就是世界。实验则是关于每日发生的真实生活，被试就是我们的病人、亲属、朋友，最后，还有我们自己。命运扮演了实验者的角色。这里没有针刺刺激、人造惊吓、出人意料的闪光等所有实验室手段；真实生活中的希望和恐惧、痛苦和欢乐、错误和成就为我们提供了所需要的研究资料。”[②]同时他给自己的研究以清晰的价值定位，明确这是一门实用的科学，研究不是为了自己，而是为了及时地为需要的人提供帮助。他非常明确自己所做研究的最重要的意义“不仅属于教育，也属于医疗”[③]，所以他的关注点依然是矫治，是帮助那些在人格发展中出现异常的人恢复健康与常态。但他也同样明确地讲：“治疗神经症终究不是一个技术问题，而是一个道德问题。”[④]

荣格跟弗洛伊德的分歧，也是其人格理论对弗洛伊德理论的突破点，主要体现在以下两个方面：一是人格发展的内在动力问题，二是集体无意识即心灵原型作为无意识的重要类型。这两个重要差异，使荣格发展出不同于弗洛伊德的人格理论。

---

① 荣格．人格的发展［M］．胡清莹，译．北京：中华书局，2017：71.

② 同①98.

③ 同①99.

④ 诺伊曼．深度心理学与新道德［M］．高宪田，黄水乞，译．北京：东方出版社，1998：15.

首先是人格发展的内在动力。在这一点上，弗洛伊德的观点明确而坚定，认为性本能是人格发展的唯一动力。荣格则认为，人格发展有多个内在动力，除性本能外，还有其他方面的本能，包括阿德勒（Alfred Adler）强调的权力和自我确认。荣格强调思维、幻想、诗意等构成人的心理的多元动力——这些动力不能还原为性本能或自我确认——对解决心灵冲突产生着重要的影响，反对弗洛伊德提出的儿童的“多形变态”（polymorphously perverse），坚持儿童只是具有“多价”（polyvalent）倾向。这种分歧早在荣格与弗洛伊德合作之时就存在，也是他们理论中的基本分歧。

其次，荣格认为无意识并非只有个人层面的，还包括集体层面的无意识（Collective Unconscious）。集体无意识不是个人后天生活经验的结果，而是属于大脑结构的遗产功能。这种集体无意识虽然每个人都有，但却无法觉察，只是偶尔会影响梦境。受集体无意识影响的梦通常有“奇怪且壮阔的梦境，带着惊人的美丽，或者会充斥着令人惊恐的恶魔般的力量，又或者带来谜一样的智慧”[①]。集体无意识的内容具有神话特征，它超越个体经验，属于一般人类模式，也是最深层次的无意识。“在这个层次上，人不再有个体的区分，个人的心灵在这里扩展开来并融入人类的心灵——不是融入有意识心灵而是融入无意识心灵，在这里，我们所有人都是一样的。”[②]荣格甚至把这看作人类初期的原始人心智，称之为原型心灵。相对于弗洛伊德的精神结构，荣格的精神结构图更为复杂，具体如图 1-4 所示。[③]

---

① 荣格．人格的发展［M］．胡清莹，译．北京：中华书局，2017：123.

② 荣格．分析心理学的理论与实践［M］．成穷，王作虹，译．南京：译林出版社，2011：43－44.

③ 同②.

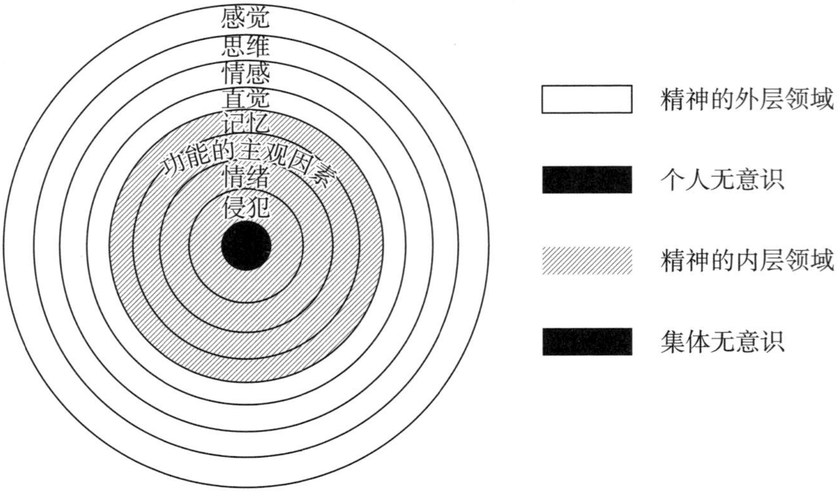

图 1-4　荣格的精神结构示意图

在这张结构图中，外层空白的感觉、思维、情感、直觉区域构成精神的外层领域，是人在与外界接触中形成的意识；中间的斜线区域，是与意识相关的自我情结（ego-complex），也被荣格称为精神的内层领域，包括受意志支持的记忆，不受意志的严格控制但依然受到意志压制、排斥与强化的诸功能的主观因素，然后是只有强力才能控制的情绪和侵犯；最里层的黑色的区域是无意识，包括个人无意识和集体无意识或原型。这个结构从白色区域到里面的深色区域，实际上也是人的意志作用逐渐降低的过程，直到最深层的无意识区，完全脱离人的意志左右。

除此之外，这张图实际上也包含着荣格的另一个重要贡献，即对人的心理类型的划分。依据心理能量活跃的领域朝向，荣格将人分为外倾型人格和内倾型人格。内倾型人格的心理能量主要朝向内部无意识领域，不善交际、沉静稳重、缺少自信、孤僻害羞；外倾型人格的心理能量主要朝向外部世界，往往性格开朗、活泼好动、善于应付、自信且兴趣广泛。同时他又根据人从外部世界摄入信息的主导功能差异，将人划分为感觉型、思维型、情感型和直觉型。这样把内外倾与功能差异类型结合起来，形成了八类人格类型。这种类型的划分，当然不是为了给人贴上各种标签，而是出于其在心理实践中起到的作用。

荣格集体无意识概念的提出对于精神分析而言是具有开创性的，为后来弗洛姆（Eric Fromm）的社会无意识提供了启发。但因为集体无意识具有浓厚的神话色彩，尽管荣格也用自己的临床经验证明它的存在，但依然让人对其科学性持保留态度。当他用招魂术中的自动书写和灵魂的声音作为情结存在的证据时，更让以唯物论为基础的科学主义者难以接受。

二、进步：人格成长的阶段

偏向治疗的精神分析理论侧重从无意识分析入手关注人的道德健康，而认知心理学理论主要是从意识的研究探索道德发展状况。对意识的道德研究深受西方理性主义哲学传统的影响，侧重对人的道德认知的考察，而且在进步主义思路的影响下，把道德发展看作道德认知判断形式的发展过程。同样持发展观念的也包括精神分析的人格统一性理论，所不同的是埃里克森（Erik H. Erikson）将人生作为人格同一性发展的完整周期，区别于进步主义的线性思维方式。

（一）道德认知发展阶段

延续西方哲学中理性主义为主流的学术传统，道德认知在心理学中的关注度一直很高，成为心理学中的主流思路。按照康德的说法，理性提供思维的形式，在这一思路下的道德认知发展阶段理论，认为“道德在本质上表达了对每一种文化都是有效的一套判断和决策的理性原则”[①]，也可以说是道德认知形式的发展阶段理论。其中最具代表性的是皮亚杰（Jean

---

① 柯尔伯格．道德教育的哲学［M］．魏贤超，柯森，等译．杭州：浙江教育出版社，2000：3.

Piaget）对儿童规则意识阶段的研究和柯尔伯格（Lawrence Kohlberg, 一译科尔伯格）关于儿童道德认知的三水平六阶段理论。理性本身的纯粹性、普遍性和客观性是道德认知发展阶段理论的追求，也是其科学品质的体现，因而柯尔伯格会执着于跨文化的理论验证。

1. 皮亚杰的规则阶段理论

皮亚杰的道德发展阶段理论深受康德的影响，也与其发生认识论有着密切的联系。他对儿童道德判断的分析，实际上是通过对儿童规则意识的考察来实现的。在对儿童规则实践和规则意识的考察中，他发现儿童的道德行为与道德判断间存在着复杂的一致性，从发展的过程来看，两者共同指向从他律的道德实在论到协作的自律的发展过程，也可以说是走向道德自由的过程。皮亚杰的道德发展是通过个案观察和对偶故事分析进行的，其研究对象是从出生到 13 岁的孩子。依据他的研究，儿童的规则实践发展经历了四个阶段，而规则意识的发展经历了与实践相交织的三个阶段①，具体如表 1–1 所示。

皮亚杰用道德实在论来描述儿童在进行道德判断时表现出的如下倾向："儿童不得不把责任与随附于责任的价值看成是自在的（self–subsistent）、不受内心支配的，而且，不管个人处于什么样的地位，他都不得不如此看待它们。"② 显然，这种道德状态是一种外在的、他律的道德，它把"服从"看作"好"，客观上会导出负责任的道德。但这不是真实的道德，真实的道德是与之相对的协作的和自律的道德。皮亚杰认为，儿童最初的纯道德因素源于年龄差异而产生的对年长儿童、成人的尊重，这种尊重是单方面的来自年幼儿童的，是他律道德的必要条件。那么儿童如何从道德实在论转变为自律的道德呢？皮亚杰认为，在这一转变过程中，协作起了非常重

① 皮亚杰 . 儿童的道德判断［M］. 傅统先，陆有铨，译 . 济南：山东教育出版社，1984：18 – 20.

② 同①125.

要的作用。在与他人协作过程中，“因为通过个人把他自己个人的动机和所有人所采纳的规则加以比较，他就被引导客观地去判断别人（包括成人）的行动与命令。从这个时候起，单方向的尊重便减弱了，个人的判断就开始了，在这样的后果中，协作既压制了自我中心状态，又压制了道德实在论，因此便达成了规则的内在性。一个新的道德就跟着纯义务的道德之后出现了。外在性让路于善的意识；由于接受了互惠的模式，便产生了善的意识的自主性”[1]。这一研究对道德的教育方式有着重要意义。

表 1–1　儿童规则实践与规则意识发展阶段对照表

<table>
<tr><th>年龄</th><th>规则实践阶段</th><th>年龄</th><th>规则意识阶段</th></tr>
<tr><td>1</td><td rowspan="2">阶段 1：运动和个人性质
出于欲念和习惯行动</td><td>1</td><td rowspan="2">阶段 1：
规则出于运动需要
不需要负责任</td></tr>
<tr><td>2</td><td>2</td></tr>
<tr><td>3</td><td rowspan="3">阶段 2：自我中心的实践
模仿别人；各玩各的；不考虑规则</td><td>3</td><td rowspan="7">阶段 2：
规则神圣不可侵犯，改变规则等于犯罪</td></tr>
<tr><td>4</td><td>4</td></tr>
<tr><td>5</td><td>5</td></tr>
<tr><td>6</td><td rowspan="5">阶段 3：初步的协作阶段
考虑相互控制和统一规则；可以达成情境性的一致规则，没有一般的规则观念</td><td>6</td></tr>
<tr><td>7</td><td>7</td></tr>
<tr><td>8</td><td>8</td></tr>
<tr><td>9</td><td>9</td></tr>
<tr><td>10</td><td>10</td><td rowspan="3">阶段 3：
规则是基于同意的法律
诚实的人应该遵守规则
在征得共同同意时可修改规则</td></tr>
<tr><td>11</td><td rowspan="2">阶段 4：规则编辑成典阶段
清楚每一个程序细节，社会就是要遵守规则</td><td>11</td></tr>
<tr><td>12</td><td>12</td></tr>
</table>

① 皮亚杰．儿童的道德判断［M］．傅统先，陆有铨，译．济南：山东教育出版社，1984：487 – 488.

2. 柯尔伯格的三水平六阶段理论

尽管柯尔伯格的研究是心理学领域的，但他非常关注道德教育。他认为道德心理学就是研究道德发展是什么的，而道德教育是促进儿童的道德发展的，不是直接传授一些固定的道德准则。因而道德心理学是研究道德教育的两个基本领域之一——另一个是道德哲学。

“进步”是柯尔伯格道德教育的哲学基调，这是其受 20 世纪初的进步主义思想影响的结果，在哲学或伦理学上对他产生直接影响的还有罗尔斯。据博伊德（Dwight Boyd）的记述，柯尔伯格最高阶段的普遍正义原则的设定以及他后期的公正群体理论的想法，很大程度上源于罗尔斯正义论的影响。[①] 心理学界对柯尔伯格影响最大的当然是皮亚杰，柯尔伯格的研究可以说是对皮亚杰儿童道德发展研究的接续。在皮亚杰的三阶段基础上，柯尔伯格通过两难故事法，对儿童道德判断进行了更为深入和广泛的探索，其最初的被试是 10 岁到 16 岁的 72 名男孩。经由这最初的 72 名被试提出的道德判断发展阶段理论，后来在美国、英国、墨西哥、日本东京、马来西亚和中国台湾得到跨文化验证。

柯尔伯格依据自我与社会准则及期望间存在的联系，把道德判断划分为三种类型，即前习俗、习俗和后习俗[②]，同时结合儿童道德判断所依据的原则，将道德判断划分为三个水平六个阶段[③]，具体如表 1–2 所示。

---

① BOYD D R. The Kohlberg–Rawls connection: the moral core of liberalism exemplified in representatives of two disciplines［M］. Rotterdam: Sense Publishers, 2016 : 33 – 53.

② 柯尔伯格 . 道德教育的哲学［M］. 魏贤超，柯森，等译 . 杭州：浙江教育出版社，2000 : 98 – 101.

③ 同 ① 20 – 22.

表 1-2　柯尔伯格儿童道德认知发展阶段一览表

道德判断水平	社会认识	阶段	道德判断原则	年龄及常见人群
		0 前道德阶段	行为受自己的欲望和能力的支配，苦乐为好坏标准	
前习俗	**具体个人认识** 社会规则、习俗和期望是外在的，不理解	1 以惩罚和服从为定向	避免惩罚和无条件屈服于力量	多数 9 岁以下儿童 一些青少年和成年罪犯
		2 以工具性和相对主义为定向	以满足个人需要和实用主义为标准	
习俗	**社会成员认识** 理解并接受社会规则和习俗的普遍性	3 以人与人之间的和谐一致或“好孩子”为定向	被人喜欢或称赞的行为是好的	9 岁到 20 岁之间
		4 以法律和秩序为定向	服从权威和固定规则，维护社会秩序	
后习俗	**超社会认识** 以普遍道德原则为依据进行道德判断	5 以法定的社会契约为定向	以普遍的个人权利和经整个社会批判同意的标准	少数 20 岁以上的成年人
		6 以普遍伦理原则为定向	依据良心和普遍的道德原则进行判断	

关于这些阶段的正确性问题，柯尔伯格给出了两个解释 ：“一是这些阶段的定义是受阶段概念的经验性标准制约的；二是这个经验性标准是‘结构整体’标准，即除非向高一阶段过渡（处在混合阶段时），否则，个体

将始终处在一个阶段上。”[①]柯尔伯格特别强调这些阶段的概念结构不是依据任何现成的心理学理论来的，而是在经验研究的基础上进行充分的逻辑分析的结果。可以看出，他对自己的研究所提供的知识的标准，与康德的知识概念是相吻合的，经验构成知识的内容 / 概念，而逻辑思维决定着知识 / 概念间的结构。

自 20 世纪 70 年代起，柯尔伯格的道德发展阶段理论成为道德发展心理学的主流，后期其学生对这一理论提出了一些批评，从研究方法到结论都有一些修正和完善，但整体的理论结构依然受到广泛认可。在诸多的批评声中，吉利根（Carol Gilligan）从性别差异的角度提出以公正为终极价值的理论取向建立在白人男孩子被试的基础上，忽略了女孩子的道德特殊性，她以 29 名 15—33 岁女性的访谈为依据，提出存在着另外的道德取向，即关心取向。

莱斯特（Jim Rest）是柯尔伯格的另一位学生，后在明尼苏达大学继续道德判断的研究工作。为了使柯尔伯格的两难故事测验更便于操作，他改进了访谈式测验方法，对儿童各阶段进行道德判断的典型观点进行概念化整理，开发出标准化的“确（限）定问题测验”（Defining Issues Test，DIT）。通过 DIT 测验他发现：“儿童的道德判断不一定是一步一步前进的，往往在发展早期就出现了较高级的道德判断倾向。有时，儿童同时存在几种阶段的表现特征。”因而他主张用“类型”代替“阶段”来反映儿童道德发展的情况。他创立的儿童道德发展模型如图 1–5 所示。[②]他结合 DIT 测验的数据及柯尔伯格理论所受到的质疑，修正了柯尔伯格对道德判断与道德行为高度一致的看法，认为影响道德行为的因素不只是道德判断，还包括道德敏感性、道德动机和道德品格，此即莱斯特的四成分模型（Four

① 柯尔伯格．道德教育的哲学［M］．魏贤超，柯森，等译．杭州：浙江教育出版社，2000：123.

② 袁桂林．当代西方道德教育理论［M］．福州：福建教育出版社，1994：83.

Component Model)。[①] 莱斯特终其一生都在不断完善和更新柯尔伯格的道德判断理论。

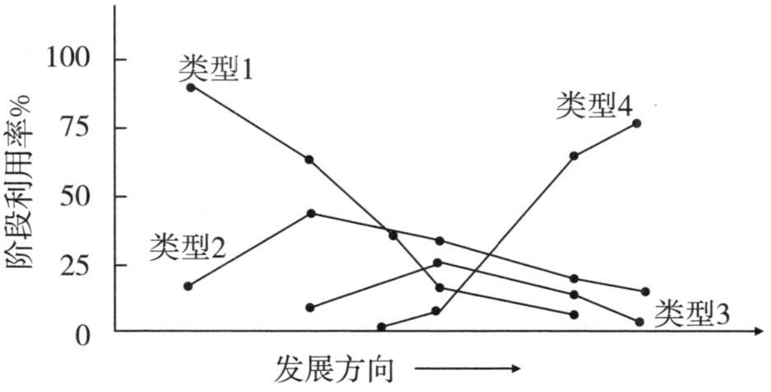

图 1-5 莱斯特的儿童道德判断类型

另一个柯尔伯格理论的修正者是特里尔(Elliot Turiel)。早在 20 世纪 70 年代在跟随柯尔伯格研究时，特里尔就发现儿童道德发展阶段并不是简单的线性发展轨迹，在纵向追踪研究中出现过从习俗水平向前习俗水平的退行案例，这使他重新考虑这一发展阶段的正确性问题。之后经过多年的悉心研究，他提出了要对习俗领域与道德领域进行区分的主张，认为儿童对这两个领域的问题有着不同的认知发展规律，这是对柯尔伯格理论框架的一个重大改变，因为如前所述，自我与社会规则间的关系是柯尔伯格理论的核心结构，前习俗、习俗和后习俗的水平划分，是柯尔伯格道德发展阶段理论的主要脉络。后来，特里尔的弟子努奇(Larry Nucci)、海尔维格(Charles Helwig)先后提出将个人领域和安全领域与道德、习俗领域区分出来[②]，进一步丰富的领域理论。领域理论(Domain Theory)的核心，是主张将道德问题与习俗、个人、安全问题进行区分，认为儿童在这些领域中

---

① 张倩，杨韶刚．从 DIT 到 ICM：道德判断测验的变迁［J］．教育学报，2017，13(4)：98－104.

② 杨韶刚．从柯尔伯格到后柯尔伯格：社会认知领域理论对特殊教育的德育启示［J］．中国特殊教育，2013(10)：17－21.

的判断所遵循的逻辑是不一致的，不能够将其混为一谈。区分的思路也许对于捍卫前面提到的道德判断发展的线性发展方向有帮助，因为它使道德领域的问题更为纯粹。但这是一把双刃剑，因为将习俗与道德区分后，道德问题就会成为一个缺少文化和生活支撑的普遍原则，这显然不是柯尔伯格，也不是皮亚杰心中的道德。

心理学对儿童道德认知发展阶段规律的探索，如赫尔巴特（Johann Friedrich Herbart）在《普遍教育学》中所说的，构成科学教育实践的重要依据，甚至被当作教育实践的科学品质保障。儿童道德认知发展阶段，与教育中的进步主义思路相结合，成为德育评价的科学标准。但是从建构主义的观点来看，道德认知发展阶段的研究，是基于一定的文化、社会和教育背景的，这意味着这一道德认知发展阶段是儿童与他所在的世界相互建构的结果，因而应该具有一定的文化和社会特征，如皮亚杰所强调的，“这种现象是我们的文化所特有的”[①]，而非普遍的客观规律。因而当这一发展阶段理论被用作应然的标准来衡量其他社会文化和教育处境中的儿童的发展状况时，隐含的是用某种特定的社会文化和教育标准衡量另一个社会文化和教育的结果，而非儿童的道德状况。这样就容易使被评价的儿童的道德认知发展状况——先进或落后，成为其所在的社会文化和教育的道德标签。走出这一困境的基本思路，是取消将某种发展阶段作为普遍标准的做法，但可以保留将发展阶段作为对儿童道德发展的评价的思路，探索不同社会文化和教育背景下儿童的道德发展模式。出于保留对多元文化尊重的立场，建议不以先进或落后对不同的发展阶段进行跨文化的比较，只把它当作对社会文化和教育的多样性的考察方式。

---

① 皮亚杰.儿童的道德判断[M].傅统先，陆有铨，译.济南：山东教育出版社，1984：118.

（二）同一性危机与人格发展

如果说道德认知发展阶段理论是西方理性主义哲学思路在心理学的延伸，主要关注的是人的意识或理性的发展阶段的问题，那么精神分析理论则将欲望、情绪、动机等非理性因素纳入自己的理论视野，以其对无意识领域的关切形成自己的发展框架。古典的精神分析理论如前所述，以弗洛伊德和荣格为代表，以道德健康为其核心关注点，埃里克森被美国心理学史家墨菲（Gardner Murphy）认为是新精神分析理论的杰出代表。埃里克森一方面保持了精神分析理论的重要研究路线，坚持对无意识领域的研究，同时也将意识、文化等因素融入人格的渐进发展过程，实现了精神分析理论由关注道德健康到关注正常人格发展的重要突破。

在《同一性：青少年与危机》中，埃里克森明确了危机一词在人格发展中的特殊内涵，"危机是指一个必要的转折点，一个决定性的时刻"[①]，而不再是日常生活中大难临头的意思，从而使危机成为一个心理学的专业术语，他也把这看作社会心理学的研究进展之一。在这个意义上，同一性危机与同一性问题没有什么区分，所以同一性危机问题也经常被称为同一性问题。而埃里克森对精神或人格的同一性研究，由关注病态人格治疗明确转向了关注正常健康的人格发展，侧重关注人遇到的精神同一性混乱的规律、原因与解决策略，成为帮助正常人顺利度过各阶段的同一性挑战，走向完满人生的理论努力。

除了上述变化，作为新精神分析理论，社会文化性是埃里克森的另一个重要突破，这与他跟人类学家本尼迪克特（Ruth Benedict）和米德（Margaret Mead）的交流及他对印第安人的人类学考察有关。如果说弗洛伊德的视角因为只关注人的生物本能而成为一个狭隘的生物学化的个体精神分析，荣

① 埃里克森．同一性：青少年与危机［M］．孙名之，译．杭州：浙江教育出版社，1998：2.

格的研究在原始文明遗留的意义上涉及人的精神的普遍与共同性，埃里克森的思想则将人的社会性与文化性因素进行了实质的融入。他将形成自我的任务划分为生物学过程、社会过程和自我过程三个层次，认为健康的自我是这三个层次的任务不可或缺的永无休止的一种推进过程。生物学过程使有机体成为一个“有层次、有组织的器官系统”；社会过程使有机体“在地理上、历史上、文化上各自限定的集体中组织起来”；自我过程使人“在自我体验和自己对别人的现实性两方面，保持着自己作为一个具有一致性和连续性的一贯人格”。[①] 可以看到，在社会过程中，人与他所存在的空间、时间与文化上的联系被纳入他的理论，使人格有了冲破狭窄的个体心理视野的广度。

部分地由于社会和文化维度的加入，伦理道德因素在埃里克森的同一性理论中也更为鲜明。实际上，同一性作为精神的自我确认和连续性，这一关注点本身与道德品质的稳定性间就存在紧密的契合。不同于古典精神分析中对无意识的偏重，把道德和意识或人与外部世界的相互作用看作导致压抑、阴影的消极因素，埃里克森的同一性不否认意识或知觉等因素对人格同一性的积极作用，还将通过意识实现的与他人、周围世界的统一看作自我同一性实现的重要力量，从而摆脱了古典精神分析理论消极、病态与疏离社会的刻板印象。埃里克森强调要对自我同一性与个人同一性进行区分。在他看来，“个人同一性的意识感基于两种同时进行的观察：一个人对在时间中存在的自我一致性和连续性的知觉以及别人认识到的一个人的一致性和连续性这一事实的知觉”，这种知觉尽管是包括个人与别人两个层次的知觉，但依然只是知觉层次，停留于事实层面，而他看重的自我统一性“所牵涉的不仅仅是存在的事实，而且是这种存在的自我品质。因此自我同一性就其主观性方面而言，乃是对于这一事实的觉知，即自我的

---

① 埃里克森．同一性：青少年与危机［M］．孙名之，译．杭州：浙江教育出版社，1998：60.

进行综合的方法亦即一个人个性的风格存在着一致性和连续性；而且这种风格是与一个人在本社区内在意义上与其有密切关系的别人的一致性和连续性相符合的”。[①] 从埃里克森对自我同一性作为“品质”的强调中不难看出，他讲的同一性是“风格”的一致性，而且是与自己密切相关的别人的一致性和连续性，因而具有非常突出的伦理和道德意义。

在最宽泛的意义上，古典精神分析理论也涉及人格阶段的划分。弗洛伊德根据力比多释放的焦点，把人格发展划分为口唇期（0—1岁）、肛门期（1—3岁）、性器期（3—6岁）、潜伏期（6—11/13岁）和生殖期/青春期（11/13岁以后）五个阶段；荣格的人格阶段划分扩展到包括童年期、青年期、中年期和老年期的全部人生阶段。但这两种划分基本上是按生理年龄分期，没有突出人格特点。埃里克森认为人格是一个终身渐进的发展过程，依据人格同一性危机核心主题的变化，他将人格的终身发展划分为八个阶段，并针对每一个阶段的危机给出帮助顺利实现人格过渡与转变的精神分析策略，具体如表1-3所示。[②] 他把信任感、自主感和主动感看作贯穿生命发展的心理活力，在这三种心理活力的作用下，人通过不断克服不同的冲突主题，正确地感知世界和自己，主动地支配环境，实现和保持自己的人格同一性。埃里克森对成人期的定义可看作他对成熟人格的定义。他将成人期的问题定义为“如何去照料他对之负有责任的那些人，如何去帮助他们建立同一性”[③]，由此也可以看到他的人格发展理论中的明显超越个体心理学的倾向。

---

① 埃里克森．同一性：青少年与危机［M］．孙名之，译．杭州：浙江教育出版社，1998：36.

② 同① 84－120.

③ 同① 20.

表 1-3　埃里克森的人格同一性发展阶段

阶段		大致年龄	同一性危机	自我品质
1	口唇 – 感觉期	0—1	基本信任 / 不信任	希望
2	肌肉 – 肛门期	2—3	自主 / 害羞和怀疑	意志
3	运动 – 性器期	4—5	主动 / 内疚	目的
4	潜伏期	6—12	勤奋 / 自卑	能力
5	青少年期	13—19	自我同一性 / 角色混乱	忠诚
6	成年期	20—24	亲密 / 孤独	爱
7	成年中期	25—64	繁殖 / 停滞	关心
8	成年晚期	64—死亡	自我整合 / 绝望	智慧

尽管埃里克森对古典精神分析理论有着明显的突破，包括前面提到的发展性视角和社会文化视角的融入，但从上面他所划分的阶段（特别是 1—3 阶段）中依然可以看到明显的弗洛伊德的痕迹。他对弗洛伊德将本能作为人格的内在动力的生物学化观点是基本认同的，因而他也认同纽伯格（H. Newberg）所说的精神分析治疗的目的就是努力“增加本我的灵活性，增加超我的宽容,以及增加自我综合能力”①。而这一观点也明显减弱了其理论对社会学和文化学视角的融入程度，导致尽管埃里克森有人类学研究的经历，也考虑到了社会性因素对人格同一性的影响，但文化和社会因素在他这里也只是作为一个外部环境的影响。这意味着他虽然为个体自我打开了通向社会性和文化性自我的大门，却依然要通过生物本能这一哨卫，才能够成为社会和文化自我。

① 埃里克森．同一性：青少年与危机［M］．孙名之，译．杭州：浙江教育出版社，1998：61.

（三）标准化：人格测验的发展趋势

如上所述精神分析理论是介于医学和心理学之间的一个领域，其形成和发展是以临床经验或个案研究为基础的，类似于质性研究的方法。而临床医学特别需要一种标准化测量工具作为诊断的科学依据，这是健康人格筛查的医学实践需要。心理测验运动的兴起助推了人格健康筛查量表的研制，或者也可以说，健康人格筛查的标准化测量构成了心理测验运动的一个重要部分。需要说明的是，虽然在广义上完整的人格一词包括智力和非智力特征，但"在心理测验术语中，'人格测验'一词往往表示测量情绪状态、人际关系、动机、兴趣、态度等特性"[①]。在心理测验运动中，面向健康人群的人格测验也日渐成熟和发展起来，与此同时兴起的，还有多元的道德评价模式。受理性主义影响，道德评价模式中智力或理性是必不可少的核心。

1. 健康人格筛查

满足临床诊断要求的人格测验以精神健康的筛查为研制目标，其功能一方面是将精神健康与非健康人群区分开来，另一方面也是为了诊断精神病态的类型与程度，以服务于其心理矫正和治疗的目的。精神诊断问卷的原型，是伍德沃斯（Robert S. Woodworth）在第一次世界大战期间编制的"个人资料调查表（Personal Data Sheet）"，被"用来鉴定不宜服役的严重的精神病患者"[②]。这种自陈式的问卷编写方式，在后期的人格测量中被广泛沿用。明尼苏达多项人格测验（Minnesota Multiphasic Personality Inventory，MMPI）是临床使用较早也较广泛的一个测验工具，目前临床使用比较广泛的还包括一般健康问卷（General Health Questionnaire，GHQ）、心理健康量

---

① 安娜斯塔西，厄比纳．心理测验［M］．缪小春，竺培梁，译．杭州：浙江教育出版社，2001：57.

② 同① 57－58.

表（Mental Health Inventor，MHI）和症状自评量表（Symptom Check List-90, SCL-90）。

明尼苏达多项人格测验研制于 1940 年，是自我报告式个性量表，由美国明尼苏达大学心理学家哈兹威(S. P. Hathaway)和精神科医生麦今利(J. C. Mckinley) 合作完成。它可以为包括疑病、抑郁、癔症、病态人格、性别化（极端高分考虑同性恋倾向）、妄想、精神衰弱、精神分裂、轻躁狂和社会内向在内的 10 个临床症状提供诊断。这个量表适用于 16 岁以上人群，除了个别测验，也可以用于团体施测。这个量表自研制至今不断修订，目前已经有 MMPI-2 版，被翻译成一百多种文字，在全世界范围内得到广泛应用。这个量表的内容丰富，但题目量过大，完整版包括 566 道题，简略版也包括 300 多道题，对于有精神疾病的人而言，全部完成的难度很大。所以后来的研究者不断研究其精简版、单项版，以缩短检测时间，使其在临床使用中更方便有效。20 世纪 80 年代，中国科学院心理研究所宋维真老师主持了此量表的中国化修订工作，发现中国人的抑郁和精神分裂的标准分明显高于美国人，而其他项的标准分又明显低于美国人，而且这种情况与日本人的测验结果极为一致，所以认为此量表存在着文化差异性。根据这一实际情况，中国修订版放弃了美国以 70 分为临界值的做法，中国临床以 60 分为异常标准。目前这一量表在中国也得到广泛应用。

一般健康问卷（GHQ）于 20 世纪 70 年代由英国的顾德伯格（D. P. Goldberg）研制，其最初的版本包括 60 个条目，后来逐渐简化为 30、28 和 12 个条目，其中 12 个条目的版本因简短同时有较高的信效度而更受欢迎。这 12 个条目中包括积极条目和消极条目各 6 项，可以用于临床诊断也可以用于正常人群，适用年龄要求在 16 岁以上。它的缺点是此量表的内在结构维度不明确，理论框架缺少统一说法。

症状自评量表（SCL90）由美国的心理学家德若伽提斯（L. R. Derogatis）研制，它的早期版本也叫霍普金斯症状清单（Hopkins Symptom Check List, HSCL），后于 1975 年改编为 90 个项目的精神筛查量表。此量表包括躯体化、强迫症、人际关系、抑郁、焦虑、敌对、恐怖、偏执及精神病 9 个子量表，主要通过被试一个星期内的感觉、情绪、思维、行为、生活习惯、人际关系和饮食睡眠等方面的表现进行诊断，属于自陈等级量表。此量表每个子量表都有不同的健康常模，当其中某一项值超过常模时，表明被试在该项指标的心理健康问题为阳性，需要引起注意。同时，因为此量表是对近期（一星期内）被试数据的采集，要排除生活中临时突发事件引起的临时性情绪或心理反应，如果遇到这种情况，应该请被试过一段时间再复测。此量表只适用于健康筛查，不适用于健康人群的心理测量。目前国内所用的是 1984 年王征宇的翻译版，1986 年金华、吴文源、张明园研制了中国常模。1993 年后 SCL-90 量表在国内的研究出现高潮。在对 SCL-90 的应用研究中，唐秋萍等强调不能只依据 SCL-90 的测评结果作出心理疾病的诊断[①],姜长青提出要“结合被试的实际生活境遇进行多次测量，并应与谈话、调查等方法结合使用”[②]。

2. 人格测评

健康筛查是人格测量在医学领域的应用，但人格测量却不只限于医学领域。学校教育教学中对学生学业和成长情况的考查、工作人员的选拔和分类、个体职业选择与发展潜力的预测，都需要对人格进行深入、细致和准确的了解。正是这些需求促进了健康人格测量的发展，形成了丰富的人格测量工具。有一些人格测量工具是既可以用于健康筛查也可以用于正常人群的人格测量，如上面提到的 MMPI，但也有专门用于正常人群的人格测量工具，当下被广泛应用的有卡特尔十六种人格因素问卷（Catell 16 Personality Factor Test, 16PF）、艾森克人格问卷（Eysenck Personality Questionaire，EPQ）。

---

① 唐秋萍，程灶火，袁爱华，等 .SCL-90 在中国的应用与分析［J］. 中国临床心理学杂志，1999 (1) : 19 － 23.

② 姜长青 . SCL-90 在中国应用十年回顾与分析［C］// 中国心理卫生协会 . 中国心理卫生协会第四届学术大会论文汇编 . 2003 : 183.

卡特尔十六种人格因素问卷是美国伊利诺伊州立大学卡特尔(Raymond B. Cattell) 在自己的人格理论基础上编制的人格检测问卷。他认为人格包括表面特质和根源特质。表面特质指通过外部行为可以直接观察到的特质，而根源特质是内在的、稳定的最根本的人格特质，正是这些内在特质构成了人格的基本结构。以此为依据，他开创性地采用了因素分析方法开展问卷编制工作，最后获得 16 种特质作为人格的基本构成因素。它们是乐群性、聪慧性、稳定性、恃强性、兴奋性、有恒性、敢为性、敏感性、怀疑性、幻想性、世故性、忧虑性、实验性、独立性、自律性、紧张性。此量表适用于 16 岁以上人群，包括全版、缩减版各两个，还有适用于文化水平较低人群的特殊版。16 个人格因素的得分，可以反映被试在这 16 个人格方面的个别情况及其人格的整体情况，还可以通过因素组合反映被试人格的内外向型、心理健康、人际关系、职业倾向等，因而应用领域非常广泛。中国现有的修订版是刘永和博士与梅瑞狄斯博士于 1970 年完成的。

艾森克人格问卷是以研制者英国心理学家艾森克（H. J. Eysenck）命名的人格自陈量表。它于 1952 年正式发表，但到 1975 年才被正式命名。此量表以明确的人格理论为基础。艾森克在大量非认知因素研究的基础上，采用因素分析方法，归纳出人格的三个维度：内外倾、神经质和精神质。需要注意的是，这里的神经质和精神质并非病态。神经质指情绪性维度，精神质代表倔强固执、粗野强横和铁石心肠的特点。此问卷分成人版和少年版，广泛用于教育、医学、司法和人力资源管理工作中。中国版的量表 1981 年由陈仲庚完成修订，修订版的问卷保留有成人（85 项）和儿童两个版本，但问卷题目数量都有所减少，简便适用，影响广泛。钱铭怡等于 2000 年完成了此问卷的简式版(EPQ-SRC)修订[①],取得可靠的信度和效度，但目前只有成人版。

---

① 钱铭怡，武国城，朱荣春，等．艾森克人格问卷简式量表中国版 (EPQ-RSC) 的修订［J］．心理学报，2000 (3)：317－323.

3. 道德判断测验的发展

狭义的人格测验是价值中立的，只承认健康人群间的个性差异，并不对某种个性的好与坏发表评论。而道德判断却是有着明确的好与坏的结论的，如前所述柯尔伯格的道德判断阶段，由前习俗到后习俗的道德认知发展，实际上是一个成长过程，在这个成长过程中，隐含着进步与应该的意味。这样的价值隐喻，可以说贯穿在标准化的、科学的道德测验中，差别只表现在其中所包含的道德判断的核心要素上。目前影响最大的两种道德判断测验，一是前文提到过的确定问题测验（DIT）评价及其衍生模式（DIT-2 和 ICM），二是德国学者林德（Georg Lind）和威根赫特（R. Wakenhut）等研发的道德判断测验（Moral Judgement Test，MJT）。前者从只关注道德认知走向融入道德敏感性、隐性认知，并开始适应具体职业道德判断，后者也尝试融合道德认知和道德情感两方面的因素，以提高道德判断能力测验对道德行为的解释力。

前文已经提到过莱斯特的 DIT 测验是目前使用最广泛的道德测验之一。[①] 它研发的初衷是使柯尔伯格道德认知发展阶段测验更为简便和有效，之后却成为道德认知发展理论的创新基础。柯尔伯格的两难故事访谈法（Moral Judgement Interview，MJI）的数据采集方式近似质性研究，有着繁杂而严格的评分体系。这不仅使研究结论过度依赖测验人员素质，而且使得使用这一方法进行大规模的测验几乎不可能。最早的 DIT 测验是为了克服 MJI 这些局限而研制的，完成于 1974 年。在形式上，它放弃了访谈的测验方式，转变为标准化问卷。在内容上，它改变了完全开放地收集被试对两难故事中的问题想法的做法，采用封闭式问题设计，在两难故事后要求被试对三类问题给出确定回答。一类是对故事中人物的行为进行肯定、否定、无法判断三种选择；二是对判断的理由进行确认，这些理由依据柯

① 杨韶刚，吴慧红. 确定问题测验与道德评价研究：科尔伯格理论的最新发展［J］. 当代教育科学，2003 (17)：10－13.

尔伯格的发展阶段设计；三是对影响自己进行判断的因素的重要性进行确认。这样就使访谈的测验方式转化成了标准化问卷，大大增加了其操作的简便性和评价的客观性，从而大大扩展了其使用范围。1999 年，莱斯特等在 20 多年的使用基础上发布了 DIT-2，更新了两难故事，改进了计分方式，使 DIT 测验更为优化。相对于 MJI，DIT 测验有了以下重大突破：（1）设计严密，可以比较每个被试的信息。（2）改谈话法为纸—笔法，使得因语言表达差异导致的阶段评分差异降到最低。（3）记分客观，把评分者的主观偏见降到最低。（4）改柯尔伯格的开放性回答为 12 个确定问题的回答，保证了选择空间同时避免回答的漫无边际。（5）测验的信度、效度都比较理想。①

修订后的 DIT-2 得到更为广泛的认可，但新的批评也接踵而至。有人认为以柯尔伯格理论为基础的 DIT 测验依然过于抽象，不能够解释具体工作和职业中的道德判断问题。面对新的批评，莱斯特等继续探索，承认道德判断存在着一般认知结构或图式、中间概念和具体道德原则三个层次，而柯尔伯格的 MJI 和 DIT 只是侧重于一般认知结构，对具体道德原则的关注不够。由此出发，他们在 DIT-2 的基础上，以中间概念为基础，研制出更为接近职业和工作情境的道德判断测验，即中间概念测验（Intermediate Concept Measure，ICM）。在 ICM 测验中，"两难故事是围绕与特定职业相关的概念设计出来的，反映的是该职业中具有典型意义的美德"②，另外评定内容涉及更为具体的情境行为，评分方式由阶段参照转变为专家选择参照。ICM 改变了原来 DIT 测验关注普遍道德原则的做法，"为道德判断的产生过程提供了一个独特的视角，为评估道德判断发展水平提供了职业教

① 杨韶刚，吴慧红．确定问题测验与道德评价研究：科尔伯格理论的最新发展［J］．当代教育科学，2003（17）：10－13.

② 张倩，杨韶刚．从 DIT 到 ICM：道德判断测验的变迁［J］．教育学报，2017，13（4）：98－104.

育这一新的方向和思路”[①]。

MJT 测验是目前影响广泛的另一个道德测验模式，是德国康兹坦茨大学的林德及威根赫特对 DIT 测验的改进。这一改进不只是技术和方法上的，还包括理论基础。林德的 MJT 以他的道德行为的双面理论为基础：（1）个人对于某种道德理念和原则的情感。（2）个人根据这些理念和原则进行推理和行动的能力。[②] 所以林德的 MJT 特别注意情感与判断的双方影响，这一点在其 8 点理论假设中也有明确的体现。（1）情感机制与认知机制的不可分离性。（2）测验工具要包含一个有待完成的道德任务。（3）要避免被试在测验中自我拔高的可能。（4）灵敏度要能反映道德判断能力的变化。（5）测量的对象是道德原则而非道德期待。（6）道德判断理由的排序遵循简单化原则。（7）道德情感与认知要单独计分。（8）肯定与否定判断平等对待。从测验工具本身来看，MJT 的内容只包括“工人偷录像带自证清白”和“医生给病危患者开止痛药”两个两难故事，26 道题目，所以非常简便易行，即使是年龄低于 12 岁的儿童也可以通过简化语言和选项的方式进行测试。另外，MJT 采用与道德任务相结合、体现所有因素整体情况的 C 分数，可以进行计算机计分，大大提高了测验的计分准确性和有效性。2000 年以后，国内开始出现使用 MJT 对不同区域、不同群体的小范围测试，但有的结论与国外测验的结论间存在差异。[③]

---

① 杨韶刚，吴慧红．确定问题测验与道德评价研究：科尔伯格理论的最新发展［J］．当代教育科学，2003 (17)：10 － 13.

② 何蔚祺，罗文波．林德道德判断测验述评［J］．上海教育科研，2007 (5)：40 － 43.

③ 张静，杨韶刚．道德判断测验在中国的研究综述［J］．电子科技大学学报（社科版），2011，13 (6)：91 － 95.

第二章
德育评价的教育学探索

在一定意义上，德育评价可以说是教育学视野中的道德评价。虽然德育评价到目前为止在中国还没成为一门严谨的学科，但是，如前所述，中国人对于品德评价却并不陌生。中国古代的察举制、九品中正制乃至科举制都是对德行考评的探索。除官方考评外，中国古代哲人还提出了许多颇有见地的品德评价思路。孔子曾提出“察言观行”“问答鉴别”策略，诸葛亮曾提出以“七观法”来评价一个人的德性。[①] 只是中国古代的道德评价思考如整体的道德教育一样，人文哲理色彩浓重而科学方法不足，这使中国古代的道德评价基本上属于经验性质和朴素形态的德育评价[②]，且发展十分缓慢。

新中国成立以来，特别是改革开放以来，教育学视野中的德育评价也有了长足的进步。为系统梳理德育评价研究的发展脉络，全景呈现德育评价研究的发展样态，以“中国知网”为检索平台，以“德育评价”为主题词，对于发表时间截至 2022 年的“北大核心”和“CSSCI”的文献进行检索，得到文献记录 201 篇，进一步进行有效文献的检索，获得主题相关的文献

---

① 汪凤炎．中国传统德育心理学思想及其现代意义［M］．哈尔滨：黑龙江教育出版社，2002：345.

② 王玄武．比较德育学［M］．武汉：武汉大学出版社，2000：465.

162 篇。通过 Citespace（可视化文献分析软件）对于德育评价研究的关键词进行科学聚类，生成如下高频关键词共现图谱（图 2–1）。从图谱中可以看出，德育目标、德育过程、德育内容、德育活动、学校德育、德育工作、德育价值、德育成效等关键词节点较为突出，且中心性较强，表明这些是中国德育评价研究的核心问题。

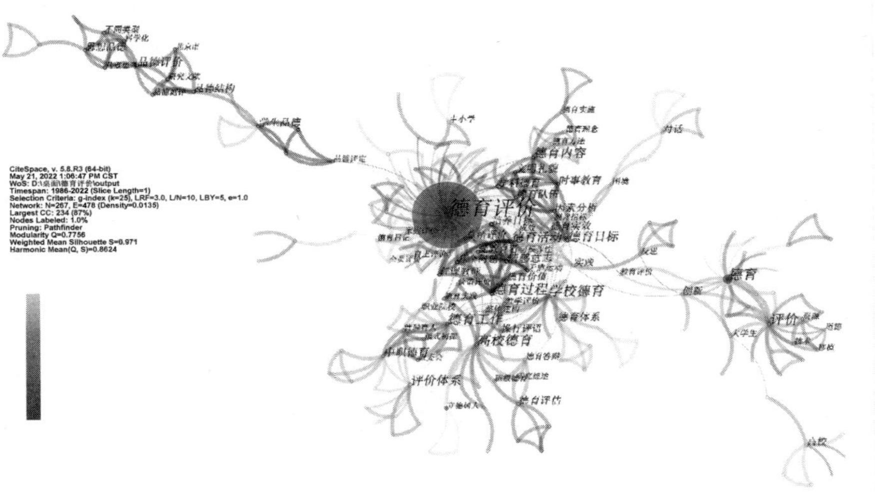

图 2–1　德育评价研究高频关键词共现图谱

结合关键高频词的分析，依据德育评价研究的基本理论框架，本章从德育评价观念的更新、德育评价技术的推进以及德育评价结果的解读三个核心问题梳理改革开放以来德育评价研究发展的全息景象。

第一节　德育评价观念的更迭

德育是人类专属的价值传递活动。德育评价就是对人类特有的德育活动及其效果进行价值判断的过程。而对某一事物的评价必定有其标准或价值的“归属地”，不可能凭空地、抽象地进行价值判断。但价值判断标准在很大程度上受社群的文化传统、时代观念、伦理习俗、国家意志等因素的影响，具有鲜明的文化性、时代性和制度性。但观念不是看得见、摸得着的实体，它隐匿于文化生活之中，因此对观念的研究总是需要一些“抓手”。为了更好地梳理德育评价观念的嬗变历程，本节以文献史实为依据，从德育评价的功能观（为什么评）、主体观（谁来评）、原则观（该怎么评）、体系观（参照什么评）四方面着手，详细汇总改革开放以来德育评价观念的更新与演进。

一、德育评价功能观的更迭：为什么评

人类对某一事物功能的认识往往受限于自己的认识水平，比如原始氏族时期植物科学尚未产生，人们认为树的功能就是为人类提供木材及可食用的果实，无法理解树可以维持地球的碳氧平衡的功能。改革开放以来，国内学者对德育评价功能的认识也在随着德育观念的更新以及认识能力的提升而不断深化。

从工具性功能观到本体性功能观的认识转变，是德育评价观念的一次超越。任何事物都具有本体性功能与工具性功能。工具性功能是本体性功能的延伸,是人对某种事物的“利己性”或“有用性”作的判断。比如“汽车可以节省通勤时间，提高生活效率”，因此我们判定汽车是对人类生活有利的，是好的；节省时间的功能是建立在汽车的运动速度快这一本体性功能基础上的，也可以说是其运动功能的延伸。由于有用性是最容易被人感受到的一种功能，因而事物的工具性功能往往最先被人认识到。而本体性功能是指人对事物本身作出的价值判断，这种判断不依赖于是否有利于人自身，如“太阳向万物播撒紫外线”，太阳自身的价值就在于其内部的核聚变释放的能量，即使这种能量可能会伤害到人类健康也不会改变太阳自身存在的价值。事物的本体性功能尽管在逻辑上具有优先性，但往往被工具性功能遮蔽。从文献分析看，德育评价功能观的认识也经历了从工具

性功能到本体性功能的转变。

（一）工具性功能主导的德育评价观

在党的十一届三中全会之前，德育的政治属性突显，德育评价的政治功能成为最突出的功能。这一时期，为国家甄别出意识形态正确的社会主义建设者是德育评价的主要任务，可以说，德育评价发挥着类似于“筛子”的工具性功能，少有人意识到德育评价本身的育人功能。

1949—1965 年，德育评价构成高校招生的重要内容和依据。1950—1951 年，教育部对德育评价提出了统一性的要求：一是政治常识是必考科目，考查基本政治知识；二是根据家庭出身和个人经历可以适当放宽录取条件。[①] 这意味着政治性是国家分配高等教育机会的重要标准。这是国家建立初期巩固新政权的需要，更是社会主义国家的高等教育向底层民众开放的优越性体现。这一时期，政治性成为德育评价的核心内容，甄别与选拔成为德育评价的主导功能，德育评价的本体性功能尚没有被提及。

这一思路在“文革”时期达到顶峰。“文革”时期德育评价的政治功能极端化，一个人的好坏完全依据政治立场是“敌”是“友”来评价，对学生的选拔必须“要无产阶级政治挂帅”，把政治表现、路线觉悟放在首位。[②] 政治表现在当时成为德育评价的最高也是唯一标准。

（二）本体性功能觉醒与彰显的德育评价观

党的十一届三中全会后，随着我国社会主义现代化建设新阶段的到来和教育体制改革的深入，“以阶级斗争为纲”的评价理念得以矫正。随着

---

① 唐汉卫，刘金松．高考中的德育评价：新中国成立 70 年的回顾与展望［J］．中国教育学刊，2019 (10)：54 － 60.

② 同①.

德育评价功能研究的深化，对德育本体性功能的思考成为主流，德育评价本体性功能的回归成为发展方向。

1986 年翟天山提出德育评价具有导向、诊断、强化、调节、选拔五项功能，其中，前四项都属于教育本身的功能。胡卫认同德育评价导向、诊断和强化的“三大功能说”①。导向功能指引领学生的思想品德朝着社会所期望的方向发展，尤其要彰显社会主义关于是非善恶的价值导向，纠正学生品德发展过程中可能存在的价值偏差；诊断功能指及时鉴别学生发展过程中存在的问题，为进一步教育学生提供依据，只有经常对学生的问题进行诊断，才能更好地因材施教、有的放矢；强化功能指通过评价能够引起学生强烈的情绪体验，强化良好的道德品质，抑制错误的思想观念。这三项都是直接指向学生德性养成的德育评价功能。德育评价的调节功能主要指向教学过程优化，主要是指通过评价帮助教师发现自己德育活动中存在的问题，及时调整教育教学策略；选拔功能则主要是为升学服务的功能。②由此可见，这一时期的学者对德育评价功能的思考已经比较深入，明确区分了功能的指向性：学生、德育过程和社会需要。管理选拔功能被明确定义为德育评价的社会功能，也就是工具性功能。

1995 年肖（萧）鸣政提出德育评价的“五大功能说”，即描述评定功能、区分功能、反馈功能、教育功能、预测功能。③教育功能被视为德育评价的一个独立功能，育人功能得到进一步突显，也加快了德育评价功能向本体回归的进程。描述评定功能是对德育活动与效果作评判，这实际上也是德育评价概念的本身义涵。预测功能是通过德育评价对学习者随后的道德成长与发展作出预判，进而及早施教，“防患于未然”。区分功能是对学生

① 胡卫．学生品德测评［M］．上海：华东师范大学出版社，1992：24.

② 翟天山．学生品德评价初探：性质、功能和标准［J］．教育研究与实验，1986 (3)：70 － 76.

③ 肖鸣政．品德测评的理论与方法［M］．福州：福建教育出版社，1995：73.

的品德定性，划分优、良、中、差。学生品德的科学划分既可以为德育改进提供参考，同时也可以为甄别和选拔人才提供支持。王文源提出现代学校德育的评价功能主要包括选拔功能、导向功能、诊断功能、强化功能[①]，在内涵上没有突破前述研究。此后，没有再出现新的具有影响力的德育评价功能分类方法。

总体而言，到 20 世纪 90 年代中期，经过近二十年的努力，德育评价的本体性功能在众多学者的呼声中逐渐突显了出来，而甄别、选拔、管理等相关外在功能作为衍生功能的定位得以明确。但这一时期，德育评价功能观在理论界与实践领域之间的割裂现象非常明显，工具性的功能依然是实践领域中德育评价功能的主要形式。

（三）本体性功能主导的德育评价观

进入 21 世纪后，学者们对德育评价功能的认识基本达成了一致，即本体性功能是首要的和基础性的，工具性功能是在本体性功能的基础上派生的。更为科学、人道的德育评价功能观为深化德育评价改革指明了方向。

本体性功能作为德育评价主导功能观念的确立。2001 年，班华教授提出了德育评价包括信息反馈功能、管理功能、教育功能、研究功能的“四大功能说”[②]；2007 年，郑航提出德育评价的“五大功能说”即评定功能、诊断功能、预测功能、反馈与调控功能、强化与传导功能[③]；2014 年，张典兵将德育评价功能总结为诊断功能、导向功能、激励功能、鉴定功能、监督功能、改进功能六项[④]。尽管总结的数字略有区别，实际上这一时期

① 王文源．关于德育评价科学化问题的几点思考［J］．教育科学研究，1994 (2)：33 － 36.

② 班华．现代德育论［M］．合肥：安徽人民出版社，1996：285.

③ 郑航．学校德育概论［M］．北京：高等教育出版社，2007：222.

④ 张典兵．德育学原理［M］．徐州：中国矿业大学出版社，2014：274.

学者的理论视角基本一致，即德育评价功能区分为促进教育教学与学生品德成长的本体性功能以及作为区分与选拔标准的工具性功能，而且大家在工具性功能须以本体性功能的发挥为基础和前提这一点上基本达成共识。

德育最基本的逻辑是帮助学生实现精神的升华与人格的丰盈，“贴标签”是工具化的逻辑而非教育逻辑。说到底“德育评价”应该服从于“育德”这一根本目的。选拔和区分是在育德的基础上派生出的社会管理或治理功能。本体性功能为本，派生性功能为末，本末倒置的德育评价可能会将德育和学生的德性异化为一种工具。因而，德育评价本体性功能观的复归，既建立在德育回归自身的基础上，也是对德育回归自身的守护。

二、德育评价主体和对象观念的演进：谁来评和评什么

随着思想的不断解放，“学生为主体”“个性发展”“自主学习”“师生平等”的观念不断深入人心，德育评价的主体观也日趋开放和多元。越来越多的学者开始意识到主体与客体的关系不是割裂对立的，而是交互影响、共同建构的，也就是所谓的交互主体。没有绝对的、永恒的、界限分明的主体或客体。依照辩证思维，没有无客体的主体，也没有无主体的客体，这一对概念会在不同的时空境遇中发生转变。学术界关于教育主体的讨论，影响到了德育评价领域。德育评价不只是教师评价学生的事，如果教师无德，教育活动无德，德育目标无法落实，单单要求学生有德是不可能、不公正也不合理的。因此，“谁是评价主体”的问题日益被重视起来。

（一）教师主体评价观的重新确立

“文革”时期，作为知识分子的教师成为被学生批判、打倒的对象，

教师失去了对学生进行评价的权威，学生可以给教师“扣帽子”，教师一度丧失了基本的职业权利与尊严。在特殊情境中，学生的地位虽高，但却是极端的、盲目的和扭曲的。德育评价实质上遭到了极端的异化与破坏。党的十一届三中全会后，正常的教学秩序重新建立了起来，教师重新站在了讲台之上，教师的德育评价权重新得到了保障。

谁是德育评价主体的问题，在历史教训中显得尤为重要，也成为“文革”后学术反思的重要话题。凯洛夫（Иван Андреевич Каиров）教育学 1948 年被引入中国，成为新中国教育学的第一层底色，对新中国第一代教育学者的思维方式产生了重要影响。直到 20 世纪 80 年代，凯洛夫教育学仍是中国教育学理论研究、教学与实践的重要依据。① 因为 20 世纪 30 年代苏联学校政策一致认为，关注儿童心理发展的内在遗传因素的儿童学是反马克思主义的②，所以囿于时代观念，凯洛夫教育学体系中儿童的主体地位也明显是缺失的。凯洛夫十分强调教师、教材、课堂对学生的塑造作用，其《教育学》实际上是“工作手册式”的教科书。③ 这导致在凯洛夫教育理论影响下的德育评价往往忽视学生的内在情感体验与动机，将学生视作被评价的客体，基本上倾向于管理主义、结果主义评价观。

改革开放初期，在填鸭式教育、军事化管理、长官式评价中可以清晰地看到凯洛夫教育学的影子。“教师为主体、学生为客体”的德育评价思维被重新确立，相对于“文革”时期的极端做法有其进步意义，但这一观念确实抑制了学生主体精神的发挥。虽然素质教育、儿童中心、建构学习、活动课程等口号喊了许多年头，但教师作为德育评价主体的地位基本上没

---

① 刘晖，汤晓蒙．新中国教育学本土化历程举要：从吴杰的宣言到潘懋元的构建［J］．大学教育科学，2020 (4)：23 － 30.

② 钟启泉．凯洛夫教育学批判：兼评“凯洛夫教育学情结”［J］．全球教育展望，2009，38 (1)：3 － 17.

③ 陈桂生．重评凯洛夫《教育学》［J］．河北师范大学学报（教育科学版），1998 (1)：42 － 48.

有改变，“凯洛夫教育学不是、也没有被抛弃”[①]。显然，这种思路存在将教师地位过分拔高、师生关系恶化为矛盾关系、将德育评价视作管理手段的巨大风险。

（二）教师主体评价观的式微

21世纪前后，随着钟启泉、陈桂生、王策三、吴杰等前辈学者对凯洛夫教育学的深度研讨与批判，教师为唯一主体的德育评价观念得到了全面的反思。许多学者认为，德育评价不应该仅仅是教师评价学生，学生的主体性地位必须得到应有的关注，德育评价要起到教育作用，必须得到学生的主观认同，将学生的人权、发展、情绪体验置之度外的评价必定是要失败的。概言之，“目中无人”的德育评价观之局限性已被深刻认识，学生在评价中的主体性地位呼之欲出。

其实早在1986年，翟天山就提出过德育评价中教师与学生的地位是可以相互转化的，这意味着学生既是被评价者，也可以转化为评价者。[②]这一呼声可谓振聋发聩，动摇了教师作为唯一评价主体的观念，开启了对于德育评价主体观的大讨论。之后越来越多的学者认为，教师不是高高在上的评价者，同时也必须接受学生的评价。师德不合格者，教育教学技能不过关者，应该给予必要的处罚。学生虽然年龄较小，但并不是没有灵魂的容器，他们的情绪体验以及人格尊严必须得到保护。1989年戴高龄提出的分层次实施德育评价系统中，首次把对教师、职工、班主任的评价划为德育评价的第二个层次，对学生的品德评价作为第三个

① 王策三．“新课程理念”“概念重建运动”与学习凯洛夫教育学［J］．课程·教材·教法，2008(7)：3－21.

② 翟天山．学生品德评价初探：性质、功能和标准［J］．教育研究与实验，1986(3)：70－76.

层次[①]，可谓巨大的思想突破。德育评价先评教师，再评学生的观念从此诞生。

进入 20 世纪 90 年代后，无视学生主观能动性的评价模式遭到了严厉批评，“教师是教的主体，学生是学的主体”“教师为主导，学生为主体”等观念已经十分流行，教师作为唯一评价主体的思想日渐式微。德育评价观念逐渐转化，新的观念慢慢形成。“德育测评既应该检验德育活动的结果又应该控制德育活动的过程，对后者的检验意味着将所有的教育从业者以及整个教育服务体系纳入评价的活动中。”[②] 这一思路在肖鸣政的《德育测评的理论与技术》以及袁元、郑航合著的《德育原理》中得到充分论证。原来一方决定另一方的决定论评价理念被抛弃，教师作为唯一评价主体地位不再被认可。越来越多的学者主张将整个学校德育系统纳入评价体系，从而更加全面地实行德育质量监测，诊断德育活动中存在的问题，提升德育实效性。在这种思路下，教师及其教育教学活动成了评价的主体内容和对象。

（三）德育评价对象的不断扩展

如上所述，中国学界对德育评价对象的界定经历了一个从学生品德到整体德育活动的扩展过程。为了探察德育评价对象研究的范围，运用 Citespace 的关键词聚类功能对德育评价的对象研究进行聚类分析，最终得到 10 大聚类（图 2-2），通过 Q 值（Modularity）和 S 值（Mean Silhouette）对图谱的效果进行检验的评价指标显示：Q 值为 0.7756，S 值为 0.971，说明聚类结构清晰，分类合理。

---

① 戴高龄，王志坚．关于中学德育评价的思考［J］．中国教育学刊，1989 (5)：36 － 39.

② 萧鸣政．德育测评［M］．长春：吉林教育出版社，1993：130.

图 2-2　德育评价研究高频关键词聚类图谱

从高频关键词聚类图谱可以看出，目前德育评价研究中对评价对象的界定不仅包括学生品德，还包括学校德育工作；不仅包括德育实施过程，也包括德育目标、德育资源、德育环境等。以上数据说明，当下学界对德育评价对象的理解有了很大的扩展，由原来只关注学生品德状况，走向了关注德育这一育人实践本身。在聚类 #3“学生品德评价”中，学生品德结构为突出主题；在反映不同教育类型的聚类 #5“学校德育”、#4“高校德育”以及聚类 #2“中职德育”上，则涉及德育内容、德育过程、德育管理、德育方法等。

从时间进展来看，在 1993 年之前德育评价的对象比较单一，更多地指向学生品德。这一时期，无论是崔相录主编的《德育新探》（1987 年）、严正主编的《中小学德育原理与方法》（1989 年），还是胡卫编著的《学生品德测评》（1992 年）都将德育评价的对象明确地限定在“学生品德”范围内。在这之后，萧（肖）鸣政所著《德育测评》（1993 年）、《德育测评的理论与技术》（1994 年，合著）、《品德测评的理论与方法》（1995 年）开始区分广义德育评价与狭义德育评价概念。他将广义德育评价扩展为包括学生品德评价在内，同时涵盖整个德育体系、目标、内容、任务及其原则、方式方法与过程的评价，把以前的学生思想品德评价看作狭义的德育评价概念。20 世纪 90 年代中后期，班华先生提出德育评价“是评价者依据一定的评价标准，对德育工作及其效果作出价值判断的过程”[①]，将德育活动效果纳入德育评价之中。班华先生将整个德育运行系统视为德育评价的对象，并将其分为主要的两个方面，认为德育评价从教育者方面看是对德育工作过程的评价，从受教育者方面看是对于德育结果的评价。

从不同学者对德育评价概念的界定中可以看出评价对象的演变历程。肖鸣政认为：“德育评价是人们依据一定的评价标准，通过科学的方法和正确的途径，多方面搜集适当的事实性材料，对德育活动及其效果的价值作出判断的过程。”[②] 朱小蔓也用德育工作及其效果来概括德育评价的内容。[③] 从评价范围的角度出发，郑航把德育评价的对象一分为三：一是对学校德育整体工作的评价；二是对学校德育实施过程的评价；三是对学生品德的评价。[④] 还有研究者将德育评价内容归纳为五个方面：即德育工作者的评价、德育过程和工作的评价、对受教育者的评价、德育环境的评价和德育整体效果的评价。[⑤] 当然，在德育评价对象不断扩展历程中，依然有人将学生的品德成长作为其最终的落点，如刘济良等坚持认为德育评价是“根据一定的德育目标和科学的评价标准，在系统广泛地搜集信息、充分占有资料的基础上，运用现代技术手段，对德育工作所产生的或即将产生的学生行为和思想变化，进行价值上的考查、判断、评估，以确定其社会价值”[⑥]。2003 年，翟天山在《教育评价学》中专门分析了学校德育工作

① 班华．现代德育论［M］．合肥：安徽人民出版社，1996：282.
② 转引自鲁洁，王逢贤．德育新论［M］．南京：江苏教育出版社，2002：252.
③ 朱小蔓．中小学德育专题［M］．南京：南京师范大学出版社，2002：225.
④ 郑航．学校德育概论［M］．北京：高等教育出版社，2007：225.
⑤ 徐晨光．试论德育评估的原则、内容和方法［J］．湖湘论坛，1994 (3)：63 － 64.
⑥ 刘济良，张涛．浅谈德育评价的功能［J］．河南教育，1995 (12)：7.

评价，提出“学校德育评价内容概括地讲可分为两大方面，一方面是德育工作状况评价，一方面是德育效果评价”[①]，认为对德育工作的评价主要包括德育工作人员和部门的评价（包括学校领导、政教处、共青团、少先队、学生会等）、班主任德育工作评价、德育教学工作评价三个主要方面，在对德育途径进行评价时应涵盖校内德育环境、社会实践教育、社会教育等内容。这里的德育评价对象已经远远超出了学校的空间范围，扩展到整个社会的道德风貌。当然，只有对整个德育生态系统进行全面考量，才能全面深刻理解学生的价值状态与表现，也只有如此，对学生的品德评价才能更有时代感。

从概念的逻辑分析来看，至此已非常明确：德育评价不能等同于品德评价，两者不是一个层次的概念。品德评价只是德育评价的一个部分，是指向德育效果评价的一个部分，是德育评价的下位概念；除了效果之外，德育评价还包括对于德育工作本身及过程的评价。对德育评价对象的片面理解不只是学术问题，由于德育评价具有鲜明的实践性特征，这种片面理解可能会给整个德育发展带来负面影响，“如果以学生思想品德的发展作为德育活动的唯一衡量标准，就会使德育活动陷入功利性的困境，追求立竿见影的效果，重结果的完成而忽视过程，甚至弄虚作假，误导德育的发展方向”[②]。随着对德育对象思考的深入，德育对象的逻辑层次进入研究者的视角。戴高龄等从德育工作的分层角度提出德育评价对象的三层次观念：学校德育工作评价是第一层次，教师、职工、班主任评价是第二层次，学生个体思想品德面貌评价是第三层次。[③] 肖鸣政将德育活动及其结果的评价分为三个层次：第一层次为德育工作与德育成果；第二个层次为德育条

---

① 翟天山．教育评价学［M］．北京：高等教育出版社，2003：154－164.

② 张忠华，张典兵．对德育评价研究的回顾与反思［J］．高教发展与评估，2011，27(1)：89－97.

③ 戴高龄，王志坚．关于中学教育评价的思考［J］．中国教育学刊，1989(5)：36－39.

件、德育主体、德育过程、学校对家庭与社会德育的主导，以及对环境影响的处置、德育工作效率、德育工作效果等因素；第三个层次包括学校领导及有关的组织机构、德育工作者、班级与伙伴、学校内外环境、家庭成员及社会信息媒体、德育目标、德育内容、德育方法、德育途径、校风、班风、思想品德共 12 个因素。①

20 世纪末已有学者提出将整个教育服务体系纳入评价活动的构想，但是理论自觉性还不够明显。进入 21 世纪，学术界对于主客体关系的理解愈加多元，这时的主客体观念已经不再局限于某个人或某个群体，而是指向十分复杂的、纠缠性的生态网络。就德育评价而言，评价的主体与对象不再是一对一的关系（教师对学生或学生对教师），而是两个系统之间，或者一个系统内部的各要素之间的相互评价。在这种观念影响下，德育评价主体和对象间的关系不断由原来简单的、决定性的线性观念走向了复杂的、耦合论的非线性观念。

三、德育评价原则观的变迁：应该怎么评

原则是一个人言谈举止背后所遵循的具有一定普遍性、规律性、基础性的信条与理念。从某种意义上说，原则属于人类价值观念的范畴，它指导人们面对纷繁复杂的事物时"应该怎么做"。德育评价也有要遵循的原则，这些原则反映着德育评价者及其所处时代的评价理念。通过对德育评价原则的梳理，可以更加宏观地概览德育评价思路的变迁历程。

（一）辩证统一为核心原则

新中国成立后相当一段时间内，品德评价实际上反映的是机械唯物主

① 转引自鲁洁，王逢贤．德育新论［M］．南京：江苏教育出版社，2002：558.

义的原则。这种机械唯物主义将人视作单向度、没心灵、没感情、没有独特性的机器，将人的外显活动视作品德评价的唯一标准，而将内在动机、情感体验等因素排除在外。在这种二元对立思维下，只要一个人作出了客观上对集体有益的事，就是品德高尚的人，即使其内心是不情愿的。这种原则指导下的品德评价是片面的、非黑即白的；评价品德的标准是教条的、没有差异的。

改革开放后，在对上述机械品德评价原则进行深刻反思的基础上，辩证统一原则得以逐步确立。辩证统一是唯物辩证法的基本观点，它主张人在认识事物的过程中，既要看到事物相互区别的一面，又要看到事物相互联系的一面。在辩证统一原则下，德育评价中动机与行为相结合、情感与认知相结合、自评与他评相结合、过程与结果相结合、定性评价与定量评价相结合的原则得以重新确立。

严正主编的《中小学德育原理与方法》较早地分析了品德评价的四条原则，均以“辩证统一”原则为最高指导。严正认为德育评价必须坚持以下四条原则：第一，思想意识与行为表现相结合的原则。即在评定学生时必须坚持知行合一、言行一致，既要关注学生的思想意识动态，也要关注学生的切实行动。第二，校内与校外相结合的原则。德育评价应该超出学校空间的限制，关注老师不在场时学生的表现。第三，自我评价与他人评价相结合的原则。自我评价是具有情感体验的、有意识的内省活动，对于学生德性的养成必不可少。只有自评与他评相结合，同化与顺应相结合，评价才能真正起到教育作用。第四，经常性评价与总结性评价相结合。所谓经常性评价是指对学生日常生活中的行为表现作出评价，而总结性评价则是某一时间段内的总的评价。[①] 可以看到，在辩证统一原则下，学界对道德本身的复杂性有了深刻认识，对德育评价的复杂性也有了深刻的认识，

① 严正. 中小学德育原理与方法［M］. 武汉：华中师范大学出版社，1989：150.

倡导坚持内外结合、言行结合，主客结合的思路，德育评价才能真实可靠。

同样以“辩证统一”原则为指导思想，胡卫也提出了四条德育评价原则：第一，结构和功能相互对应的原则。他认为结构是功能的基础，决定功能；功能是结构的表现，对结构具有反作用。这条原则主要是针对学生品德测评指标而言的，强调评价指标体系结构与功能应该在互动中丰富完善。第二，测量与评定相辅相成的原则。如果说测量是用数字对学生的品德进行描述，那么评定则超出这种描述，是对品德的价值进行权衡。没有准确客观的测量就不会有科学合理的评定，同样，没有科学合理的评定，测量就无法发挥效用。这条原则强调只有测量与评定相结合品德评价才可能既准确又有效。第三，定量与定性有机结合的原则。也就是在品德评价的过程中既要重视准确的数量关系，又要结合对经验事实的体会与描述。第四，静态和动态辩证统一原则。这条原则主要是对评价指标而言的，强调相对稳定的静态评价指标应该与动态性、情景性的动态指标相结合。[①] 这一时期，受方兴未艾的定量评价研究影响，胡卫教授提出的评价原则中有两条是与测量、定量有关的，另外两条则是针对评价指标体系的构建而提出的。

从“二元对立”到“辩证统一”是这一时期德育评价原则的主要变化趋势。学界对德育评价的思考已经比较深入，公认采用一种评价方法、以一项指标来评价学生的品德发展是片面的，在一个场域中观察学生的品德表现，是极不可靠的，只有采用多元整合的思路，博采众长、内外结合，德育评价才能得出相对客观的结论，德育评价才能发挥真正的价值。

（二）“一个导向、全面评价”原则的确立

随着改革开放的不断推进和经济发展水平的提升，价值观领域的相对主义、享乐主义、拜金主义、个人主义等错误思想有所抬头，自由主义思

---

① 胡卫．学生品德测评［M］．上海：华东师范大学出版社，1992：33.

想在国内有了一定传播，其负面效应也逐步突显，意识形态领域的问题的复杂性和严峻性开始突显。在 20 世纪 90 年代中期市场经济带来的价值观冲击中，德育评价的方向性原则被再次重视。

1994 年，谢新观、肖鸣政在《德育测评的理论与技术》中提出德育评价的四条原则。这四条原则的提出基本奠定了后期德育评价原则的主基调，即坚持社会主义方向，坚持全面客观测评。他们所提的四条原则如下：第一，方向性原则。我国的学校德育具有明显的统一性与计划性，要求整个德育工作坚持社会主义方向，因此，德育测评工作必须与整个学校的德育工作、与学校的德育目的保持一致。第二，教育性原则。德育测评不应该仅仅是一种评定活动，更应该发挥教育作用，为学生成长服务。第三，客观性原则。即德育评价必须遵循学生品德成长的客观规律，坚持实事求是。第四，行为性原则。德育测评应该以德育行为作为测评对象，从行为表现中概括出本质特征。[①]谢、肖二人较早地将德育评价的“方向性原则”提出来并置于首要位置，强调德育评价必须坚持社会主义属性，为培养坚定的社会主义者服务。

1994 年之后，德育评价原则的探讨呈现出相对一致的倾向，即坚持价值导向，全面开展评价。如胡厚福主编的《德育原理》中提到了方向性原则、教育性原则、客观性原则、科学性与可行性相结合的原则、定性与定量方法相结合的原则[②]，基本上是对前期结论的认同。赵志毅编著的《德育原理与方法》中将德育评价原则总结为五条。第一，目的性与一致性相结合。目的性是指德育评价必须坚持社会主义价值与国家育人的目的导向，一致性即评价过程必须采用一致的标准。第二，人文性与科学性相结合。第三，过程性与结果性相结合。第四，整体性与个体性相结合。第五，定性分析

① 谢新观，肖鸣政．德育测评的理论与技术［M］．北京：光明日报出版社，1994：104.

② 胡厚福．德育原理［M］．沈阳：辽宁大学出版社，2000：228.

与定量分析相结合。[①] 此后德育评价原则的讨论虽然依旧存在，但是价值立场愈发明确，即在坚持社会主义价值立场不变的前提下，注重人文关怀、注重科学操作、注重整体评价。

高等教育中的德育工作与基础教育阶段的德育工作存在一定的差异。高校直接承担着培养高素质社会主义建设者与接班人的使命，因此高校德育评价工作必须具有十足的先进性、针对性及价值导向性。相较而言，高校德育研究中对于德育评价原则的方向性、目的性、价值性的认识要更加清晰。葛桦提出了规律性与目的性的统一、绝对性与相对性的统一、先进性与广泛性的统一、主导性与多样性的统一、科学性与价值性的统一五条高校德育评价原则。[②] 虞丽娟提出了定性与定量相结合、全面和重点相结合、民主与集中相结合三项原则。[③] 赵祖地提出高校德育评估六原则，即方向性原则、科学性原则、整体性原则、可行性原则、静态与动态相结合的原则、评估工作与指导工作相结合的原则。[④] 叶辉玲等人提出大学生道德评价的四项原则，即客观性原则、一致性原则、全面性原则、目的性原则。[⑤]

虽然德育评价原则有诸多提法，但其价值内核是可以把握的，内在逻辑是基本一致的。在德育评价原则问题上，二元对立的道德评价原则被彻底打破，维持社会主义核心价值导向成为大前提，在此之下其科学性、整体性、多元性、开放性及人文性得以增加，呈现出"一个导向、全面评价"的总趋势。

2000 年，中共中央办公厅、国务院办公厅印发的《关于适应新形势进一步加强和改进中小学德育工作的意见》中明确指出，要"认清形势，统

---

① 赵志毅．德育原理与方法［M］．北京：人民教育出版社，2013：274.

② 葛桦．确立现代高校德育评价标准的原则［J］．高教探索，2003（3）：64－67.

③ 虞丽娟．谈高校德育的优化与评价［J］．中国高等教育，2003（8）：22－23.

④ 赵祖地．高校德育评估概论［M］．杭州：浙江人民出版社，2003：36.

⑤ 叶辉玲，林轩春，陈沙麦，等．高校德育规范和道德评价体系的创新与探索［J］．福州大学学报（哲学社会科学版），2004（1）：90－93.

一认识，进一步增强搞好中小学德育工作的紧迫感和责任感”。在“辩证统一”原则的指导下，既要充分发挥德育评价的价值导向作用，也要坚持多维度、多手段、多空间测评的科学态度成为 21 世纪以来的主要评价原则。

四、德育评价指标体系调整：参照什么评

任何评价都需要一个尺度来衡量，即使一个十分片面的判断也有其参照系，这种参照系或许是模糊的、不自觉的，但却是得出评价判断的逻辑前提。成文的评价指标体系则不同，它是某一时期的评价者有意识思考的结果。评价指标的明确是德育评价的关键环节，评价指标直接决定了评价的结果。通过对德育评价指标体系调整过程的梳理，可以窥见整个德育评价观念由单一的政治性、管理性倾向向综合国家要求、科学性与专业性并重发展的过程。

（一）文件具体化的指标确定思路

“文革”时期，国家教育事业实质上处于瘫痪状态，“以阶级斗争为主课”“以社会为课堂”“以毛主席著作为主要教材”成为常态，“无论在中学还是小学，政治喧嚣不仅集中于‘政治课’上，而且弥漫于所有课程之中”。[①]“文革”结束后，正常的教学秩序得以恢复，德育课的高政治属性延续了下来，政治性指标成为德育评价的重要甚至唯一指标。在这一思路下，国家政治文件、政策性文件成为德育评价的指标来源和参照系。改革开放后，受道德观念、科学观念的影响，道德心理指标逐渐加入德育评价的指标体系。

1986 年李文庠尝试构建一套包括政治、道德、纪律三维评价指标的体系。政治维度包含马列主义理论课的考核成绩、对马列主义理论课的重视

---

① 陈桂生．我国基础教育中的“思想道德课程”问题［J］．北京大学教育评论，2006 (4)：42 – 53.

程度及学习态度、对党的方针政策的学习、时事学习、向组织靠拢、参与政治活动，以及抵制资产阶级自由化思潮、服从毕业分配等项目；道德维度主要包括共产主义思想品德课考核成绩、集体主义观点的树立，以及语言、行为的文明等；纪律维度包括法制教育考核、遵纪守法情况、军事训练和两操、爱护国家财产等。[①]同年，吕茂洲提出了包括政治素质、智力素质、能力素质、体育素质的学生素质综合测评要素体系，其中的政治素质中包括追求目标、政治学习、政治态度、牺牲精神、原则观念、政治理论水平、社会公德、集体观念八项指标。[②]这一时期，德育与政治教育在观念上是一体的，德育评价的指标中政治性因素具有突出地位，但阶级立场思维已经基本消除，政治素养以马克思主义相关课程的学习成果为指标，避免了主观武断评价。

随着国内道德发展心理学研究的深入和德育评价的科学化，德育评价指标出现了心理学化转向，学生品德发展阶段与身心需要开始进入德育评价指标体系。但真正基于儿童立场、发展立场、教育立场的德育评价指标体系尚未建立。

1986 年翟天山呼吁德育评价标准的制定应该遵循社会价值观、儿童全面发展的需要和年龄特征、品德的社会内容结构和心理结构三条依据。[③]同年胡卫等用学生品德评定类别量表开展品德测评指标体系的研究，通过聚类分析方法得到求知、生活劳动、情感、组织力、对待父母、纪律、审美力、对待集体、节俭、守信、聚合力诸项评价指标。[④]这是国内首次将“尊重儿童全面发展的需要和年龄特征”的呼声落到实处，利用心理测量与统

① 李文库．学生德育质量的量化评价［J］．高等教育研究，1986 (2)：94－97.

② 吕茂洲．高校学生素质综合测评方法探讨［J］．高校德育研究，1986 (4)：52－57.

③ 翟天山．学生品德评价初探：性质、功能和标准［J］．教育研究与实验，1986 (3)：70－76.

④ 胡卫，欧阳宏森，唐元，等．学生品德评定指标体系的主成分、权重研究［J］．上海教育科研，1986 (5)：7－11.

计方法研制出一套德育评价指标体系。但这一体系并没有真正进入德育评价的实践中。

政策导向依然是德育评价指标确立的主要依据，科学化的进程依赖政策本身的科学性进步。20 世纪 90 年代后，德育评价指标出现政策指导下的系统化、精细化、操作化趋势。1994 年李忠俊等将德育评价指标分为五类 25 个具体指标，其中校园德育环境类中明确要求学校要有健全的教育场地（黑板报、宣传栏、广播站、阅览室、荣誉室、团队活动室），并保证这些场地能发挥作用①，这里所列指标已经非常具体，评价的内容涉及与学生道德成长相关的各个方面，一个外延十分广泛的德育评价指标框架已经形成。除此之外，齐建国②、赵忠令③、李淑湘④等人都对德育评价指标体系进行了探索，但研究的理论基础、指标设计方法、指标内容都比较相近。

需要说明的是，随着教育的整体科学化进程，德育政策本身的科学化程度也在增强。一方面政策和文件的出台越来越以现实问题为指向，以调查研究为依据，邀请或委托专业人员参与德育政策性文件（如国家德育课程标准）的研制，另一方面德育评价指标的研究也在新兴技术推动下逐渐走向科学和精确。当然，从目前来看，德育评价指标的科学化和专业化还有很长的路要走。

（二）以校为本的评价指标实践

1997 年国家教委印发了《九年义务教育小学思想品德课和初中思想政治课课程标准（试行）》，课程标准取代以往的教学大纲成为影响德育评价

---

① 李忠俊，刘迅，张杰．学校德育评价指标及其因素分析［J］．现代教育论丛，1994 (5)：29 − 35.

② 齐建国．初中学生品德评价指标体系的探讨［J］．学科教育，1993 (6)：41 − 46.

③ 赵忠令，王裕民．关于大学生德育测评的系统研究［J］．南京理工大学学报（社会科学版），1995 (Z1)：122 − 125.

④ 李淑湘，张贵贺．“三维目标”德育评价系统之构建［J］．辽宁教育，1998 (6)：16 − 17.

的重要政策性文件。此次课标突出了道德教育的基础性和广泛性，在形式上更强调教学的层次性、阶段性、连续性，在内容上更加注重学生的兴趣与实际。其中明确指出要“贯彻在统一要求的前提下实行教材多样化的方针”，德育课从此变成了丰富、多样、具有童趣的综合性活动性课程。适应课程的时代变化，德育评价指标体系的研究与设计也呈现出多元化、科学化、校本化的发展趋势。

朱小蔓教授提出，品德测评具体指标体系建立首先要依据品德结构的系统论，以动机系统与行为系统作为内容；其次依据品德结构的元素论，将动机与行为两大系统分解为知、情、意、行等心理要素。她以道德心理学理论为依据，提出爱祖国、有理想、爱学习、懂礼貌、爱集体、守纪律、意志力、创造性、审美力等 14 项德育评价指标①，为制定符合学生实际的评价指标体系提供了可供参考的、科学的思路与方法。

教育行政权的下放，给一线教育者自主设计德育评价指标提供了机会，他们根据本校实际情况以及学生的特点，设计出颇受学生欢迎的德育评价指标，在德育评价研究史上留下了浓墨重彩的一笔。比如，朱祥烈、钟玉文以本校德育课程设置的实际情况为依托，构建了“争章夺星”校本德育体系以及“星级教师”“星级班级”“星级学生”的目标体系、评价机制和管理运行体系。②杨丽为培育校本“德育文化”土壤，根据学生做人原则、行为规范、道德修养和意志品质等德育要求在班级设置了“自理”“自律”“自强”“诚信”“节俭”“助人”“孝敬”“礼仪”“管理”“贡献”等 12 个“章”和“星”，确定了评价内容和标准。③一时间，饱含实践智慧的地方和学校德育评价指标纷纷涌现。

1995—2010 年德育评价指标体系研究的数量十分可观。由于教育实践

① 朱小蔓 . 中小学德育专题［M］. 南京：南京师范大学出版社 , 2002 : 240.

② 朱祥烈 , 钟玉文 . 创新校本德育评价体系［J］. 四川教育 , 2004 (5) : 12 － 14.

③ 杨丽 . 构建班级德育生态环境［J］. 四川教育 , 2004 (5) : 15 － 16.

工作者参与到了德育评价体系的探索中来，这一时段德育评价指标问题导向、实践导向更明显，形成了理论与实践相结合的趋势。但是，多数德育评价指标体系的设计仍是以国家德育政策性文件为核心的，所以有学者批判道德教育评价的指标的设计缺乏稳定性，存在着泛政治化和形式主义的评价倾向。[①]

（三）科学化的德育评价指标体系

21 世纪是知识不断创新发展的时期，学科界限不断被打破，大量边缘学科和交叉学科不断涌现。这一时期的德育评价指标设计也充分吸收了心理学、计算机科学、统计学等多学科研究成果，不同学段、不同类型的学校在积极响应国家道德建设号召的前提下，根据学校的实际情况设计出了更为多元、更加科学的评价指标体系。

2010 年以来德育评价指标体系研究发生了颠覆式转变。以政策文件或单一学科为基础的指标设计思路被完全打破，跨学科思维支持下的综合性德育指标体系研究成为主流。2013 年沈春光等针对大学生德育综合素质评价体系的多层次复杂结构特征，设计了多层次综合评价指标体系，在此基础上，分别运用支持向量机和灰关联分析对大学生德育综合素质进行了定量评价，并将评价结果进行了对比分析，证明了其评价体系的有效性。[②]2015 年单正义等受多元智力理论的启发，提出了多指标纪实评价模式构想，对学校课程方案以外的学生思想、德行、心理、素养、特长、技能、个性、领导力等内容进行指标细分。[③]2017 年闫献伟等提出了基于德育学分制的

---

① 程晋宽．新世纪中国道德教育评价的思考［J］．教育科学研究，2004 (10)：23 − 25.

② 沈春光，吴中伦，岳晓鹏．基于支持向量机与灰关联分析的大学生德育综合素质评价［J］．学校党建与思想教育，2013 (9)：33 − 36.

③ 单正义，吕慈仙．基于多元智能理论的多指标记实性德育评价机制研究［J］．黑龙江高教研究，2015 (8)：107 − 109.

德育评价体系构想，并且据此建立了数字化、信息化评价管理模式，帮助学生基本实现了由被动管理到自我管理的转变。①2019 年兰淇等运用德尔斐法，结合专家的意见，将大学生评价指标分为四类，并且对学生的品德状况展开了实证分析。②

步入 21 世纪后，信息化、脑科学开始成为热词，技术领域的不断突破为德育评价体系的改革带来了更多可能，此时期德育评价指标体系开发的技术含量不断叠加，所涉及的领域不断扩展，评价内容也逐渐渗透到品德养成相关的诸多方面。

第二节　德育评价技术的推进

对德育活动的评价往往会因立场与视角的不同而得出不同的结论，但并不意味着德育评价完全是相对的、主观的价值判断，也不意味着德育评价不需要严谨的、科学的评判手段。相反，只有通过可靠的指标准确描述事实，以科学的方法全面获取信息，评价才可能真正发挥作用。

梳理改革开放后的德育评价技术可以发现一个有趣的现象，为了纠正"文革"时期德育评价任意武断的做法，以定量评价取代定性评价的呼声一度高涨，致使 20 世纪 80 年代前后对德育量化评价方法的探索出现高潮，涌现了从基本的"打分法"到"赋值"求和法、加权平均法、模糊数学评定法、OSL 法、FRC 法等多种德育评价方法的探索。可以说，21 世纪前德育评价方法研究是一个以定量方法研究为主流的时期。进入 21 世纪，随

---

① 闫献伟，李怀珍，陈勇．基于德育学分制的德育评价体系探索［J］．中国职业技术教育，2017（35）：118－120．

② 兰淇，孟军，刘冰璇．大数据背景下高校德育评价体系实证研究［J］．黑龙江高教研究，2019，37（2）：141－146．

着后现代思潮对线性的、主客二分的科学主义思维的批判，量化研究本身的局限性日益为大家认同，定性评价重新回到人们的视野。

需要说明的是，21 世纪前后的定性评价经历了一次自我否定、螺旋上升的过程，与“文革”时期的定性评价相比已经有了本质的区别。首先，这是在“回到事情本身”“回到人本身”思想的影响下出现的新的定性评价，并不全面批判或否定定量评价的存在，而是主张以定量之长补定性之短。定性评价与定量评价作为方法更多情况下会同时出现，单一倾向的德育评价方法存在局限成为共识。21 世纪出现的定性评价回潮实际上源于对定量评价理论与实践的反思。

从数量上看，德育评价方法的种类繁多，肖鸣政等曾经总结出以下方法：整体印象评定法、操行评语鉴定法、操行加减评分法、积分测评法、模糊数学综合评定法、评分评等评语测评法、考试考核测评法、写实测评法、工作实践考察法。[①] 郑航将品德测评的方法总结为自陈法、评定量表法、行为观察法、情景评价法、个案研究法、操行评语法、成长记录袋七种方法。[②] 如果从思维方式和理论基础出发，所有方法基本都可以归纳为以下三种范式：科学主义的定量式、人文主义的定性式、二者的整合式。

一、科学主义测量技术盛行

科学主义测量技术的萌发在我国有着特殊的时代背景，也可以说是勃发于对主观定性评价的反对。改革开放以前的德育评价，是以政治性为核心的定性评价，除了出身和政治立场，“好人”主要以评价者对被评价者的主观印象作依据，有时甚至会以个人情感、经验甚至是个人关系为标准。这种道德评价方式的弊端是明显的，甚至给整个社会带来极大的精神伤害。

---

① 谢新观，肖鸣政．德育测评的理论与技术［M］．北京：光明日报出版社，1994：258.

② 郑航．学校德育概论［M］．北京：高等教育出版社，2007：237.

所以改革开放后定性评价的方法被彻底反思，科学主义支持的测量技术在德育评价中受到欢迎。

（一）定量评价的起步与探索

党的十一届三中全会摒弃了“以阶级斗争为纲”的错误做法，明确提出要把党的工作重点转到经济建设上来，这一历史性转折给长期以来受到“左”倾思想干扰的品德考查评定工作提出了新的课题，学生品德评定工作的科学化问题正式提上日程。

最初的学生品德评定研究，仅限于把过去行之有效的学生品德评定经验进行整理、总结，使之系统化，同时从教育学、心理学等学科引进一些概念、原理、方法，使这些成功的经验具有理论上的依据。① 可以说，这一时期对定量评价探索的热情是高涨的，但成果却很有限。

1977—1984 年，小学生的品德评价基本上都采用评语鉴定法，即由班主任负责，通过操行评定对学生的思想品德表现作出评价。② “只写评语，不评等级”仍然是当时较为普遍的做法③,这样的评语除了“先进生”和“后进生”之间有所不同以外，其他多数学生的评语基本近似。而为了适用更多人，评语通常也比较模糊、笼统。针对这些问题，一些优秀的班主任、科研人员开始探索改进方法，尝试“客观化”“定量化”的路子，提出“扣分法”“操行等第评定法”等方案并付诸实验。

1986 年肖鸣政发表《思想品德测量可能性之探讨》一文，提出思想品德是一种客观存在的实体，具有稳定的结构，其表现具有规律性④，从思想观念上破除了人们对品德定量评价的偏见。这一时期测量技术的不断发展，

---

① 胡卫．学生品德测评［M］．上海：华东师范大学出版社，1992：9.
② 郭娅玲，涂光辉．小学德育论［M］．长沙：中南工业大学出版社，1999：339.
③ 崔相录．德育新探［M］．北京：光明日报出版社，1987：169.
④ 肖鸣政．思想品德测量可能性之探讨［J］．赣南师范学院学报，1986 (4)：93－100.

也为德育评价走向定量化提供了可能。

1986年，吕茂洲设计了学生素质综合测评量表，通过合理的权重分配，五分制的赋值与计算来保证测评的客观性，计算方法主要运用的是求取平均值的办法，比较简便易懂，但的确更为客观。① 同年，李文庠重点研究了德育的量化评价问题，区分了附加分项与附减分项，计算方式仍是算数平均值的办法。② 另外席家焕③、叶国驹④、李德友⑤、周春生⑥ 等人均对学生品德定量评价作出了一些方法上的探索，但均未能超出填表、打分、求和的模式。总体来说，德育的定量评价方法探索在这一时期已经开启，但距离真正的程序严谨、数据可靠的目标还存在较大差距。

同一时期，模糊数学在德育评价领域中应用的可能性也受到关注。孟海兰等首次提出用模糊数学的基本原理测量和评价中学生的思想品德的办法，主要是通过确定学生的思想品德结构、将因素数量化、组成评议小组、测量与分析来对学生的品德作出评价。⑦ 多人评价小组集体评议的方法保证了评价的客观性；而数学计算的逻辑性确保了输出结果的准确性。冯建军也提倡使用模糊数学的办法来对学生的品德进行评价，并且对评价与计算的方式方法进行了详细说明。⑧

总体来看，这一时期量化评价方法得到了广泛认可，为后期德育评价定量化研究扫除了观念的障碍。用“分数”代替“评语”是这一时期定量

---

① 吕茂洲 . 高校学生素质综合测评方法探讨［J］. 高校德育研究 , 1986 (4) : 52 － 57.

② 李文庠 . 学生德育质量的量化评价［J］. 高等教育研究 , 1986 (2) : 94 － 97.

③ 席家焕 . 中学生品德考查量化问题初探［J］. 教育科研通讯 , 1986 (5) : 45 － 51.

④ 叶国驹 . 德育评价量化与德育工作序列化研究［J］. 广州教育 , 1987 (3) : 2 － 12.

⑤ 李德友 . 小学品德量化初步实验［J］. 教育科研通讯 , 1987 (4) : 2 － 7.

⑥ 周春生 , 田靖儒 . 学生思想表现量化考核设想［J］. 高等建筑教育 , 1990 (2) : 24 － 27.

⑦ 孟海兰 , 白冬冰 . 中学生思想品德的测量与评价［J］. 心理科学通讯 , 1986 (5) : 23 － 29.

⑧ 冯建军 . 学生思想品德评价的量化方法探讨［J］. 河南师范大学学报 (哲学社会科学版), 1988 (4) : 95 － 98.

评价的主要表现，许多学者为此作出了有益的探索，但总体来看定量评价技术还处于初级阶段。

（二）定量评价的发展阶段

1990—2000 年是定量评价研究的高峰时期，台式计算机在国内逐步普及，逐渐成为办公标配。新工具的引进大大减少了定量评价赋值与计算的压力，助力德育定量评价向深度化、复杂化迈进。在技术进步的助力下，定量评价因易于操作、省时省力的特点，获得了广大一线教育实践者的青睐。随着定量评价技术在实践领域运用的日趋成熟，理论探索逐渐到达了平稳期。

1992 年后模糊数学在品德评价中的应用成为研究热点。胡卫认为学生品德测评需要搜集有关对象的种种信息，信息量越大，得出正确结论的可能性越大。他利用了模糊数学的原理，设计了主因素决定法、矩阵运算法，以对学生的品行作出更为综合全面的判断。之后，模糊数学评定法的应用范围不断扩展，从幼儿园[①]到大学[②]，都开始探索模糊数学评定法在德育评价中的应用。

真正标志着品德定量评价研究进入成熟阶段的是肖鸣政提出的颇具理论创新意义的 OSL（O 为 On 的缩写，S 为 Short 的缩写，L 为 Long 的缩写）法及 FRC（F 是 Fact 的缩写，R 是 Report 的缩写，C 是 Computer 的缩写）法。这两种方法的提出标志着德育测评研究真正走向了专业化、科学化的道路。

OSL 品德测评法是以品德教养为目的的行为测评法。它以行为操作检查、自我具体认识为手段，以学生集体或自我形成性测评为主要形式，注重及时性与经常性信息反馈，注重知行合一与行为矫正。简单来说 O、S、

① 蒋永华．模糊数学方法在幼儿品德测评中的应用［J］．南京师大学报（自然科学版），1996 (3)：90 − 96.

② 申世昌．一种评价大学生德育的合理方法：用模糊综合评价法分析大学生德育状况［J］．青海民族学院学报，1996 (2)：115 − 119.

L 分别代表“做到”“稍差”“需努力”，通过自我测评、小组测评、家庭测评来计算学生获得的 O、S、L 个数并通过公式运算得出总分。如果测评不合格，则对学生进行说理、榜样示范、修养指导、情感陶冶等一系列长期教育，然后继续评价，循环往复，直到达到要求。肖鸣政的 OSL 法实际上已经不是简单统计一次、计算一次、评价一次就结束的方法，而是一种形成性与总结性、教育性与选拔性兼具的评价方法。它在理念和方法上都将品德评价推进了一大步。

FRC 品德测评法是用计算机辅助分析事实报告的考核性品德测评方法。它的基本思路是借助计算机分析技术从学生品德结构要素中选定基本要素，再从基本要素中选择表征行为或事实，然后要求学生自己就是否具备这些表征行为与事实予以报告。这种评价方式将教师和同学纳入对学生报告的监控系统之中，避免了学生的谎报，最终通过计算机输出评定的等级及相关建议。这可以说是计算机技术与品德评价方式的很好结合。更为可贵的是，肖鸣政对上述方法进行了严谨的实验研究，用数据验证了其可靠性。[①] 可惜的是，直到今天，这些经过实验验证的方法在学校德育评价中还没有普及。

总之，品德定量评价在这一时期真正走向了成熟。其主要表现为：第一，定量评价在品德评价领域成了主流方法；第二，应用数学领域的研究成果被定量评价充分吸收；第三，真正具有原创性的研究成果明显增多。与此相伴随的是对定量评价反思的增长。

二、人文主义评估技术的复兴

定性评价本身有描述性的特点，可以提供对细节的生动记录与还原。

---

① 肖鸣政．品德测评的理论与方法［M］．福州：福建教育出版社，1995：501－548.

它不像定量评价一样有严格的操作步骤、清晰的评判标准以及科学的数据处理手段。也正因为定性评价的开放性与复杂性，好的定性评价难度也相对较大，对评价主体的专业性依赖程度更高，所以对定性评价的研究多是理论探讨，实践成果较少。

（一）从对定量评价的反思中回归

定性评价之所以被学者们重新认识，是因为定量评价本身的缺点逐渐被人们认识。在 20 世纪对科学主义的反思中，许多学者开始意识到，将一个人的品德抽象成“数字”并不是真正的“科学化”，只有通过生动的语言才能将人的品德讲清楚、讲深刻。

实际上，20 世纪 90 年代前后，对定量评价的质疑声是伴随着定量研究的发展响起的。1988 年，袁真泉在讨论德育测量与德育评价的关系时就提出，“测量是德育评价技术手段之一，但要注意防止变成唯一的方法。有些做法是，倾向于把数字分派在评价对象的各项要素上，形成量化的多级指标体系作为评价标准，通过数学处理演绎出评价结果。目的是对教育效果作出价值判断、解释教育现象的教育评价，基本变成了求解数学的问题”，“不能忘记，教育是精神现象，它的价值形态是精神的而不是物质的价值”[①]。同时徐学俊的调查研究发现，54.5% 的学生更喜欢自我鉴定与小组评议的评价方式。[②]说明定性评价因其人文关怀性更容易被学生所接受。因此，不应该片面追求定量评价，而应该根据实际情况灵活运用评价方法。

对定量评价的批判除了源自客观上量化工作较繁复和把握难度较大之外，主要的还是人们的认识问题。[③]杜时忠提出品德测评量化的根本局限

---

① 袁真泉．关于德育评价的几个问题［J］．江西教育科研，1988 (1)：62 − 67.

② 徐学俊．论学生品德的自我评价［J］．教育理论与实践，1991 (4)：36 − 39.

③ 吴铁．论德育量化［J］．教育与职业，1990 (3)：4 − 5.

是动机与行为、本质与现象的不一致。由行为表现这一现象来推断学生品德发展的本质,存在着以偏概全的危险。[①]王文源认为关于人的学问与物理、化学存在着本质的差别，人的事情总是存在某种“测不准”现象。因此有关生命现象、社会现象的事往往不允许作出非此即彼的简单的二值判断，难以进行精确的测量。[②]

定性评价通过更具情感性、针对性的语言，使学生更容易体会到评价者对自己的情感期待，更容易激起被评价者内心的道德体验，从教育性的角度来看，定性评价方法更有助于一个人品德的发展与完善，有利于评价与德育的一体化。在对定量评价的批判声中，定性评价的价值得到了充分的发掘，定性评价理念也得到了一定范围的认可，但少有学者提出真正能改善定性评价弊端的实践智慧，因此这一时期对定性评价的研究还停留于理论探讨之中。因而定性评价此次重回研究视线主要是以矫正对定量评价的过度依赖和弥补定量评价的缺点而实现的。

（二）在素质教育浪潮下兴盛

1999 年国务院批转教育部制定的《面向 21 世纪教育振兴行动计划》，明确提出实施“跨世纪素质教育工程”，整体推进素质教育。素质教育从典型示范转向整体推进和制度创新的序幕由此拉开。[③]素质教育与定性评价间存在着一定的价值契合。定性评价能看到“活生生”的人而不是抽象的数字化的人，强调对人进行全方位的、由外至内的描摹与评价。在素质教育的浪潮之下，以应试为主的考试评价制度得到了全面反思。定量的德育评价方法遭受了一定程度的打击，定性评价的方法迎来了新的春天。

在素质教育浪潮中，德育评价的目的乃至德育的目的都得到了深入的

---

① 杜时忠．品德测评量化的贡献与局限［J］．教育理论与实践，1994 (3) : 43 － 45.

② 王文源．关于德育评价科学化问题的几点思考［J］．教育科学研究，1994 (2) : 33 － 36.

③ 素质教育的提出与推行［N］．光明日报，2009 － 12 － 05 (2).

反思与讨论。某种程度上，如果评价的目的仅仅是让学生考高分，那用定量评价是适宜的；如果德育评价的目的是育人，那用定性评价则是更适切的。殷赪宇认为，为了与时代相适应，“我们的学校德育应培养学生良好的人格特征和自我发展、自我教育的能力。要达到这样的目的我们的德育工作者就应该转变‘目中无人’的德育观念，充分合理地发挥德育评价的功能”[①]。齐学红提出：“在学校普遍存在着过度追求科学化、精细化、高效化的管理文化背景下，学生品德评价呈现出过度追求评价的过程性、标准化和定量化的倾向……学生品德形成的复杂性、评价主体的多元性，以及品德发展状况难以量化等特点，决定了品德评定的结论往往不是用成绩单的形式，而是以‘品德评语’的方式呈现。”[②]可见，定性评价的理念恰与素质教育达成了某种契合。

另一个对定量方法的反思角度是，定量评价可能带来不良的伦理后果。仲建维认为，“德育量化考核披着科学性和公正性的外衣，但它实质上仍然沿袭了传统德育的思维和弊端”，因为量化评价总是将活生生的人的存在异化为物或数字的存在；相反，“质性评价尤其珍视一些不可测量的信息。这样的德育评价活动，往往能更深刻地打动学生的道德感”[③]。他强调人文主义的评价模式才真正契合了德育评价的教育性原则。叶飞认为，“传统的德育评价方式有明显的量化、实证化的取向。这种取向容易导致德育评价过程缺少人文关怀，缺乏对于学生主体性和人格的基本尊重”，因为量化评价总是公开一个分数或等级，这种分数的意义又是与一个人的“好坏”联系在一起的，这就非常容易对等级较低的学生造成伦理伤害，这与道德

---

① 殷赪宇．试论我国学校德育的困境与变革［J］．高等师范教育研究，2000 (2)：63 － 67.

② 齐学红．中小学品德评价存在的误区及其改革对策［J］．课程·教材·教法，2012，32 (3)：86 － 90.

③ 仲建维．德育评价应超越量化取向［J］．教育研究，2014，35 (5)：75 － 77.

教育的初衷是背道而驰的，因此“德育评价应改变过度量化的评价取向”。[①]叶飞提出“让学生成为主动的自我评价者”[②]的主张，倡导德育评价由品级性评价向合格性评价转变[③]。

道德学习的复杂性是探索德育评价可能路向的另一着力点。因为道德学习本身不同于知识学习，一个人品德的形成往往是在“课下”而非“课上”，也就是说德性的养成必须要回归生活。所以，李冰主张德育评价也应该回归到生活之中，“也就是在生活的实践中去评价道德学习者的道德养成状况”，因为生活是多维度的，每一个“生活着”的人总要扮演不同的社会角色，处理不同的道德冲突，只有回归生活，德育评价才可能获得“真知灼见”，所以“一方面，不能以道德认知代替品德评价；另一方面，不能以孤立的行为代替品德评价”[④]。朱胤更加明确地提出：“思想政治课的评价不能也不应该是量化的，应从教师与学生两个维度进行一种质的评价。……任何探求思想品德课量化评价的努力往往都是徒劳的。”[⑤]因为思想品德课与数学课是不同的，数学教师完全可以通过例题来测试学生是否学会了某一知识，但是思想品德教师却不能这么做，不论一个学生在试卷上如何填答，都不能证明他已经成为一个有道德的人。

在理论界对定性评价几乎一边倒式的呼唤中，实践领域也出现了一些变化。在 21 世纪新课程改革中出现了学生综合素质评价、档案袋评价等方法，这些实践探索解决了定性评价方法没有操作着力点的问题，为定性评价的推广扫清了障碍。2004 年教育部办公厅印发《国家基础教育

① 叶飞．论德育评价中的人文关怀［J］．教育测量与评价（理论版），2008 (1)：33 － 35.

② 叶飞．让学生成为主动的自我评价者：品德评价的一种有效方式［J］．教育测量与评价（理论版），2009 (5)：41 － 43.

③ 叶飞．合格性评价：品德评价的一种合理选择［J］．教育科学研究，2010 (1)：43 － 45 + 58.

④ 李冰．道德学习范式下的德育评价及视角转向［J］．教育评论，2009 (4)：79 － 82.

⑤ 朱胤．新德育评价的质性与多元［J］．思想·理论·教育，2005 (2)：17 － 18.

课程改革实验区初中毕业生考试与普通高中招生制度改革的指导意见》，首次明确使用了综合素质评价这个提法。之后，综合素质评价迅速风靡全国。

定性评价的方法在进入 21 世纪后迅速兴盛。其主要表现为：第一，定性评价超出了理论思辨范畴，找到了具有操作性、可行性的技术形式；第二，学术界肯定了定性评价对于道德教育的重要价值，并就此达成了基本共识；第三，政府部门大力推行教育评价改革，提倡使用定性评价。但也有学者戏称“素质教育轰轰烈烈，应试教育批而不亡”。就当前的实际情况来看，我们仍不敢断言“素质教育已经取得了巨大成就”“定性评价已经取得了巨大成就”。学生综合素质评价手册上的评语仍存在官话、套话、缺乏有效内容等问题，甚至个别教师为了减少工作量，直接找学生代写、代评的情况也偶尔存在。但总的来说，定性评价确实再次实现了回归，并成为主流。

三、科学与人文的技术融合

德育评价方法的演进经历了一个“正—反—合”的过程，由原先对定性评价进行全面批判，主张德育评价科学化；到对定量评价的“非人化”进行批判，主张德育评价人文化；最后形成了定性评价与定量评价相结合，以定性评价为主的思路。实际上，定性评价与定量评价不应该是非此即彼、二元对立的关系。虽然学者们对定性评价的呼声很高，但更多的学者并非主张以定性评价取代定量评价，而是倾向一种调和路线：取长补短、综合运用。

1995 年王汉澜就提出，学生思想品德的定性评价与定量评价是辩证统一的。定量评价是定性评价的基础，定性评价又是定量评价的前提与归宿，二者是紧密相联、不可分割的。但是，由于学生思想品德中许多变量间的关系不易确定，很难精确地用数字进行分析，这就必须进行定性评价。因此，应将定性评价与定量评价结合起来，并以定性评价为主。[①] 王汉澜的观点是中肯的、科学的，这一观念开启了以定量评价为代表的科学测量技术与以定性评价为代表的人文评估技术融合的思路。

自王汉澜之后，学者们对定量评价与定性评价关系的看法逐渐趋向统一，但论述的视角有所不同。高德胜从德育学科教学评价的特殊性和基本原则出发，认为教学评价不是目的，只是达到促进学生发展的目的手段，因此评价必须坚持认知和非认知相统一的原则。不能只看学生在量表上得了多少分，还必须看学生在达到要求过程中的情感体验。在具体的评价过程中必须坚持科学方法和人文方法相结合的原则。[②] 只有将二者结合起来使用才能克服各自的方法局限，评价既要讲求科学客观，也要讲求育人为本。

随着 21 世纪新课程改革的深入，生活化、体验化、活动化、综合化的德育课程也倒逼德育评价作出改革。仅仅通过打分来评价丰富的德育活动与复杂的道德现象显然是不够的，定量评价需要更具人文情感的评价方式作为补充。叶飞等力主封闭性的评价必须向开放性的评价转变。[③] 纸笔测验看上去以科学主义、实证主义为方法论基础，但确实不适用于德育评价，因为道德的结构是复杂的，纸笔测验能测出来的只是学生的道德观念。传统的教师评语往往流于教师的模糊印象，以此为依据打分或分等级更不可靠。只有突破非此即彼的二元论思维，使用更加开放的评价方法，才能促进学生的品德成长，实现德育评价的目的。张典兵从加德纳的多元智力理论中受到启发，认为单一的评价技术无法适应多元的智力发展，德育评

---

① 王汉澜 . 教育评价学［M］. 开封：河南大学出版社，1995：226.

② 高德胜 . 德育学科教学评价的特殊性和基本原则［J］. 首都师范大学学报（社会科学版），2000（1）：117 − 122.

③ 叶飞，李会松 . 德育评价：由封闭性走向开放性［J］. 中国德育，2006（6）：20 − 22.

价应该坚持形成性、综合性、与学生自我评价相结合的原则。①

汪凤炎从中国古代品德考评方法中获得启示，他认为，今天我国和世界上的品德测量都应该走融科学精神与人文精神于一体的道路，既不能像中国先哲那样过于偏爱经验型考评方法，也不能像西方心理测量专家那样走唯科学主义道路。② 人的思想与认识本身是主观与客观相统一的过程，人对品德的认识同样如此，这就要求我们既要用相对科学客观的测量技术，也要充分发挥主观能动性，只有“阴阳相济”才可能通达真相。

“定量与定性相结合”“多种评价方式共同发挥作用”的评价观已经成为学术界与实践界的基本共识，且二者的融合仍在进行当中。2010 年后，定性与定量相互融合的进程在智能技术的赋能下得以快速推进。

四、面向未来的大数据评价技术

网络与人工智能技术的发展正在将人类生活推进到一个新的时代。从智能手机、掌上电脑、无纸化办公、电子商务普及以来，人类生活已经发生了翻天覆地的变化。2009 年中国正式进入了 3G 时代，仅仅十年后，中国就正式进入了 5G 时代。信息技术的发展直接改变了教育形态。慕课、虚拟课堂、智慧教室等新教育技术层出不穷，德育评价也将借技术的东风不断升级。虽然目前德育评价与新技术的融合仍在起步阶段，但是一些研究成果显示，德育评价技术的变革已经在路上了。

2020 年 10 月，中共中央、国务院印发了《深化新时代教育评价改革总体方案》，特别强调要“完善德育评价”“引导学生养成良好思想道德、心理素质和行为习惯”，并且要通过信息化手段，探索多元主体共同参与

---

① 张典兵. 多元智力理论及其指导下的中国德育变革［J］. 教育导刊, 2006 (10) : 39 － 41.

② 汪凤炎. 中国古代品德考评方法及其对当代品德测量的启示［J］. 心理科学, 2002 (6) : 729 － 730.

的有效评价模式，“客观记录学生品行日常表现和突出表现”，并将其作为学生综合素质评价的重要内容。当教育评价改革遇上科学技术的蓬勃发展，两者之间便产生了微妙的化学反应。如何将当下先进的信息技术、智能技术运用于德育评价之中，提升德育评价的信度、效度，改善德育评价“重评不重教”“重知不重行”“重结果不重动机”的问题成了教育学人的新思考点。虽然运用新技术来评价人的思想品德仍是新鲜事物，但是已经有些初步的思考与实践成果。

有学者已经敏锐地洞察到，人工智能技术、大数据分析技术、万物互联技术乃至虚拟现实技术都可以用作德育评价的信息搜集技术，甚至还能直接用作品行测验的手段。陆启越等提出：“人文建构范式下的高校德育评价应充分运用云计算、智能识别与分析、大数据分析等创新评价模型，利用数据挖掘技术，深入挖掘隐藏学生道德素质的数据信息，同时消除冗余数据和没有价值的数据，从而对评价主体进行多指标、多层面、全过程、全方位的整体综合评价。”[①] 这样，以前难以发现的道德行为、无法测量的道德情感、难以洞察的道德动机，都有可能通过大数据的技术来获得相对稳定的数据，进而对学生作出更加准确和有针对性的评价。杨宗凯也提出了“利用信息技术促进教育教学评价改革创新”的建议，认为要加快“研发数据采集管理平台，部署物联感知、图像识别、视频采集、平台采集等软硬件采集技术设备……支持人机结合的智能评价，加强多源数据之间的互联互通”。[②] 可见，教育理论界对于将新技术引入德育评价有着很高的期待。

有学者认为现代信息科技的评价技术可以真正将定量评价与定性评价的优势结合起来。它能够有效解决以往定性评价主观依赖性强、易受干扰、

---

① 陆启越，余小波．高校德育评价范式及其转变[J]．湖南师范大学教育科学学报，2018，17（2）：103－108.

② 杨宗凯．利用信息技术促进教育教学评价改革创新[J]．人民教育，2020（21）：30－32.

投入产出不成比例的问题，同时它又能真正将评价的权力交到每一位被评价者手中，唤醒学生的道德自我。邹太龙等认为运用大数据等技术来评价人的道德不是将人简化为“数”，相反，正是基于人文关怀的理念才更需要方法上的创新，大数据为德育评价提供了一种更为全面、更尊重个体差异、更加真实、更关注个体成长的评价途径。新技术可以“对海量而多样、实时交互的德育评价数据进行挖掘、分析和比较”，“诊断和洞察其真实的道德困惑和道德需求，勾勒学生道德发展的精准画像”，“客观准确地评估和预测学生的思想动态、情感波动、价值走向”。① 汪瑞林提出新时代的中小学德育评价必须要淡化品德评价的选拔、考核评比、资格审查功能，以立德树人为根本目的。“只有充分利用现代化信息技术手段，发挥互联网存储量大、方便快捷、受众广泛、易于互动等特点，突破时空限制，才能真正让学生、各学科教师、家长及社会相关机构成为评价的主体，提高各方评价主体的参与度。”②

在理论研究者论证与期待的同时，一些学校已经尝试将大数据、云储存技术运用于德育评价的实践之中。这些技术的确减少了教师的评价压力，增加了学生的参评兴趣。最重要的是，新技术创造出一个开放的、公共的、多维的评价空间，真正将“育人为本”的理念落到了实处。南京师范大学附属小学尝试搭建了一个供全校教师、学生以及家长共同使用的“线上档案袋”信息化平台对学生进行品德评价。“线上档案袋”平台可供全校师生及家长进行观赏、点赞和评论，允许学生随时上传自己的作品和学习心得，同时给学生提供了修改、完善自己上传信息的机会。因为利用了云储存技术，孩子成长的点点滴滴都会被及时记录，这就为学生建立了自我反

① 邹太龙，刘天琪．大数据支持下学校德育评价的时代转向及其反拨机制［J］．中国教育学刊，2021 (12)：91 – 97.

② 汪瑞林．改进中小学德育评价的方向性思考［J］．课程·教材·教法，2019，39 (7)：89 – 93.

思与提升的素材库，同时“在线上档案袋的后台，可以对线上档案的各个项目及其得到的评价数量进行分类统计”[①]。这样“线上档案袋”既保证了科学性，又秉持了多元开放评价理念，评价结果因此也更公正、全面、客观。清华大学附属中学围绕学生综合素质评价的核心问题展开探索，借鉴现代教育理论，借助云计算、大数据等现代化信息技术，率先开发了基于大数据的学生综合素质评价系统，真正做到了公开透明、依据事实、全员参评、动态评价。[②]

当然，在整体对新技术充满期待与探索的同时，也有学者对将大数据技术引入教育测评的做法表达了忧虑。金生鈜教授提醒，以数据为本的教育测评可能会成为主导、控制学校教育的新型权力。[③]的确，学生的生命是不可估算的，人才是最高的目的而不是技术，在运用技术进行测评时，必须要提防其可能产生的伦理风险。

第三节　德育评价结果的解读

虽然德育评价研究成果丰硕，但是对评价结果如何解读的研究却如凤毛麟角。实际上，对评价结果的解读直接影响着评价的效果，甚至可以说评价本身依赖解读，但从目前研究的情况来看，评价结果的解读或解释还没有进入学术研究视野。相对评价法（以在某一集体中的位次来解读评价结果）和绝对评价法（以是否达标或及格来解读评价结果）是评价结果的

---

① 赵敏．“线上档案袋”：德育评价的新探索［J］．人民教育，2018 (10)：52－54.

② 王殿军，鞠慧，孟卫东．基于大数据的学生综合素质评价系统的开发与应用：清华大学附属中学的创新实践［J］．中国考试，2018 (1)：46－52.

③ 金生鈜．大数据教育测评的规训隐忧：对教育工具化的哲学审视［J］．教育研究，2019，40 (8)：33－41.

常见解读方式。但这两种解读方法并非德育评价所专有，无法体现德育与智育的区别。人的品德可以比较吗？品德有排名吗？品德达标的标准在哪里呢？这些问题都需要理论界进行进一步的探索与思考。

总体看来，德育评价结果的解读有三种基本范式，即基于规训思维的权威解读范式、基于符号思维的抽象解读范式、诊断与还原式的生命解读范式。这三种解读范式存在着时间上的承继关系，但却不完全是前者结束后者诞生的关系，而是在不同的历史条件下，有的范式占据主要位置，有的占据次要位置。我国对德育评价结果的解读历程，基本也是按照上述历史规律不断演进的。

一、基于规训思维的权威解读范式

评价有几个基础性的问题：谁来评价谁？评价是为了谁？用什么依据来评价？如果这三个问题还没有弄清楚，评价就难免会“不知所措”。在成人权威主导的时代，这三个问题的背后实际上隐藏着一种规训思维。以“谁来评价谁”这一问题为例，评价者往往被默认为是有权力的一方、强势的一方、年长的一方，被评价者则是弱势、不成熟、有待教导的一方。所以评价者往往会以一种“大权在握”“真理在握”的姿态对待被评价者——学生或晚辈。这样的思维中，德育评价的目的，是维护成人规则或现有习俗，规则和习俗本身是否合理则不予考虑。这样的德育评价就是一种控制手段，目的是让学生服从社会现有“游戏规则”，早点适应社会的运行系统。规训思维往往是强势的、压制性的，评价结论常常是消极性话语，如“不成器”“不肖子”“差生”等是其常见结论。这样的评价往往以道德规则如学生守则或班级规范为统一标准，“因材施评”“因情况施评”很少见到。

规训思维曾在中国传统社会盛行。改革开放后相当长的一段时间内，规训思维依然存在。1987 年崔相录在《德育新探》的前言中说：“我以为，当务之急是必须尽快改变那种层层加码，把学生当作教材的奴隶、作业的苦力的状况。”[1]1992 年胡卫在《学生品德测评》中总结与梳理了我国德育评价的传统，认为：“过去教师往往把学生品德考评仅仅作为管理学生和显示教师权威的手段。”[2]可见直到 20 世纪 90 年代，规训的思维方式在德育评价中依然是较为普遍的。2006 年陈桂生在《中国德育问题》一书中提醒说：“惟纪律性只是教育目标之一，且这种纪律本身如果是善的，它就不应该同学生应有的自由相悖，否则便可能把学生训练成为循规蹈矩的纪律的奴隶。”[3]其实直到今天，仍存在许多“军训式”的学校，以军事化的方式培育学生品德，用规训思维来解读德育评价的结果。

在规训思维的主导下，德育评价结果的解读往往会表现出以下特征：第一，权威式宣告。不论是图表式的、评语式的还是等级式的评价结果，评价者往往只会“就事论事”，不对评价结果背后的原因进行深度探索与解释，也不会考虑评价结果本身的合理性问题。由于评价者认定结论的绝对正确和权威性，评价结果常常会被当众宣读，进而激励表现优秀的人，打击不合格者。第二，区隔式挑选。在规训思维下，德育评价的结果主要是用来区分“好学生”与“坏学生”的。当一份评价结果宣布时，指责与批评的目光往往会停留在未达标者的身上。这种评价思维在将被评价者简单地区分为好的、中间的、差的同时，还要对不合格的学生进行针对性的处罚或再教育。“智育不好出次品，体育不好出废品，德育不好出危险品”，德育评价的任务是对“危险品”进行排查。第三，防御性维护。规训思维的目的非常明确，方向十分鲜明，就是通过给违规者消极的德育评价来维护作为德育评价标准的规则与纪律，严防违规违纪行为的再发生。[4]基于

---

① 崔相录．德育新探［M］．北京：光明日报出版社，1987：2.

② 胡卫．学生品德测评［M］．上海：华东师范大学出版社，1992：36.

③ 陈桂生．中国德育问题［M］．福州：福建教育出版社，2006：68.

④ 澎湃新闻于 2018 年报道过这样一则新闻：云南大理某中学一学生因午休上厕所被学校警告处分，该校称学生午休上厕所的行为违反了校规校纪，为严肃校纪给予其相应的处分。

规训思维的德育评价，其结果可以说是一本“防御指南”，也像是一种道德审判。这样德育评价主体的职责像是道德监察员。第四，评价者拥有对结果的绝对解释权。尽管任何评价都存在评价者与被评价者，但规训思维框架下德育评价结果的“最终解释权”只归评价者，被评价者处于被动地位，类似只能听从宣判的被告，无法参与到结果的解释中。

事实上，用规训的思维来解读德育评价的结果最终很难达成其管理与控制的目的，甚至会加大管理成本。大禹治水给德育评价带来的最重要启示便是：疏导的办法要好于封堵。因为规训的前提就是将学生当作未完成的人，甚至是没有人格、没有创造性，不配享有自主精神的人。这样的评价势必造成学生的反感与抗拒，甚至酿成悲剧。[①] 德育评价与其他学科的评价不同，它更直观地指向学生的尊严与人格，因此评价者更要慎之又慎，尽量避免用简单粗暴的规训思维来解读评价结果。

二、基于符号思维的抽象解读范式

科学提倡观察与实验，反对崇尚权威。哥白尼（Nicolaus Copernicus）用科学证实了“日心说”，给宗教权威以致命一击。自然科学的基本价值观和标准不接受来自外部的反驳，这一点明显不同于神学或人文科学在认识上的价值观和标准。[②] 改革开放后，教育学科学化成为大势所趋，教育的自身逻辑受到认可和重视。德育科学化成为学界努力的目标，德育从外在权威中解放出来回归其自身成为这一进程的起点。

这一范式下德育评价结果的失准、失效被认为是科学性和专业性不足

① 人民网于2013年报道过这样一则新闻：江西省抚州市某中学学生雷某因不满老师严格管理将其班主任杀害。该校的某位老师说，老师们平时抓得比较严，学校之间有竞争，班级之间有竞争，老师之间有竞争，学生之间也有竞争。

② 高克罗杰．科学文化的兴起：科学与现代性的塑造(1210—1685)：上[M]．罗晖，冯翔，译．上海：上海交通大学出版社，2017：17.

的结果，由于量化一度被当作科学化的重要标志，德育评价的量化成为科学德育评价的具体表现，按照这个思路，德育活动中教师劳动与学生学习成果都要转化为可度量的指标，可被精确计算的指标成为德育评价目标本身。[①] 德育评价的数字化倾向，在本质上是工业思维的映射。如果说农耕时代，人们养成了服从权威的思维定式，那么工业时代则是要解构所有阻碍生产力发展的思想壁垒。社会分工、效率、标准、精确是工业时代的代名词，也是工业的精神，效率是工业的核心追求，批量生产是工业运行的基本逻辑。

在工业思维框架中，学校是一个人力资本的生产工厂。班级中性格旨趣相异的学生被视作“原材料”，教育的任务是将原本充满独特性与创造性的人塑造成标准化的“产品”。工业思维讲求的是效率与精准，品德评价与整体教育评价一样通过“测量”“打分”“排名”来进行，分数成为所有教育评价的表达方式，代表着人的优、良、中、差等级。道德评价的不及格，理论上意味着人的思想和修养处于较低水平，是人格的不完善状态。

这种德育评价结果的解读因其背后的思维方式，具有三个突出的特点。第一，量化导致解读的复杂化。基于对数字所代表的科学性的认可，德育评价的科学追求转化为对德育评价结果的数字化追求，因而德育评价结果的解读成为对各种数值的意义的解释。而且在追求抽象符号表达的德育评价中，表达值从等级制到百分制，从平均值到中数、标准分、加权系数和难度值等，越是日常生活中不常用的数值好像越具有专业性和科学性，进而演化出越难以理解的数学表达和抽象符号，其科学性越强的偏见。盲目追求数字化表达往往给人一种将简单的结论复杂化，复杂的公式最后只说明了一个常识的感觉。第二，数字本身成为目标。由于数字的抽象性和科学性象征意义，当德育评价完全由数字或其他抽象符号来代表时，数字和

① 易凌云．“五唯”问题：实质与出路［J］．教育研究，2021，42（1）：4－14.

抽象的符号本身在德育评价结果的解释中就会被放大，其背后对应的学习与成长过程、学习的内容本身都可以被忽略。这种情况下，数字就由手段成为目的。德育评价就是为了获得数字而努力，其服务于学校德育工作、服务于学生道德成长的目的反倒可能被悬置起来。第三，重视结果的可比性。数字和等级天然具有可比性，这使得依赖数字的德育评价由对一个人的评价转化为被评价者之间的对比。通过分数，评价者看到不同被评价者间的差异。这一点在德育评价结果中被放大，甚至成为最重要的评价目的。在竞争体制中，所得分数只有在跟别人的对比中才有意义。90 分本身并不重要，重要的是你比别人高还是低。这种比较不仅发生在同学之间，也发生在学校之间、区域之间，甚至国家之间，PISA（国际学生评估项目）测验就是典型的国家之间的比较。

吉登斯（Anthony Giddens）认为现代性这种反事实的特性在很大程度上，是由属于抽象体系——其本身的特性中渗透了业已确立的专业知识的可信任性——中的信任构建而成的。[①] 在由抽象体系建立起来的社会中，我们相信的是医生的专业知识而不再是他的德性，我们相信的是机械表中的统一时间，而不是基于生活的真实感受。但是这种脱域的生活方式是存在极大风险的，那就是个体的人消失不见了，人的情操与尊严被数字平均掉了，鲜活的生命被冰冷的数字概括了，核武器诞生了。由此转向德育评价中的抽象化解读范式，我们发现，当人被抽象为数之后，有辱人格的事情就极有可能发生，这与德育评价的育人目的完全是背道而驰的。可见，抽象化解读范式虽然比规训式的解读范式进步了许多，但是仍存在将学生“客体化”的倾向。

---

① 吉登斯.现代性的后果［M］.田禾，译.南京：译林出版社，2000：73.

三、诊断与还原的生命解读范式

中国对科学主义、确定性、同一性的反思起步较晚，但是它一经传入便影响了国内社会科学的走向。胡塞尔（Edmund G. A. Husserl）在《欧洲科学的危机与超越论的现象学》中一针见血地指出，“当代实证主义科学概念是一种残留的概念”，“实证主义可以说是将哲学的头颅砍去了”[①]。德育评价中的数字化倾向，抽象了主体的精神，蒸发了存在的意义。实际上符号化的、科学的世界总是以已经存在的世界为前提的。“在进行科学研究以前，这个世界就在日常的感性经验中主观地、相对地被给予了。我们每一个人都有自己的显现，对每一个人来说，这种显现都被看作现实存在的东西。”[②] 因此，我们必须重新探究“作为自然科学之被忘却的意义基础的生活世界”[③]。胡塞尔认为我们同样可以在“生活世界”之中直观本质，不必然要借助数字这一层屏障。

在对科学主义的反思中，德育评价重估了人文主义的评价方法。动态评价、过程性评价、整体性评价成了这一时期的主流，与此相应，对这些德育评价方式的结果的解读也表现出鲜明的生命意义。在“回到事情本身”的倡议下，这些德育评价结果的解读往往强调以下几个方面：第一，将评价解读还原到学生和学校德育的真实生活中去。持有生命解读观念的评价者更关注文字或图表背后可能隐藏的意义而不只是停留在数字、概念表面“就事论事”，对德育评价结果持有“刨根问底”的态度，不断尝试将这个

---

① 胡塞尔. 欧洲科学的危机与超越论的现象学［M］. 王炳文，译. 北京：商务印书馆，2017：21－22.

② 同②36.

③ 胡塞尔. 欧洲科学的危机与超越论的现象学［M］. 王炳文，译. 北京：商务印书馆，2017：67.

结果还原为学生的真实生存状态和历程，搁置分数、等第等偏见与前见，尝试从学生的生活和生命处境出发来解读评价结果。第二，评价结果的解读重点不是得出结论，而是诊断问题。当评价结果呈现在面前时，持有生命解读观念的评价者关注的是从结果去发现学生在道德成长中可能存在哪些问题、遇到哪些困难，以及教育者在这种时刻该运用什么手段对他们施加影响，帮助他们渡过难关。这种思维就像中医为病人号脉一样，依靠一颗“仁心”来解读患者的病情，不仅告诉他目前的诊断的结果，还要帮助他分析产生目前情况的原因，并给出相应的建议，类似医生给予病人最适切的“医嘱”。第三，尊重每个被评价者。持有生命解读观念的评价者用充满善意的眼光来打量每一个学生，坚信“任何人都是可教的”“人性本善”。当评价结果发现有些学生道德成长中存在着需要关注与改进的问题，教育者不会用结果来讽刺、挖苦、贬低学生，而是相信每个人都有自己不同的生命轨迹，相信所有经历都是成长的财富，尝试用长善救失的方法来赋予结果新的意义。第四，将结果解读放置在交往处境中。其实任何评价结果都是基于交往的一种判断，即使以填答问卷的形式进行评价，其本质仍是被评价者与评价者之间的一种对话，只不过这种对话是通过“问卷”这一中介进行的，而且这种对话是一问一答的一个回合的交往。持有生命解读观的评价者会基于一对一或一对多的、直接的、多次的交往来得出自己的判断，这种交往是需要时间与情感投入的，是一种共在式的彼此理解。它反对只通过一个数字或片段对人下结论。诊断与还原式的生命解读范式真正将人当作了目的——这里的人不是康德所强调的普遍的、理性的人，而是一个个有血有肉的、永远绽放与生长的人。这样的解读理念，理解人在道德两难问题面前会基于自己的经验与体验作出选择，因此即使作出了相同的选择，也会尊重截然不同的选择理由。

第三章
德育评价的基础性问题

德育评价对于学生道德发展和德育工作发挥着重要作用。“德育评价是影响德育有效性的重要变量，对德育起着导向、强化、诊断和反馈等重要作用，其本身蕴含着巨大的教育能量，是学校德育改革和发展的‘牛鼻子’，历来备受关注并始终处于不断的改革与探索之中。”① 在德育评价的改革和探索过程中，首先需要厘清的是德育评价的基础性问题，包括如何理解德育评价、德育评价对象的范围和特点、德育评价的可能途径以及德育评价的理论难点等。对这些基础性问题的深入探索，有助于建构中国特色的德育评价理论体系，发挥德育评价应有的功能，进而增强德育评价的实效性。

第一节　德育评价的多维理解

对德育评价的理解是德育评价研究的起点，对德育评价理解的变迁可以说是影响这一研究领域的首要基础问题。通过德育评价研究高频关键词共现图谱，对德育评价研究的关键词突变进行分析（图 3-1），结合文献研

① 尹伟．德育评价的重心转向及其合理性辩护［J］．湖南师范大学教育科学学报，2015 (2) : 104 － 107.

究的主题，可以将中国德育评价研究历程分为“德育评价的探索期”“德育评价的科学化时期”“德育评价的多元化探索时期”。

Top 19 Keywords with the Strongest Citation Bursts

Keywords	Year	Strength	Begin	End
品德评定	1986	1.19	1986	1995
德育目标	1986	1.68	1988	1994
情感意志	1986	1.31	1988	1989
德育活动	1986	1.27	1988	1989
德育过程	1986	1.23	1988	1989
思想品德	1986	1.35	1994	2006
品德评价	1986	1.26	1994	1998
德育内容	1986	1.09	1994	2001
德育工作	1986	1.25	2002	2006
原则	1986	1.26	2003	2005
评价	1986	1.76	2007	2012
德育实效	1986	1.30	2009	2014
德育体系	1986	1.12	2012	2018
德育答辩	1986	1.14	2013	2014
职业院校	1986	1.26	2016	2017
评价体系	1986	2.69	2017	2019
高校	1986	1.18	2018	2020
立德树人	1986	3.68	2019	2022
中职	1986	1.14	2020	2022

图 3-1　德育评价研究的关键词突变分析

从以上分析可见，中国的德育评价研究始于20世纪80年代，那一时期，德育评价的重要地位被逐渐地认可。翟天山在《教育研究与实验》1986年第3期上发表《学生品德评价初探：性质、功能和标准》，开启了对于德育评价的研究。这一时期德育评价研究并未成为教育研究的热点，研究成果不多。1993年肖鸣政主编的《德育测评》出版，其后，谢新观和肖鸣政1994年出版《德育测评的理论与技术》，肖鸣政1995年出版《品德测评的理论与方法》，标志着德育评价研究进入科学化时期。进入21世纪后，随着德育评价研究的不断深入，德育评价研究领域出现“科学化和人文化”“工具性和本体性”“结果性和发展性”“一元和多元”的分歧和讨论，德育评价研究不断从单一走向综合，从一元走向多元，从静态走向动态，从封闭走向开放。

本节尝试结合中国德育评价研究的进展，对德育评价理解从科学到多元的演进路线进行深度分析，从德育评价的认识论差异、德育评价的价值论分野、德育评价的功能论区别以及德育评价的方法论演进等多维理论视野，对德育评价的基础问题展开讨论。

一、德育评价的认识论差异：科学符合与情境表现

由前文文献分析可见，科学化在相当长的时间内是德育评价的至高追求。那么何谓评价的科学化呢？杨晓江认为评价的科学化就是“教育评估者在一定条件下所作出的合规律与合目的统一的对客体价值的衡量”①；王健敏将建构合理的指标体系作为德育评价科学性和成熟化的重要标志②。在20世纪90年代后，实效性成为德育研究的热点之一。德育实效需要依据一定的评价标准进行判断，因而在这一时期德育评价的科学标准和指标成为研究重点。德育评价标准的制定思路之一是将德育目标层层分解，用预期的教育目标去全面衡量德育实施的状况。③有学者认为德育评价的指标体系包括德育状态指标、条件指标和成果指标④；也有学者将指标划分为德育主体评价指标、德育阶段性目标的评价指标、德育措施的评价指标、德育效果的评价指标等⑤。学者们也对指标体系设计、指标体系分解以及权重展开了讨论。当然，也有不少学者对这种科学化的指标化的研究提出反思，

---

① 杨晓江．教育评估的科学性与科学的教育评估［J］．教育研究，2000 (8)：33－36.

② 王健敏．学生品德测评系统的改革与探索［J］．课程·教材·教法，2002 (1)：39－43.

③ 吴林龙，王立仁．论德育实效测评的困境与出路［J］．学校党建与思想教育，2014 (2)：25－28.

④ 俞健．论高校德育工作综合评估体系的完善［J］．广西大学学报（哲学社会科学版），1998 (4)：71－73.

⑤ 李来成．高校德育评估指标体系构建研究［J］．煤炭高等教育，1997 (2)：14－16.

如叶飞认为德育评价应从单纯的量化和实证的评价方式中解放出来，实行一种更具人文关怀、更注重儿童主体性和人格尊严的评价方式。[①] 也有人认为德育量化考核实质上仍然沿袭了传统德育的思维和弊端，而现代德育评价的基本价值取向是重视评价的人文主义价值取向。在人文主义的框架下，德育评价强调不可测量的信息，强调描述性和解释性，强调在平等交流中不断构建对学生的道德特性和道德成长需要的全面深入理解。[②]

科学和人文，作为德育评价理论和实践策略的两种构想思路，隐含着评价的认识论分歧，构成德育评价的不同逻辑和发展方向：前者将“真”理解为客观符合，后者将“真”理解为生存展现。

（一）符合论视域下的科学化德育评价

当下整个教育领域最主流的评价思路，无疑是美国教育家泰勒（Ralph w. Tyler）开启的目标参照性评价。泰勒认为教育的本质是使学生的思想和行为发生改变，而判断改变的发生情况的方式，就是将实际的状况与预定的目标进行比较，以两者的吻合程度作为教育评价值。泰勒的目标评价分为五个步骤：确定教育目标—设计评价指标—选择和编制评价工具—收集数据化的信息—分析评价结果。泰勒的目标评价模式对整个教育领域的评价产生了先导性的影响。在这一思路下，各领域目标的划分给教育评价研究带来突破性进展。布鲁姆（Benjamin Bloom）首先于 1956 年提出了认知领域七个递进层级的子目标，克拉斯沃尔（David R. Krothwohl）于 1964 年提出了情感领域目标的分类，辛普森（E. J. Simpson）和哈罗（A. J. Harrow）分别于 1965 年与 1972 年提出了动作技能领域的教学目标层级。以上述研究为基础，布鲁姆建立起系统的教育目标体系，成为影响至今的主流教育评价模式。目标化评价将评价内容转化为具体、细致、操作性强

---

① 叶飞 . 论德育评价中的人文关怀［J］. 教育测量与评价 , 2008 (7) : 33 − 35.

② 仲建维 . 德育评价应超越量化取向［J］. 教育研究 , 2014 (5) : 75 − 77.

的行为目标，具有很强的目的性和计划性，而且评价目标越明确、越精细，越能为教育评价的展开提供依据。

“目标设计”可以说是目标评价模式的关键环节，“吻合度”思维则是目标评价的理论基础。“吻合度”成为教育评价的科学化指标，在理论上源于符合认识论。从科学角度来看，无论是主张科学意味着所得结果与真实情况完全一致的符合论，还是只把科学理解为一种实事求是的精神——充满价值判断的教育特别是德育领域的科学化一直存在分歧，但大多数人赞同把德育评价的科学性理解为一种实事求是的精神——实际上都是现代科学认识论的观念。将“真实”定义为“符合”或认识与对象的“一致”，意味着要求人的认识如对象那样，认识的过程就是剥离阻碍认识的假象、排除干扰性因素影响的过程，所以会把认识当作揭示对象的真相或本身。由于事物的本质是唯一的，所以“真”也是确定和唯一的。实际上，这种科学认识论上的“符合”混杂着神学思维。在中世纪的神学观念中，人（的认识）与物间的一致性是由上帝及其创世设计来保障的——作为造物主的上帝保证了人和客观世界的一致性，同时人与物都作为被造物符合上帝（造物主）预先设计的创世计划，两者由于都出自上帝创世计划而彼此一致和吻合。到了近现代，理性取代了上帝，保证了现成事物与认识的符合，形成了一种现代的符合思维。正是在这种符合思维的影响下，“吻合度”才成了教育评价的“科学性”指标。

作为教育评价的一个子领域，德育评价自然也深受目标评价理论背后的符合论思维影响。其在德育评价中的具体思路为：将德育的结果与德育目标进行对照，同样是将吻合度作为评价值。德育目标成为评价的出发点和根本依据，评价过程就是把目标细化成具体评价指标，再根据细化后的评价指标，评定对象与目标的符合程度。这可以说是当下德育评价的主流路线。按尹伟的说法，“综观当前德育评价的具体实践，不难看出，其评价对象往往更多是指向学生外显的言语行为而较少涉及道德价值问题，并将之与预定的学校德育目标的吻合度进行对照和描述，把两者之间吻合度作为评价学生道德发展状况和学校德育成效的客观标准和重要依据，亦即将预定行为视为评价的唯一答案，直接目的在于获得被评价对象（言语行为）是否‘达标’及其程度的相关信息”[①]。从中可见符合认识论在当下德育评价中的广泛影响。

（二）生存论视域下的情境化德育评价

21 世纪以来，在符合论思维的基础上，关注儿童德性的生存论视角的呼声日益高涨，情境化德育评价的观念也越来越得到认同。在这一进程中，王健敏提出“生态—激励性”品德测评，强调追求测评过程的生态性，以生动的德育现实为基础，追求在一种生动自然的生活情境中捕捉真实的德性信息，进行发展性的评价。[②]戴军从关注学生整全的生存境遇出发，强调德育评价要把学生在学校生活、个人生活以及社会生活中真实的品德表现、道德观念以及价值倾向评价出来，真实反映学生的品德发展状况，最大程度贴近学生现实生活中的真实表现。只有获得了较为真实的信息和资料，德育评价才能有效促进学生品德内在性、完整性的发育和生成，因而也才更有意义。[③]

生存论为德育评价提供了新的视域。德育评价关注具体的个人，是学生真实的道德发展状态和过程的呈现。生存论对人的理解为我们理解教育评价中人的发展、教育评价的目的提供了新的视域。生存论视域中人的发展包括两个向度：第一，具体个人的主动发展，即具体个人在自我反思、自我行动中，实现主动发展;第二，人与他人、与环境共同存在、

---

① 尹伟．德育评价的重心转向及其合理性辩护［J］．湖南师范大学教育科学学报，2015 (3) : 104 － 107.

② 王健敏．学生品德测评系统的改革与探索［J］．课程·教材·教法，2002 (1) : 39 － 43.

③ 戴军．德育评价的当代困境与价值选择［J］．人民教育，2014 (7) : 67 － 69.

共同发展。① 生存论视域下的教育评价就是要在真实的情境中评价学生的真实表现和样态，要尊重并评价学生发展的差异性。在评价方式上，生存论的评价转向“人文主义”，注重日常的道德行为观察，采用对话、深度访谈等方式来全面深入理解学生的意愿、情感、意志等状态，关注个体的整体生存体验。评价者与被评价者之间是地位平等、彼此信赖的关系，被评价者在德育评价之中能够敞开自我。在生存论视域中，德育评价转向一种生存过程的展现。这种德育评价的观念正在逐渐为更多人认同，其评价方式也在不断探索中。

二、德育评价的价值论分野：赋值与增值

王汉澜认为，根据评价主体关注重点的不同，价值取向可分为工具取向和人本取向两种类型。② 从这个角度来看，德育评价也具有“本体价值”与“工具价值”。德育评价的工具价值在于通过评价达到外在的目的，本体价值在于“成人之道”。有学者认为，德育及德育评价的本体价值就蕴含于德育的本质属性当中，就是回归人之为人的根本价值，把人培养成为健全的人；除此之外，一切其他的价值都是工具的、派生的价值，而非本体价值。③ 在这种思路下，回归本真的德育评价实际上是一个不断提升学生自身主体价值的文化活动。它不是为了管理而评价，而是为了发展而评价；它不是为了得出学生道德成长的终结性结论，而是着眼于学生道德发展的形成过程的评价。④ 前者是给学生的道德发展现状一个数字化结论，

---

① 龚孝华．重新理解教育评价目的：基于生存论视阈［J］．教育理论与实践，2008，28(33)：6－8.

② 王汉澜．教育评价学［M］开封：河南大学出版社，1995：32.

③ 叶飞．回归本体价值的德育评价改革［J］．南京社会科学，2022(1)：147－154.

④ 陆启越，余小波．高校德育评价范式及其转变［J］．湖南师范大学教育科学学报，2018，17(2)：103－108.

相当于一个“赋值”过程；后者是展示学生的道德发展状况，帮助学生看到自己的成长，促进其更好地成为理想的自我，因而是一个“增值”的过程。有人认为新时代德育评价应该实现从“赋值”到“增值”的理念转型与实践探索。①

（一）基于工具理性的赋值评价

赋值评价，可以说是符合论德育评价的具体操作方式。赋值评价以标准化测量进行效能对比。具体而言，它把学生成绩的原始分数作为评价指标，与设定的标准或目标进行对比，依据目标达成度对评价对象进行“赋值”。因为这种代表着统一目标达成度的值具有可比性，因而可广泛用于各种考核和选拔鉴定，成为学生之间、教师之间、班级之间、学校之间、区域之间，甚至国家之间（如 PISA）进行教育质量比较的依据。在实践中，德育评价主体会根据不同的评价目标和内容进行各类分数权重的赋值，赋值原则往往是工具性的、实用主义的、功利性的。如由国际经济合作与发展组织（OECD）发起的 PISA 评价，其立场偏向未来劳动市场的需要而非人本身，其基础是将人作为劳动力的人力资本理论。赋值思路的德育评价，主要表现为通过预设诸多的外在刺激并对个体利益加以捆绑，依靠量化评价方式和基于道德奖惩的外部强化机制，通过对学生的道德状况进行甄别和鉴定，来激励学生之间基于外在利益展开道德竞赛。②

赋值性德育评价通过给学生品德赋予一个可以在一定范围内比较的等级或分数，把它变成工具性选拔和鉴定手段，或者激励性管理方式。但这样的考试和测验呈现的是最终结果，无法体现发展过程及过程中的变化，忽视了学生品德的动态性和生成性特征。同时，这样的评价并不考虑学生

---

① 赵之浩．从赋值到增值：新时代学生德育评价的理念转型与实践探索［J］．上海教育科研，2021 (2)：40 − 44.

② 尹伟．道德评价的前提性反思［J］．教育研究与实验，2018 (6)：29 − 33.

和学校的初始水平，也不能反映出原始数据和最后结果之间的对比。这种赋值评价的根本是“缺陷型评价”，它关注结果赋值，不关注道德发展和学校德育工作的差异性。在赋值评价的等级划分中，评价的鉴定和甄别、分层功能突显，很容易给不同学生和学校贴上不同的等级和标签。对此，吴虑批评道："在实践中，出于对评价实施的便利性和评价结果的可比性考量，学习结果评价难以超越‘测验文化’，往往通过标准化测试赋予学生等级，常模测验赋予学生‘位置’，但缺乏对等级和位置的深入分析和解释，即仅强调数字本身而忽略对背后潜在信息的深度解读。这样的评价无法真实反映学习效果和教学质量，难以发现教学和学习中存在的问题，以及影响学习效果的因素等，难以实现‘教学评一体化’，从而制约了师生对教学和学习的改进。”[①]

（二）关注道德发展的增值评价

增值评价起源于 1966 年科尔曼（James S. Coleman）向美国国会提交的关于教育机会平等的报告。这份报告引发了社会对学校效能的关注，催生了学校效能增值评价。1992 年，美国田纳西州政府率先采用增值评价系统，形成了典型的美国田纳西州增值评价系统（Tennessee Value-Added Assessment System，TVAAS）。“TVAAS 假设所有的学生可以并且应该取得与其能力相称的学习进步，是一种测定学校制度、学校和教师促进学生学业进步的有效性的统计方法。TVAAS 统计模式非常灵活，能对学生学业成绩数据进行横向和纵向的分析。”[②] 英国政府于 2002 年在全英格兰和威尔士推行学校效能的增值评价模式，并将增值评价指标作为一项重要的创新性

① 吴虑．大数据支持下学习评价的价值逻辑［J］．清华大学教育研究，2019，40 (1)：15 − 18.

② 徐士强，赵风波．美国田纳西州教育增值评价模式及其论争［J］．全球教育展望，2009，38 (9)：52 − 55.

指标加入现有的评价指标体系中。

“增值”评价，是假设可以增加“价值”到学生现有的成绩上。不同于赋值评价导向的学生、学校间的横向对比，增值评价主要通过收集学生在一段时间内不同时间点上的标准化测验成绩，通过纵向比较，考察学生自身的发展以及学校对于学生发展影响的净效应，对学校和教师的教育效能进行相对客观的评价。相对于赋值评价，增值评价发生了三个层面的变化：一是评价关注点的变化，增值评价关注每个学生自身的进步状况，基于学生自身的进步对于学校的效能进行评价；二是评价方式的变化，如果说赋值评价是以绝对的赋值进行评价，那么增值评价则是就相对的变化进行评价；三是评价结果的变化，增值评价是基于前后对比的追踪性分析，能够根据纵向的数据结果来识别学生的发展状况，既能提供结果性评价的信息，发挥评价的鉴定、甄别的功能，又能根据动态的追踪反映学生发展过程中的状况，发挥评价的改进和发展功能。运用增值评价时，需要综合收集学生的学习能力基线、学业成绩、学校背景和教育环境等信息。

增值评价的价值理念在于以人为本，以促进人的道德发展、关注学生的成长和进步为落脚点，能体现学生的发展过程及其变化。它要求教师始终聚焦学生道德发展中的“增值”要素，以增值性结果来激励和引导学生的道德发展。同时它能够将学生的学业成绩、家庭背景、教育环境等相关信息包含其中，“运用这种方法评价学校、教师绩效，有利于促进学校和区域间的公平比较，有效激发生源质量差的学校和区域促进学生学业进步的动力”①。增值评价源于对学校效能的关注，因而除了用于评价学生进步和成长情况之外，还可用于学校效能的评价，综合收集学校工作的各方面的信息，来评价学校的教育政策和德育效果。这是一种从评学生过渡到评学校或者说是评教育的一种努力。这种评价的挑战在于如何运用恰当的分

① 谈松华，黄晓婷．我国教育评价现状与改进建议［J］．中国教育学刊，2012（1）：8－11.

析方法区分出德育效能的“增值部分”，这需要较为高级的统计分析技术支持。概要统计分析、多元线性回归分析、多水平分析模型是其常用的数据分析方法。概要统计分析主要对数据进行概貌性的描述，如最大值、最小值、平均值等。多元线性回归分析是分析一个因变量与多个自变量之间的线性关系，估计观测值与期望值之间的残差值的标准统计技术。观测值指的是学生的实际成绩水平，期望值指的是以该学生先前成绩为分析的基线所预测出的学生成绩水平。与概要统计分析相比，这种分析技术可以将学生和学校各个维度的影响因素都纳入其中，从而体现更为全面的增值指标，其缺陷在于只能从学生和学校中选择一个进行评价，不能同时进行。多水平分析模型则是针对多元回归模型的不足，将学生和学校分层次地进行数据分析，比概要分析和多元回归分析更为精良。

三、德育评价的功能论区别：结果与发展

从德育评价研究的历程来看，可以说 1978 年之前德育评价研究主要是关注其工具性功能，1978 年之后本体性功能逐渐受到重视。德育评价的功能是多元的，依据不同的标准可以进行不同的划分。如上文提到的翟天山的五功能说①、王文源的四功能说②、肖鸣政的五功能说③、郑航的五功能说④、张典兵的六功能说⑤，划分角度各不相同。从根本上来看，德育评价可以归结为两大性质，即鉴定区分和激励促进。

---

① 翟天山．学生品德评价初探：性质、功能和标准［J］．教育研究与实验，1986 (3)：70 − 76.

② 王文源．关于德育评价科学化问题的几点思考［J］．教育科学研究，1994 (2)：33 − 36.

③ 肖鸣政．品德测评的理论与方法［M］．福州：福建教育出版社，1995：73.

④ 郑航．学校德育概论［M］．北京：高等教育出版社，2007：222.

⑤ 张典兵．德育学原理［M］．徐州：中国矿业大学出版社，2014：274.

（一）长于鉴定区分功能的结果性评价

工具理性宰制下的德育评价关注最终的结果，把评价转化为选拔和区分方式，是典型的鉴定区分评价，体现为评价的“绩效主义”和“效率主义”。“绩效主义强调通过可测量的绩效指标体系来实现对人的评估和管理，它与现代社会的工具理性不断膨胀紧密相关。”[①] 工具理性关注手段合理性，主张以最为有效的手段来达成目标；绩效主义关注绩效化指标，通过评价实现等级划分和荣誉排名，试图通过分级激发竞争，实现更为有效的管理。在这种情况下，德育评价成为一种管理的手段和方式，关注的不是受教育者的品德发展而是外在利益：作为学校绩效的显示方式，或完成上级对学校的评估并以此获得相应的奖励。这种绩效主义的评价忽略价值理性，关注工具理性。这样的评价思路在科学计算主义的推波助澜下，“因为其具有可操作性的量化优势，组织与组织之间，以及组织内部人与人之间，就有了分等和分类的标准，进而，荣誉、声誉和报酬等构成个人或组织地位获致的资源，也就有了分配的依据”[②]，故而得以大行其道。同时因为量化评价方式能带来效率的提高，以“效率为先”的评价方式就越来越执迷于数量化、标准化，将人的整全道德发展割裂为一个个可以验证的指标，追求目标的清晰性、可操作性和结果的精确性，而且评价内容也容易窄化为可以用实证化方式测量的指标如道德认知，这自然会导致以学生道德认知发展状况代替整体道德发展的片面性问题，是德育所评内容与结果间的不对应，可以看作宽泛意义上的德育评价效度问题。

德育评价鉴别功能的异化，导致越来越精致化的工具性评价，以计算理性、实证方法、数据测评技术来评价人的道德发展，在提升效率的同时，助推了唯分数、唯升学、唯文凭、唯论文、唯帽子的评价困境。鉴别性德

---

① 叶飞．回归本体价值的德育评价改革［J］．南京社会科学，2022 (1)：147 − 154.

② 阎光才．关于教育评价及其风险［J］．教育科学研究，2010 (4)：17 − 20.

育评价的盛行与隐患，招致了学界对它的反思，以及对德育评价忽视了自己最为本真的发展功能的批判。①

（二）注重激励促进功能的发展性评价

德育评价的发展性功能定位于促进人的道德成长。发展性评价不同于选拔性、甄别性的结果评价，注重评价的激励和促进功能，着眼于促进学生道德的成长过程，促进学校德育工作的不断提升，并把这看作德育评价的本体性功能。发展性评价基于三个理论前提：学生是发展中的具体的人，学生是发展中关系性的人，学生道德是在发展中不断生成的。以此作为德育评价的价值引领，才能走出德育评价的手段合理性危机，破除唯分数、唯升学、唯考试等评价的异化形式，解除指标和方法的量化“霸权”。

回归德育评价本体价值的发展性评价，就是回归德育评价的“人本主义”，回到促进人的道德发展这一德育的根本。其中也包含着德育评价理念由“实证主义”向“建构主义”的转换，即把人作为自主建构的道德主体，使德育内容成为包括道德认知、情感和意志等各要素的整体人格，注重人格的未完成性，关注动态的过程性评价，从而使评价作为一个德育的积极“因子”，对学生道德成长发挥促进作用，真正实现德育和评价过程的一体化。

四、德育评价的方法论演进：从技术改进到多元聚焦

尹伟梳理了中国德育评价 30 年的发展历程，把它看作一个从科学化走向多元化的过程。而且在多元化阶段，德育评价从单一走向综合、从一

---

① 尹伟．德育评价的重心转向及其合理性辩护［J］．湖南师范大学教育科学学报，2015（2）：104－107.

元走向多元、从静态走向动态、从封闭走向开放。[①] 陆启越和余小波总结高校德育评价范式的改变，认为其主要体现在：从工具到人本，回归本真的德育评价；从封闭到开放，实施多主体评价；从一元到多元，协调多元价值标准；从实证主义到建构主义，重视质性评价方法；从鉴定到发展，促使有效改进行动。[②] 也有学者将中国德育评价范式的转换归结为从经验范式到科学范式，再到人文范式的发展演变过程。[③] 对于当下德育评价，学界普遍认为仍然处于多元化阶段，并日益倾向实践与理论的多种取向融合，正在努力实现评估的多主体、多维度、多情境、多元化，具有体现人文关怀、注重儿童主体性、珍视儿童人格尊严的评价特点。[④] 这种德育评价范式变迁的背后是教育评价范式的变迁，是从技术改进测验到多元聚焦的变迁。

（一）测量式评价：测验技术的改进

教育领域的测量时代始于 19 世纪中期，这一时期教育领域的测量可以看作科学领域的测量技术在教育领域的扩展和应用，而且主要集中于教育评价问题。19 世纪中期，人们开始把教育评价等同于测量或者测试，并把这看作科学化、客观化的标志。如何才算得上科学的教育评价？这时的回答是，编制各种测验量表，依靠标准化测验方式得到结果的评价才是科学的。早在 1845 年，美国教育家贺拉斯·曼（Horace Mann）开始采用由大量问题和标准答案组成的书面考试，以接近标准化的方式对学生成绩进

---

① 张典兵．德育评价研究 30 年：回溯·反思·展望［J］．学术论坛，2011，34 (1)：199 － 202.

② 陆启越，余小波．高校德育评价范式及其转变［J］．湖南师范大学教育科学学报，2018，17 (2)：103 － 108.

③ 陆启越．德育评价范式：内涵、类型及演变［J］．大学教育科学，2021 (1)：78 － 84.

④ 张冲．中小学德育评价与创新研究：现状·问题·建议［J］．中国特殊教育，2019 (11)：75 － 80.

行比较；1864 年，英国教师费希尔（George Fisher）编制了第一本《量表集》，这使得运用客观标准进行学生成绩评价成为可能；1879 年德国心理学家冯特（Wilhelm M. Wundt）和学生卡特尔（James M. Cattell）编制了心理测量的方法，开启了心理学领域的测量时代；1904 年美国心理学家桑代克（Edward L. Thorndike）发表《心理与社会测量导论》，系统地介绍测验的基本原理，将统计的技术用于测验，促进了心理测量的标准化与客观化。

道德领域的测验发展得略晚一些，瑞士儿童心理学家皮亚杰可以说是最早进行道德测验的人。20 世纪 20 年代末，他对儿童的道德判断进行了比较系统的研究，以此为基础后来出版了《儿童的道德判断》（1932），他的测验内容主要涉及儿童对规则的态度、儿童对行为责任的道德判断、儿童的公正观念、儿童心目中的惩罚等方面。同一时期美国的心理学家哈桑（H. Hartshorne）、梅（M. A. May）设计了一百多种心理实验，对 110 余名 8—16 岁少年儿童的道德行为进行了广泛的实验研究，出版了《关于性格性质的研究》三大卷。二战后到 20 世纪 60 年代，道德心理研究在西方又掀起一股新的浪潮，研究的课题多种多样，有的涉及儿童的道德观念、道德行为，也有的从道德制裁或道德动机的角度开展，还有的从影响儿童品德发展的各种因素（诸如认知的、社会的、文化的、宗教的、性别的，各种教育训练，等等），以及儿童道德认识与道德行为（言与行）之间关系入手。[①]

在道德测验从 20 世纪兴起至今的发展过程中，除了测量内容的变化之外，道德测验技术也经历了一个从接近质化研究的对话式对偶故事、访谈式两难故事，到接近标准化测验的确定问题测验（DIT，包括 DIT-2）、道德判断测验（MJT）的发展过程。最早开展道德判断测验的皮亚杰依据精神分析学派的投射原理，采用对偶故事法研究儿童道德认知发展。柯尔伯格在认真研究对偶故事法的优缺点的基础上，创立了两难故事法。柯尔

---

① 李伯泰．教育心理学的一门新分支：德育心理学［J］．心理科学通讯，1981（4）：5－8.

伯格的学生莱斯特对两难故事测验进行了标准化改进，创造出“确定问题测验”（简称 DIT）方法。20 世纪 80 年代，林德和威根赫特对莱斯特的 DIT 测验作了进一步的改进，在理论上区分了道德态度和道德认知，认为前者是指一个人在应对某种道德关系时所表明的赞成还是反对、同意还是不同意的态度，而后者是指一个人对代表各个阶段的论据所接受或认可的程度。MJT 测验所要测查的是后者。[①]

（二）描述性评价：以目标为导向的评价

在描述性德育评价中，评价者不再是“测量技术员”，而是“描述者”，评价取代了考试和测量。这一思路将教育评价与测验区别开来：教育评价不是一两次测验，测验只是手段；教育评价是一个过程，这个过程不仅需要呈现结果，而且需要描述出最终结果对教育目标的达成程度。与测量时代的考试和测验以得分为结果相比，这一时期的评价不仅注重测验的得分，还需要对所得分数进行描述或解释，描述分数的意义，解释这一测验结果对预定目标的达成度。所以，描述性德育评价始终以德育目标作为参照，侧重于对“测验结果”不断进行描述。在评价方法上，除了专家测验外，增加情境观察法（将学生置于特定情境之中进行有目的的观察）和访谈法（对教师和学生依据一定的提纲围绕评价内容进行采访式提问），依据所获得的量化和质性材料对德育课堂教学和学生品德进行描述。

（三）价值判断评价：以管理为中心的评定

价值判断评价是基于改善决策管理的角度展开的，最早被运用于项目评价，是对项目实施过程的评价，通过提供有效的数据和信息，促进项目及时完善，达到最优化的管理。1958 年美国海军开发“北极星”导弹工程

① 顾海根，李伯黍．上海地区青少年道德判断能力测验的编制及常模制定［J］．心理科学，1997 (3)：197－201.

时，就采用了价值判断的评价模式。它将项目划分成相关任务，每个任务都建立了三种评价值，利用“三值加权法”来安排项目进度和计划，最后提前完成整个项目。1963 年克隆巴赫（L. J. Cronbach）发表《通过评价改进教程》，提出“形成性评价”的概念，将评价重心转到教育过程中。他提出教育评价不仅是判断结果和目标的达成度，还应该关注教育过程；教育评价的意图是为进行决策提供有效信息，是为了改进而不是鉴别和检查；评价应该在教学过程之中进行而不是在教学过程之后。1966 年斯塔弗尔比姆（D. L. Stufflebeam）提出 CIPP 模式，在延续教育评价“改进功能”的基础上，更好地为决策提供从目标到结果的全程有效信息。这种模式以服务决策改善为中心，包含 C 背景评价（Contest Evaluation）,I 输入评价（Input Evaluation）,P 过程评价（Process Evaluation）,和 P 结果评价（Product Evaluation）。这四种评价为决策提供不同方面的有效信息，其中背景评价即目标合理性评价，是依据社会需要对目标本身作出价值判断和合理性分析;输入评价即实施目标的条件情况评价，包括对于实施目标的人力、物力、财力的投入及实现目标的程序；过程评价即实施目标过程中的评价，评价各项工作开展的质量；结果评价即实施结果与目标达成度的评价。这种评价将评价范围扩展到从开始到结束的完整教育过程，综合背景、输入、过程和结果，从决策的计划、组织、实施到再循环都能为决策者提供有效信息，对不同的阶段提供针对性反馈，并构成一个闭合的环路，能够较为系统全面地反映教育的实施状况。

1967 年斯塔克（R. E. Stake）发表了《评价方法论》，明确将评价分为形成性评价和总结性评价。斯塔克认为传统的评价模式都是“预定式的评价”，先确定目标，然后对比结果与目标的达成度来进行评价。但教育的价值有时是扩散的，实际进行的活动，除了预期效应之外，还会有非预期效应。这些非预期效应难以用预定的目标进行鉴定，应该以实际效应而非结果的目标达成度进行评价，由此他提出了“目标游离模式”的评价思路，关注目标本身的合理程度及其变化，关注影响实际效应的当事人的意图而非预定的目标。在评价方法上，斯塔克借鉴人类学的方法，采用非正式观察法、访谈法等，来真实地还原、反映被评价对象的状况和活动参与者的意图。1973 年斯塔克进一步提出了“应答评价模式”：以所有相关参与人提出的问题作为评价先导，听取不同人的不同价值理念，通过评价者与不同参与人的对话，“回应”服务对象的需求，反映所有参与者的需要，并通过评价的反馈，使其能够满足“多元现实性”下人的不同利益需求、不同价值立场、不同观点看法。1975 年比贝（C. E. Beeby）提出评价的本质在于“价值判断”，评价的过程就是系统地收集信息，对于收集到的信息加以解释，在此基础上作出价值判断，价值判断既包含对于目标作出的价值判断，也包含对于教育过程作出的价值判断，从而使评价更加合理化。随着价值判断受到关注，“评定”取代了“评价”，教育目标本身的价值判断及其合理性被纳入评价的范围，教育目标由此成为评价的对象。由于评价服务于决策制定，因而其功能就不再是验证和鉴别，而是完善和改进。此外，教育目标之外的非预期效应得到重视，成为教育评价内容的一部分。

（四）意义建构评价：回应式聚焦的对话

20 世纪 60 年代以后，后现代主义思潮的兴起对教育评价观念也产生了巨大的影响。后现代思想解构现代的同一、预定、封闭观念，倡导差异、多元、生成、开放。欧文斯（T. Owens）和沃尔夫（R. Wolf）分别于 1973 年和 1975 年提出了“对手式评价”的概念，主要用于存在不同价值立场、利益分歧和观念差异时，不同的评价者通过提供更令人信服的依据或者辩论的方法彰显优势、解决争议，这根本上是一种通过“斗争”来达到“融合”的模式。这一时期，库克（T. D. Cook）和格鲁德（C. L. Gruder）提出了元评价的概念，用以评价管理环节和评价过程。通过元评价，可以倾听吸纳对评价的不同意见，后来元评价被看作对于评价的再评价。

20 世纪 80 年代，古贝（E. Cuba）和林肯（Y. S. Lincoln）在批判第三代评价理论的基础上，建立起了第四代评价理论。第四代评价理论以人为中心，融合多元价值和利益需求，认为“评估行为的最后产出并不是对‘事情是什么’‘事情如何进行’以及事物的某种‘真实’状态进行描述，而是提出有意义的解释，即个体或者群体行为者为‘理解’自身所存在的环境而作的建构”[①]。基于斯塔克的“应答评价模式”，古贝和林肯提出“回应性的聚焦”，认为评价应该对不同利益相关者的价值诉求作出回应，评价的本质是心理建构，评价的过程是评价者与不同的参与者相互协商、多轮应答、不断协调价值分歧、共同进行建构，最后达成共识的过程。由此可见，这种评价承认评价者和被评价者之间是平等、合作关系，承认多元差异的存在，倡导全面参与，通过协商、对话来减少不同价值观念之间的分歧，共同建构评价结果。

第四代评价理论打破了一味追求科学化、客观化的评价观念，从建构主义哲学出发，将评价结果看作多元主体共同参与的心理建构产物。它承认价值多元，倡导多主体参与，改变了评价者主导、被评价者消极被动的评价关系，实现了信息的对称、交流和沟通。它尊重不同群体和个体需要，强调评价就是通过资料收集，梳理不同参与者的不同利益和价值历程，通过对话协商的方式，融合不同的价值观念，协调不同的意见分歧，达成共识性结果的过程。

第二节　德育评价的对象挑战

从前面的文献分析中已经可以清晰地看到，德育评价研究经历了从聚焦学生道德到容纳整个德育服务系统的扩展过程。当德育评价侧重对整个德育服务系统的评价时，实际上评价对象就扩展到对德育和教育的理解性

---

① 古贝，林肯．第四代评估[M]．秦霖，蒋燕玲，译．北京：中国人民大学出版社，2008：10.

重叠。相对于客观存在物的确定性，学生品德发展的整体性、生成性、动态性，学校德育工作的系统性、开放性，决定了应该以整体性的、复杂性的思维去审视和理解德育评价的对象，这给德育评价带来独特的挑战。

一、学生品德发展评价的特点与困难

道德认知、情感、意志和行为是一个不可分割的整体，这种不可分割体现在道德上的认知、情感、意志和行为是一起发挥作用的。虽然学界偏重道德认知研究，但是并没有与情感、意志分割清楚、边界明晰的道德认知。如包尔生（Friedrich Paulsen）所说，人被笑话逗乐，看似是一个笑的行为，而实际上是认知、情感和行为的统一。将道德认知提取出来，只是一种研究上的“抽象”。品德发展的整体性，意味着将一个整体分割或者还原成各个部分的研究思路是有风险的。整体大于部分之和，通过各个部分的拼凑和相加，无法得到一个系统的整体。而且没有情感、意志融入的“知”，不会开启“行”的冲动，可能造成“知行不一”的道德分裂；只有情感，没有认知、意志和行为的伴随，也可能只是“一时的内在冲动”；只有外在行为，没有情感的认同和支持，就造成道德上的“伪善”。所以，德性是认知、情感、意志和行为的有机整体，这意味着，德育中的学生品德评价，不能完全等同于智育、美育、体育等方面评价中侧重知识、能力等一个方面的评价，而必须是整体性评价。道德认知、情感、意志、行为的任何因素的单一评价，甚至这四者的简单相加，都无法反映学生真实的道德状况。正是意识到这一点，仲建维强调德育评价的运用必须符合在尊重学生个体经验和特质前提下推进学生在道德认知、道德情感、道德行为和道德习惯等方面综合建构性发展的德育目的[①]；冯永刚呼吁突破原来以知

---

① 仲建维．德育评价应超越量化取向［J］．教育研究，2014，35 (5)：75 － 77.

识取向为单一目标的思维框架，建立包括道德认知、道德情感、道德意志和道德行为在内的整体性评价目标体系。人为地割裂任何一方，都会导致评价的单一性，带来知行脱节、言行不一等不良后果，甚至可能会导致学生品德的畸形发展。①

科学测量是一种有效的、可操作性强的评价方式，但是这种评价方式对于德育评价而言，却遭遇了无法克服的“复杂性困境”。这种困境源于人的道德的整体性、部分的内隐性和难以量化性。首先，目前的测量大多针对的是学生的道德认知或者说是关于道德的认识，即情境性调查。道德认知并不是一个孤立的“知道”，而是与情、意、行绞合在一起，是在现实生活情境中触发和生长的；这导致对各个不同的维度进行提取、抽象甚至加和，终究是建立在单一因素评价基础上的，而单一因素评价思路是对人的整全道德的切片式分析测量，很难提供活生生的人之德性的有效解释。其次，道德意识、情感、意志都具有内隐性，很难通过客观指标和外显行为反映出来。目前看来，还缺乏将人的内在意识、情感、意志等因素与人的外在行为间的有机联系显示出来的技术手段。方兴未艾的脑神经科学、全时空监视的智能化技术，可能会对推进这一工作有些帮助，但也存在着生物性还原和外在性固化的风险。最后依然是道德本身的独特性带来的评价困难。道德对于人，是一种生命的觉醒与成长。人对自身生命和所栖居的这个世界的觉醒与领会，并非均匀连续的发生过程，而是混杂种种突变的累积，受到诸多因素的影响，具有更多的不确定性。因而对道德评价结果的解释本身，需要摆脱现在主流的线性增长观，转换为复杂思维和更为适合用于道德考察的相关理论。目前学界已经普遍认识到线性增长观对道德评价解释的局限性，并提出用复杂思维、系统思维代替线性思维的看法，但究竟用什么理论框架对道德评价进行解释更为合理，尚

① 冯永刚 . 复杂科学视域下的德育评价［J］. 外国教育研究 , 2007 (11) : 40 − 43.

缺乏深入探索。

二、学校德育工作评价的复杂系统思维

学校德育工作作为德育评价的对象，自 20 世纪 90 年代中后期以来已经被普遍认可。对学校德育工作评价的研究，也已经逐步得到深入。基于学校德育工作本身的完整性和连续性特征，业内也对学校德育工作评价提出了相应的要求。从具体操作程序来看，“它应包括评价目的的确定、评价指标体系的设计、评价的组织与实施、评价结果分析等环节”[①]。同时，学校德育工作本身的过程性，也要求在评价中不仅要注重最后的结果，还要注重德育工作的整个过程与实施情况。

相对于对学生品德评价的单一因素倾向，学校德育工作评价中复杂系统思维成为主流，这自然与学校德育工作本身的综合性与复杂性相关。谢武纪基于学校德育工作的整体性和系统性特征，强调从系统论的角度展开学校德育评价：一方面，没有育人环境的整体优化，很难有学生道德“质”的跃升；另一方面，无论是教育者还是受教育者，其在整个德育过程之中并非“单子式”的存在，而是一个与他者紧密联系并无时无刻不对他者形成影响的教育资源和要素。而且，这种资源和要素并不局限于教育过程中的人（教师和学生），还包括了贯穿整个德育过程的物、符号、时间与空间等，任何一个变量都会对德育评价的实效产生实质性的影响。[②]李良方和李福春从学生生活的整体性出发，强调在学校德育工作评价中，要认识到“学生在校期间的道德表现只是他们整体道德表现的一部分，学生校内校外的道德表现共同构成学生完整的道德整体表现。因此，我们需要基于学生整

① 郑航．学校德育概论［M］．北京：高等教育出版社，2007：226 － 228.

② 谢武纪．道德“育分”机制的伦理风险及其超越［J］．教育科学研究，2021（11）：78 － 83.

体生活世界的生命价值观照，进行学生道德发展评价”①。同时也正是因为这个原因，学校德育工作评价要看到自身的限度，不可以把学生道德发展的结果都归结为学校德育工作的结果。王薇从复杂理论的结构分析出发，提出中小学德育工作评价模型体系要包含单项评价、关联评价、协同评价、复合评价四个层次，有助于以宏观综合、动态运转、协同配合、以一带多的立体式思维方式整体评价学校德育工作，并以此为基础建立了中小学德育评价模型，尝试建立德育内容与德育途径的交叉关联框架，通过拟定模型算法形成多层评价结果，形成综合结论指导德育工作改进。②

复杂理论不只影响大家对学校德育工作评价的理解，同时也影响对德育评价结果的解释思路和方法论思维。冯永刚提倡将复杂科学的思维方式作为德育评价研究新视野，用复杂思维范式去审视和解读传统德育评价。③张忠华建议将系统科学和复杂科学作为德育评价研究的新方法论，认为这样的方法论更适合于学校德育工作评价的整体性、综合性、动态性、非线性、最优化和信息化特征。④

第三节　德育评价的理论难题

德育能不能进行评价，以什么样的方式进行评价，在德育研究中一直存在争论。种种争论的背后，其实是德育评价的基础理论分歧，表现为德

---

① 李良方，李福春．道德量化评价的批判与超越［J］．教育发展研究，2018，38（Z2）：117－124.

② 王薇．基于复杂性科学的中小学德育评价模型构建及应用［J］．教育理论与实践，2020，40（35）：11－15.

③ 冯永刚．复杂科学视域下的德育评价［J］．外国教育研究，2007（11）：40－43.

④ 张忠华，张典兵．对德育评价研究的回顾与反思［J］．高教发展与评估，2011，27（1）：89－97.

育科学化评价的“价值危机”、德育目标评价的“合理性质疑”、德育人文评价的“主观立场澄清”，以及德育评价的“伦理悖论”。

一、德育评价科学化的“价值危机”

德育评价科学化，即试图根据科学量表、通过科学化的手段和方式达到德育评价结果客观化。相对于传统的经验性评价，德育评价的科学化追求有其自身优势。它关注评价的可信性与有效性，能够通过客观计量化指标，有效地测评和估算被评价对象的情况；尽管也是由人主导，但因为依赖数据分析，大大降低了测评结果的人为干扰因素，在一定程度上避免了评价者的主观因素，具有相对客观性，提升了德育评价的公平性和公信度。但是科学主义对效率的追求也可能导致“管理主义的倾向”，使管理者在评价中处于主导地位，左右评价对象的选取、评价任务的确定和评价范围划分，同时管理者往往把自己放在评价范围之外，成为拥有评价特权的人。这样的情况一方面限制了其他与评价有关的人员参与评价的深度，使其诉求和利益无法在评价中得到体现，另一方面也会使科学化评价的客观性打折扣，沦为管理者主导的评价。科学化评价在现实中的异化也说明，即使不考虑“客观性”和“科学化”本身对德育评价的适用性，科学化评价所追求的“科学”和“价值中立”也是有条件的，并非以科学名义作出的评价都是真正的科学评价。实际上科学的研究本身也难做到完全的价值无涉，从科学假设，到数据和资料的收集方案甚至数据分析的方法和技术，都不可避免地受到人的观念和价值立场的影响。拒绝承认科学评价本身的价值性，是对这一现实的选择性忽视，这本身就不是实事求是的，违背科学的本真追求。

另外科学化评价也容易因为追求技术性和客观性忽视德育评价的价值性。技术是促使德育评价进步的重要因素，这一点毋庸置疑。但如果把德育评价研究等同于技术改进，把技术改进局限于数据分析与采集技术，就会导致科学德育评价出现巨大的价值盲区。因为科学化评价追求客观性和去价值性，在数据采集上也更倾向于可见的、可测量的指标的设计，一些无法完全客观化和量化的指标会“限于技术原因”而无法被纳入，这导致科学化的德育评价更多侧重外部行为，难以体现被评价者的意识、动机、情感、态度。被评价者已经物化，成为被评价物，评价只是一套技术操作系统，评价者必然忽视活生生的人的内在体验和感受存在。[①] 人的精神、心灵、情感等很难以科学化指标进行测量，兴趣、态度和意愿等指标不容易被量化和真实地表征，而这些因素，却是德育评价中非常关键的核心因素，是德育评价不同于其他领域的内核。在本体论意义上，因为人性的内在性、超越性，任何测评都无法测算人性，或者说以数据描述人存在的方式与形式是不可能的；在目的论意义上，人是最高目的，不应该被当作可估算、可估价的工具性物体；同时，人生命成长的奥秘无法用数据化的测评方式估算。[②] 科学化的评价如果不能触及人的这些特征，在严格的意义上，就不是在评价人的德性，也难以对作为育人实践的德育工作进行很好的说明。这也是一些学者反对用科学评价手段的思路开展德育评价的根本原因。在《测量时代的好教育：伦理、政治和民主的维度》一书中，比斯塔（Gert J. J. Biesta）大声发问：“我们在测量我们真正重视的，还是仅仅在测量我们能轻易测量到并且最终能评估的东西？”[③]

以科学实证主义为基本哲学理念的科学德育评价隐含着将人物化的理论风险。科学实证主义的研究思路是把人等同于客观化、与物一样的可测量对象，把人当作可估算的“物体”，无视人的精神性、超越性，以冷冰冰的无生命的“数据测评”来评价活生生的人。这种标准化和客观化实际上

① 叶显发，王伶俐．关于教育评价实证范式的思考：兼议教育评价实施中的负效应［J］．湖北大学学报（哲学社会科学版），2000（5）：106－109．

② 金生鈜．大数据教育测评的规训隐忧：对教育工具化的哲学审视［J］．教育研究，2019，40（8）：33－41．

③ 比斯塔．测量时代的好教育：伦理、政治和民主的维度［M］．张立平，韩亚菲，译．北京：北京师范大学出版社，2018：14．

是将人物化。学校被视为工厂，通过检测的方式对于学生这个“产品”进行检验，而评价者的角色就是“测量技术员”，通过测量工具和技术的改进实现学业的测验。科学化德育评价强调科学、严谨和精确，把复杂的、统一的道德发展简略化为数字或者等级，忽视了人的内心世界和精神成长。

在德育评价的价值取向上，我们主张通过科学思维和方法提升评价的可信度和有效性，承认科学方法和技术对德育评价的积极意义，同时更要充分注意德育评价的人文底色。人文主义的德育评价主张建构主体性德育评价，着眼于人的整体性，重视人的发展性，强调学校育人的实践性特征，承认差异化发展是道德成长的根本特征。人文主义的德育评价以儿童人文精神的发展为目标，这对克服过度量化和科学主义倾向、体现师生之间的交互理解具有重要现实意义。[①]

二、德育目标评价的“合理性质疑”

目标评价具有很强的目的性和计划性，而且评价目标越明确、越精细，越能为教育评价的展开提供可靠依据。目标评价有着紧凑的结构和清晰的脉络，便于操作实施，具有很强的实际应用价值，但是也有自己明显的问题。第一，目标合理性问题。目标评价只是描述结果与目标达成的一致程度，没有描述目标本身的合理性和可行性，如果目标本身存在问题，就会导致整个评价出问题，甚至会导致学校德育工作整体出现偏差。第二，目标评价忽略对评价对象的背景特征及其内部结构的描述，这使得目标导向评价局限于确证和检查功能，即是否达到了目标，而不能为决策提供其他有效信息，无法推动教育决策的改进。第三，目标评价将预定目标作为评价的唯一参照系和标准，以目标为导向而不对目标本身进行反思会导致

① 张忠华，张典兵．对德育评价研究的回顾与反思［J］．高教发展与评估，2011，27 (1)：89－97.

目标凝固、僵化。最后，目标评价基本上是线性思维模式。线性思维模式存在的问题是预定性、封闭性、框架的统一性。用统一的模式去评价多样化的人的发展是不适切的，而且根本上是一种认知性的评价。在这种认知性的线性评价模式下，对情感与动作领域的指标设计总是有所缺失，一方面由于这些领域内容的高度复杂性，另一方面也由于目标评价没有尝试质性方法而沿袭着实证化方法的思路，目标评价的实际效果不尽如人意，因而在当前的实践中受到了冷落。

德育评价目标本身是有价值倾向或立场的，当目标评价将对目标本身的反思和评价悬置，客观上就默认了评价目标本身的合理性。而预定的目标更多可能反映的是评价者的价值立场和倾向，目标反思的悬置实际上意味着被评价者无法参与目标制定和修正。所以目标本身的价值合理性应该也被纳入评价的范围，成为评价的对象，这可以使评价具有更好的包容性立场,也更容易为被评价者所接受。同时,这样也能够收集到更广泛的意见，特别是对目标本身的意见，从目标制定方面为决策提供服务。人们在目标上的分歧的背后往往是价值观念的差异，价值的分歧影响人们对于目标以及价值评价标准的看法，而从“教育评价的实践来看，达成价值一致存在三种基本的价值选择路径，即强制性的价值选择、竞争性的价值选择和协商性的价值选择”[①]。一旦整个目标和标准的制定不是通过协商的方式达成的，其价值的合理性就可能被质疑。突破目标德育评价的局限性的关键，就在于接受不同人群的价值评判，创建多样化价值标准的对话机制，使评价目标本身成为德育评价的一个重要部分。在对目标进行反思的同时也要注意关注德育结果的开放性与生成性特征，将学校德育工作的非预期效果纳入评价。

---

① 苏启敏．教育评价改革的价值选择路径探寻［J］．教育理论与实践，2012，32 (4)：27 – 31.

三、德育评价的“主观立场澄清”

人文主义的德育评价方式对于评价者本身有极高的要求，在评价者达到这一要求前，这种评价方式非常容易出现评价者以主观化的、偏向性的方式来评价学生和学校德育工作的情况，导致评价成为一种主观偏好，缺乏一定的科学性和严谨性。因而人文主义评价在方法上也要汲取科学化评价的优势，避免其主观化的误区和风险，需要将质性评价与量化评价相结合，使科学主义和人文主义在德育评价中实现合理的融合，优势互补，形成一种综合性评价机制。通过量化评价保障指标的可靠性，同时又对这种评价的客观性和有效性进行审慎反思；通过田野观察、深度访谈、焦点访谈等形式深化对数据的理解和解释，两者相互补充，相互印证。在技术层面上，充分利用技术进步带来的新的数据采集和分析技术，比如利用新媒体技术记录学生的道德发展过程，利用大数据技术追踪学生道德发展的轨迹等。

为克服人文主义德育评价的局限性，国内有学者倡导反思性道德评价，要求作为评价主体的教师主动“立足于自我之外，考察自己在教育教学过程中作出的道德评价，对自己赖以作出评价的观念、行为以及由此产生的结果，进行审视和分析”[①]。反思性道德评价在理论上尝试通过评价者的主体自觉，实现对德育评价的主观立场的超越，使评价建立在第三者立场上，实现更为客观和公平的德育评价。

四、德育评价的“伦理悖论”

德育评价本身是为了促进学生品德发展和学校德育工作效率的提升，

---

① 李先军．论反思性道德评价［J］．教育学术月刊，2009（11）：30－32.

但是却可能存在着“伦理悖论”。这也是德育评价举步维艰的原因。德育评价的“伦理悖论”体现在三个方面：

一是以统一的标准评价差异性道德成长带来的伦理问题。所有的评价都有评价标准，而用统一的甚至同一的标准来衡量所有的个体的理论假设，是认为所有人无差别地应该达到这一标准。这一理论假设预设了所有人都在精神上具有一致的理想状况，忽略了个体的多样性，将复杂多彩的人的世界抽象为一种同一性的存在。有学者形象地比喻：“兔子的寿命和乌龟的寿命在各自的细胞中确定。生命可能持续的时间是有机结构的一个维度。除了使用与两者都毫不相干的抽象之外，没有办法对兔子和乌龟的时间进行比较。人类已经采用了这种抽象，并且组织了一场竞赛来发现哪个先到终点。”[①] 这种同一性的标准，忽略个体差异，导致了普遍对个体、优势对边缘的支配关系，甚至可以说是“霸权”。这种同一性是以看上去的公平掩盖了背后的不公平。“用统一的标准来衡量辖区内所有的学校，衡量学校的所有学生。一把尺子丈量所有的学校、所有的学生，好像是公平的，实际上忽视了学校的差异和学生的差异，恰是最不公平的。”[②] 每个学生的自然秉性都是有差异的，在身体、认识、情感等各方面都有所不同；学生的社会和家庭环境间也有诸多不同，不同的家庭教养方式、不同的民风民俗都会对学生的价值观念和德性成长产生影响。正因如此，因材施教才会成为从古至今教育的基本原则。而标准化的评价内在地排斥这种差异性和因材施教的原则。从学校差异性而言，把结果作为评价学校德育开展情况的重要依据，不仅“助长了教育评价中工具理性的泛滥，而且还引发了教师间、学科间、学校间、区域间的无序教育竞争，严重削弱了教育系统的内部团结和教育事业本身的公共性

① 亚当．时间与社会理论［M］．金梦兰，译．北京：北京师范大学出版社，2009：96.

② 冯建军．测量时代的德育评价：难为与能为［J］．中国电化教育，2022 (1)：1 – 8.

和伦理性”[①]。也有学者提出追求量化的德育评价实际上是一种强势逻辑评价，呼吁警惕这种强势逻辑对学校教育的宰制，保护教育的公正，倡导批判性评价。闫光才说:“教育作为一项社会实践活动，它与外部的社会结构、权力和文化等资源间有着千丝万缕的联系。因此要体现教育的公正，教育评价就不能回避它的道德责任。故而，以教育评价的正当性分析为切入点，开展批判性评价，在现实的教育活动中，特别是在中国当代社会背景下，具有极其重要的社会现实意义。”[②]

二是以封闭、确定的标准考察开放、动态的道德成长带来的伦理问题。为了使评价要求清晰，同时具有可操作性，评价标准一般都是确定的。确定的标准具有封闭性，而学生的道德成长和学校的德育工作具有动态性和实践性。评价标准的封闭性会带来对道德发展和学校工作动态变化的压制。学生品德评价将目标转化为目标品德清单，忽视学生品德发展开放性状况。典型的课程教学目标评价模式以“预定目标—选择经验—组织经验—评价结果”这一线性过程连续展开，根据预设的指标来“对标对表”地评价整个过程，完全不考虑课堂教学的生成性和溢出效应，实际上是以封闭的目标为准绳的线性设计。“理想化”的物理运动基于自然科学假设，意在排除其他无关因素的干扰，以便获得完全精确的科学观察。因此，“理想化”运动本身就只是自然科学的研究工具，不是自然现实。当德育评价的整体逻辑按照线性的“理想化”运动设计时，必然与现实生活中人的复杂状况存在着距离，而这种“理想化”的预设排除了成长可能性。把人当作客观的物来对待，实际上就抹去了人的自由属性。因为自由首先就意味着人有各种不可预料的可能性。即使扩大评价的标准差异，采取多样化的评价方

---

① 石中英．回归教育本体：当前我国教育评价体系改革刍议［J］．教育研究，2020，41(9)：4－15.

② 阎光才．教育评价的正当性与批判性评价［J］．北京师范大学学报（社会科学版），2003(2)：124－131.

式，注重发展的过程等，也很难避免这种潜在的风险，因为封闭思维是蕴含在评价的标准化思维之中的。道德发展是学习者在教师指导下的自主建构活动，德育评价是对于学生品德“质量”的测量，这种测量逻辑背后，包含着将受教育者产品化、标准化的倾向。自主建构性的道德实践应该是受教育者主动地内化伦理规范，而德育评价可能造成外在指标对主动建构活动的一种“外在压迫与强制”，可能会带来德育的异化。如果德育评价异化为“教师通过量化评价对学生的预期行为进行控制。这种控制式的管理本身就是反道德的。从根本上说，道德是人的自主行为，道德教育应该是学生道德生活的自主建构。测评引发的道德控制，是以不道德的手段进行道德教育，最终培养的不是道德主体，而是顺从的、缺少独立人格的人。道德控制无助于学生道德的成长”①。

三是德育评价的外在性对德育和德育评价的本体价值的遮蔽。德育评价作为甄别、改进德育的一种手段，其实无法避免其外在性、工具性的价值，但是一味地强调工具性价值，甚至以工具理性遮蔽价值理性，就会使德育评价出现道德悖论，“造成道德本体价值的扭曲、学生道德自我的缺失、教师育人责任的弱化以及教育本身的道德性被遮蔽等诸多道德风险”②。过于强调工具理性的德育评价，也违背了德育评价本身的道德性。德育评价更应该突显评价的本体性功能，以德育评价促进人的道德发展。德育的评价要符合伦理性，在方法上需要“得法”。“所谓‘得法’，意味着道德评价没有最理想的方法，只有最适合的方法，意味着教育者首先应直面作为鲜活生命个体的学生，做到‘目中有人’，而不应任性选择或创造一种道德评价方法，更不应漠视道德评价应有的伦理精神而使学生沦为缺失主体性的工具理性存在，而这种漠视，实乃有一种迥异于无知的明知故

① 冯建军．测量时代的德育评价：难为与能为［J］．中国电化教育，2022（1）：1－8.

② 谢武纪．道德“育分”机制的伦理风险及其超越［J］．教育科学研究，2021（11）：78－83.

犯的意味。”[①] 方法上的“得法”，还需要考虑具有差异性的现实情境，重视不同的道德评价方法在不同时空中的应有价值，注重综合运用、优势互补，必要时可以根据情况对原有方法进行改造、合成，或因地制宜地创造新的方法。

第四节　德育评价的可能路径

随着智能时代的来临，大数据技术的日渐成熟，德育评价研究与实践也必然会走向新的发展可能。邹太龙等预见学校德育评价将在理念上实现从科学主义到人文关怀的转向、在旨归上实现从管理控制到育德成人的转向、在重心上发生从品德现状到德育质量的转向、在评价标准上发生从单一片面到多维立体的转向。[②] 徐洁等提出，智能时代的中小学德育评价应该聚焦多元发展构建德育评价目标体系、聚合多方力量打造德育评价主体系统、镶嵌多维场域驱动德育评价内容的多源互补、采用多元诊断促进德育评价方法的复合化。[③]

从 1989—2022 年德育评价研究时间线视图（图 3–2）可以看到，多元主体评价、多元评价方法、人文评价、大数据评价正在成为德育评价研究领域的最新热点，这也预示着德育评价研究的可能路径。学生道德发展的整体性、情感性和内隐性以及学校德育工作的复杂性、长期性、反复性，决定了德育评价研究与实践是非常有挑战性的工作。为了使德育评价能够

---

① 尹伟．道德评价的前提性反思［J］．教育研究与实验，2018 (6)：29 － 33.

② 邹太龙，刘天琪．大数据支持下学校德育评价的时代转向及其反拨机制［J］．中国教育学刊，2021 (12)：91 － 97.

③ 徐洁，尹鑫，陈含笑．智能时代中小学德育评价变革探析［J］．教育学术月刊，2022 (4)：106 － 112.

真正促进学生品德发展和学校德育工作的改进，可以尝试多元主体参与、多元方法融合、注重情境表现性评价以及充分利用现代技术等，真正发挥评价的育人功能。

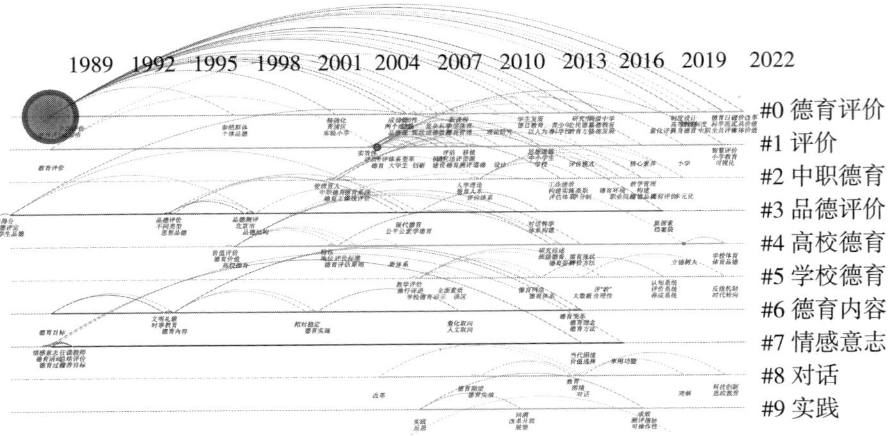

图 3-2　1989—2022 年德育评价研究时间线视图

一、德育评价主体的多元化与深度参与

评价主体作为评价活动的利益相关者，既可以是参与评价活动的个人，也可能是参与评价的团体。泰勒主导的著名的“八年研究”（1934—1942），只把专家作为评价主体，学校教师并不参与评价，学生更是作为评价对象被动地接受评价。这样的评价模式在后期遭到越来越多的批评。因为专家作为单一主体的评价，很难全面反映被评价者的实际状况，被评价者在评价过程中处于被动状态，容易出现轻视、回避、应付等现象，影响评价效果。自 20 世纪 70 年代始，西方教育评价研究者们就开始探索多元评价的理念及实施。美国评价学者派特（M. Q. Patton）最早提出了“多元主体参与”的想法，倡导“使用定向评价”，认为应该将需要使用评价信息的各方面人员都邀请到评价中来，提出评价意见和要求，以便评价结果能够满足使用需求。继派特后，柏若克（A. S. Byrk）提出了“相关人员为本评价”，将评价相关人员的范围扩大为所有参与评价的人员，但是这些相关人员仅

限于参与评价设计和结果报告环节的人。加拿大学者柯森斯（J. B. Cusins）和俄利（L. M. Earl）于 1992 年提出“参与评价模式”，进一步拓宽了多元主体的参与范围，认为应该让参与者直接进入评价过程中的每一个环节。1994 年费特曼（D. M. Fetterman）提出“使能评价”。相比以往的多主体参与评价，“使能评价”不仅让更多的利益相关者参与评价过程，而且保证相关者最大限度地参与评价的全过程，特别强调深化他们对评价的理解。他认为通过这种扩大性参与，可以提升相关者的评价能力，以充分发挥评价的教育功能。

多元主体参与德育评价，可以改变评价者与被评价者的地位。两者由评判与被评判的关系转变成了合作、协商的关系。“评价者与被评者关系的转变，使他们之间形成了一种‘联结机制’，这种‘联结’有利于双方的沟通与理解，建立彼此的信任，清除评价过程中的各种障碍。”[①] 同时，多元主体评价，可望打破评价者与被评价者的固化角色，所有参与者都扮演着“评价的协调者、评价的指导者、评价的促进者”三重角色。评价者对于被评价者提供指导和帮助；被评价者以“评价主体”的身份参与其中，可能深化对于评价标准和评价过程的理解，形成对于评价的系统认知，同时建立起自身对于评价的认同感和责任感，以更加诚实、积极的态度参与评价过程。

评价主体的多元化和深度参与可以为德育评价带来三个相互关联的优点。第一个优点在于，多元主体评价融合多元视角，吸纳不同参与者在文化背景、思想观念、价值取向等方面的差异，因而能够纠正和避免单一评价主体所产生的评价的片面性和倾向性，避免评价中的价值立场偏颇和因地位悬殊而产生的矛盾。当下教育评价中的矛盾，“究其根源在于教育评价的价值基础，原来基于强势主体价值的教育评价难以适应多元价值的教

① 蔡敏．论教育评价的主体多元化［J］．教育研究与实验，2003 (1)：21 － 25.

育现实”[①]。显然，多元主体参与可以有效缓解这一矛盾，更好地适应多元价值时代的评价需要。第二个优点在于，多元主体评价可以让参与者更加透彻地了解评价的整个过程，对于其中存在的问题及时进行协商讨论，尤其是学校的相关参与者能够及时将评价过程的缺点和不足反馈出来，针对具体的问题进行完善，不仅使评价能够更加真实而全面，同时也使评价与学校德育工作的改进一体化。第三个优点在于，多元主体评价邀请评价信息的使用者参与其中，能够提高评价结果的使用效果。“许多研究结果显示，信息使用者参与评价过程的深度和广度是影响评价结果使用的关键因素，他们与评价组织者接触的次数、形式和内容都与信息使用的效果密切相关。”[②]被评价者参与其中，感受到自己被尊重、被倾听、被理解，评价不再是一种外在的强加任务，变成一种内部的自觉学习和反思方式。

在多元主体参与和协商式对话的背景下，第三方评价日益受到重视。第三方评价由政府部门和学校之外的第三方机构实施，是一种去行政化、低利益关涉的评价方式。“此种评价充分尊重并利用学校自我评价的结果，将评价主体和被评价主体置于平等、协商和对话的位置上，更利于学校呈现其常态。”[③]

二、德育评价方法的多元尝试

在教育评价领域的方法体系中，一直存在着理性主义立场的实证量化和人文主义立场的质性研究之争，更有甚者将两者视为独立乃至对立的方

① 戚业国，杜瑛．教育价值的多元与教育评价范式的转变［J］．华东师范大学学报（教育科学版），2011，29（2）：11－18.

② 蔡敏．论教育评价的主体多元化［J］．教育研究与实验，2003（1）：21－25.

③ 陈惠英．协商对话式外部评价的内涵与实施［J］．中国教育学刊，2015（4）：38－42.

法体系,“要么强调实证,要么强调人文,非此即彼,把两者看成对立面”[1]。然而，无论是实证量化的评价还是质性研究都各有所长也各有所短。而且，学生道德发展的整体性、动态性，学校德育工作的复杂性与系统性，使任何单一方法都具有相对的局限性。打破单一的评价方法，融合多元研究视角，“设计多元评价领域与个性化评价标准、提供展示学生问题解决与创造能力的多种情境、运用多元聚合性的评价方法和评价过程动态化”[2]，成为优化德育评价的必然趋势。

很多学者对德育评价方法的改进作出了卓越的探索。肖鸣政从评价方式的角度提出整体印象评判法、操行评语鉴定法、操行加减评分法、积分测评法、加权综合测评法、模糊综合评判法、评分评等评语测评法、考试考核测评法、写实测评法、工作实践考查法等十种方法。[3]夏子厚借鉴多元智力理论，从适应不同智能的角度提出了成长手册评价、表现性评价和利用现代教育技术进行的评价。[4]谢新观和肖鸣政依据量化研究和质性研究理论,对常用的量化和质性德育评价方法进行了分类,将观察法、调查法、写实法、自述法、评语法、等级评定法归纳为质性评价方法,将加减评分法、综合测定法、自报公平法和集体评价法归为量化评价方法。[5]

跳出单一框架的限制，以多元化的理论创新德育评价方法。对现有德育方法兼收并用，既通过量化的测验来收集德育评价所需要的量的数据，也收集通过描述方式提供的“质”的材料，在学生道德评价中，要注重能

---

① 王景英,梁红梅.后现代主义对教育评价研究的启示[J].东北师大学报,2002(5):112－118.

② 张宪冰,朱莉,袁林.从单一走向多元化:论学生评价方式的转换[J].当代教育科学,2011(24):7－9.

③ 转引自鲁洁,王逢贤.德育新论[M].南京:江苏教育出版社,2002:560－561.

④ 夏子厚.对多元智能理论构建德育评价体系的探讨[J].教学与管理,2006(33):65－66.

⑤ 谢新观,肖鸣政.德育测评的理论与技术[M].北京:光明日报出版社,1994:64.

够体现真实情境特点的表现性评价，如档案袋评价。档案袋评价以建立个人成长档案的方式对学生道德成长进行评价，可以全面地反映学生的道德成长的累积性和动态性。“档案袋的最大优点，就是它为教师提供了其他评价手段无法提供的很多有关儿童学习与发展的重要信息。档案袋有效地促进了教育与评价的有机结合。档案袋十分注重评价过程中学生的参与。”[①] 档案袋能够系统收集展示学生在认知、情感、态度等方面发展的材料，可以动态追踪学生发展的过程。为儿童的道德成长建立档案袋，全面地记录儿童的课堂表现、课外活动、公益活动等，同时结合新兴网络技术，可以进行线上线下档案袋的结合。学生、家长和教师可以随时随地登录线上档案袋平台，上传自己的材料、心得体会以及日常信息等，并进行多主体和多元化的点评。无疑，网络技术大大缩减了档案袋评价中的教师工作量，而且使更多人可以参与到学生的道德评价和学校的德育工作中来，使评价更具有公开性和展示性，更好地实现评价与德育的一体化。

多元聚焦的评价方法意味着提炼出评价的核心要素，将多元方式方法相融合，进行德育评价。“所谓多元聚焦是指在分析所要评价的事物或现象之评价特性的基础上，分解出主要的测评要素，依据测评要素的性质选取两种教育评价方法论中派生的多种评价方法和技术，从评价情境的不同成员（包括评价对象和其他评价相关人员）中收集评价对象在某一测评要素上的相关信息，然后综合各种价值主体的评价结果，剖析各个测评要素的评价信息汇聚情况，最后作出整体的评价结论。”[②] 多元聚焦方法可以综合运用多种方法、更为全面地反映评价对象的情况，围绕不同评价方法之间的整合、统一，实现定量与定性、测验与真实情境的结合，从而实现各种德育评价方法之间的取长补短，促进评价的科学性和有效性。

---

① 徐芬，赵德成．档案袋评价在中小学教育中的应用［J］．教育研究与实验，2001(4)：50－54.

② 严芳．教育评价多元聚焦方法及其应用［J］．教育发展研究，2003(10)：71－73.

三、注重真实情境的表现性评价

为了避免德育评价中“知、情、行不一致”的情况，克服测验性评价中的知识化倾向和弊端，测量出学生在真实世界中的道德表现，注重真实情境中理解应用能力的表现性评价日益受到关注。表现性评价始于测验性评价中的情境性问题编制。在“八年研究”期间，泰勒研发了基于情境的测验编制技术，“不仅采用传统选择题测验考查学生对知识信息和定义的记忆，而且基于教学目标、结合生活情境编制包括非纸笔形式在内的多样化测验题目，考查学生的理解、推理、解释和应用等复杂能力，在生物、物理、化学、哲学、数学、会计和历史等多个课程中取得了突破性进展”[①]。20 世纪 80 年代建构主义学习理论强调以解决现实生活中问题为目标，以真实性任务驱动教学，这促进了表现性评价的发展，使它逐渐补充或者替代传统标准化测验。表现性评价以“表现性任务”为载体，基于真实情境对于学生完成表现性任务的过程和表现情况进行观察和评估，目的在于改进教学、促进学生发展。表现性评价中的情境可以是真实的日常生活情境，也可能是日常生活情境的模拟；表现性任务的形式非常多元，除了纸笔测验形式之外，还有辩论、模拟表演、情境表现、社会调查以及项目完成等多种形式；表现性评价可以单独进行，也可以嵌入课程教学和实践之中，使用非常灵活。“表现性评价则能够使道德评价回归到实际情景和生活中，强调在教学过程中对学生的道德进行评价和培养，不仅关注学生对道德知识的掌握，还通过观察学生一系列的道德行为表现来检测和分析学生在道德认知、道德情感方面的发展状况。因此表现性评价更加地凸显出在‘立

---

① 赵德成. 表现性评价历史、实践及未来［J］. 课程 · 教材 · 教法, 2013, 33 (2): 97 – 103.

德树人’的时代背景下，其对学校德育的重要价值和意义。”[①]

表现性评价能够相对有效地测量知情意行等的整体表现，对于德育评价而言非常重要，能够在一定程度上弥补传统测验方式进行德育评价的明显缺陷，具有非常明显的优点。首先是评价的“真实性”。表现性评价贴近现实的生活和真实的教育教学情境，表现性任务与现实生活具有高吻合度，强调通过观察学生在真实情境的真实表现进行评价。这使德育评价贴近学生的真实生活表现和德育工作现实，因而较好地解决了德育评价与学生真实表现脱节的问题。其次，表现性评价是“多维整体”评价。表现性评价通过完成真实任务来进行，学生会综合性地运用认知、情感、态度，将自身完整地投入到任务中去，展现活生生的人的整体情况，因而很好地解决了传统德育评价只关注学生的单一因素带来的问题。最后，表现性评价是一种持续性的开放评价，它与学生的日常生活和德育工作的开展过程融为一体，“能体现持续性、过程性和综合性特点的评价理念和方式，它强调对儿童学习全貌的关注，记录儿童的学习和成长过程，从不同视角对儿童学习的不同方面和不同层次进行描述和评价，贯穿于儿童学习和发展过程的始终”[②]。所以表现性评价的开放性理念，改变了传统德育评价的确定性和总结性倾向，这也正是与学生的道德成长和学校德育工作的实践性特征一致的。基于以上情况，表现性评价可以更好地实现德育评价的本真目的。

但是表现性评价要想达到以上效果是有条件的。它需要评价者设计合适的任务激发学生的真实情境表现，这要求任务一方面与学生的真实生活情境具有一定的联系，另一方面又能够与真实情境有一定的差异，具有一定的典型性，这样才可能具有针对性。同时，由于学生在任务情境中的表

① 苏超举，刘佳．表现性评价在学生道德评价中的应用［J］．教学与管理，2019 (27)：73 － 75.

② 霍力岩，黄爽．表现性评价内涵及其相关概念辨析［J］．西北师大学报（社会科学版），2015，52 (3)：76 － 81.

现是开放复杂的，为了使表现性评价真正有效，还需要评价者设定基于表现性任务的评价标准，这意味着要在综合性的表现中提炼出能够反映学生综合道德素养和学校德育工作实际情况的要素、指标，同时对这些指标要有恰当的分析技术。表现性评价的难点在于表现性的情境是嵌套于复杂多变的时空和社会条件中的，在评价过程之中会有很多变量或细节难以控制，而且在强调表现的真实性的同时，表现性评价容易停留在表现的外在层面，无法对其内隐性机制进行深入的揭示，导致“评价其实只是关注了真实性评价的外在方式，而缺失了对这些任务所指向的潜在建构性质或特征的认识或理解”①。

四、新技术视域下的德育评价改进

新兴技术正在改变着人们的思维、学习和生活方式，对于教育评价也产生着重大影响。基于新的时代背景，随着对区块链、大数据、人工智能在教育评价中的应用的探索，德育评价也应该迎来技术改进优化的新可能。

（一）区块链技术的引入：精准画像和学分银行

区块链是构建在点对点网络上的全新分布式基础架构与计算范式。它利用链式数据结构来验证并存储数据，利用分布式节点共识算法来生成和更新数据，利用密码学的方式保证数据传输和访问的安全，利用由自动化脚本代码组成的智能合约来编程和操作数据。区块链的核心是通过去中心化的、高信任的方式集体维护一个可靠数据库的技术方案。数据库中的每个区块都包含着系统的全部数据信息，通过数字签名验证信息的有效性和完整性，通过密码学原理链接到下一个区块并形成一条主链，即区块链。

① 杨向东．“真实性评价”之辨［J］．全球教育展望，2015，44 (5)：36－49.

区块链技术并非一个单一技术，而是包括共识机制、密码学原理和分布式数据存储的综合性复杂算法。共识机制强调各节点基于共同准则，对相关数据或流程达成一致；密码学原理强调运用非对称数字加密技术来保障系统的安全；分布式存储强调参与的节点各自都能够独立、完整地存储数据。这三者联合作用，形成了一种新的信息分析技术。

相对于传统的信息分析技术，区块链技术的优势是明显的。第一，去中心化与分布存储保证了数据传输的高效性。区块链是由众多节点共同组成的点对点网状结构，不依赖第三方中介平台或硬件设施，没有管制中心。区块链的分布式账本技术，以弱中心、多中心，甚至是去中心的方式来记录和存储数据信息，能极大地削弱或去除中心节点的数据管理权限，各个节点之间直接实现数据信息的自我验证、传递和管理，这极大地提高了数据传输的速度与效率。数据在每个节点互为备份，各节点地位平等共同维护系统功能，因此不会因为任意节点的损坏或异常而影响系统正常运行，使得基于区块链的数据存储具有较高的运行可靠性。第二，高度加密与防伪溯源提升了数据的安全性和可追溯性。数据加密主要通过对称或非对称两种方式实现。对称加密是以往信息技术领域通常采用的加密方式，即加密和解密采用同一个密钥，难以保证加密数据的高度安全性。区块链技术采用非对称加密算法，即数据加密和解密分别使用公开密钥和私有密钥，而且必须配对使用。公开密钥为区块链网络上所有人可知密钥，确保了账本信息的透明性；私有密钥只有持有人可知，又极大地确保了数据隐私信息的高度安全性。另外，区块链上每一次数据信息的录入与存储，都会形成对应的时间戳，区块链中的数据信息全部存储在带有时间戳的链式区块结构里，具有极强的可追溯性和可验证性。第三，共识机制与不可更改。共识机制指网络中所有节点间达成共识的认证原则，它认定一份交易信息的有效性，保证信息的真实可靠。由于发生于区块链上的所有操作，都需要用户的数字签名，而且一旦录入到区块链上，任何人都不能否认、删除、篡改和逆转，所以共识机制可以减少虚假信息录入的发生。

由区块链技术的优势可以看出，它可能对德育评价带来巨大的改进。一是可以实现海量数据的真实记录和长期保存，实现数据记录和修改的有效溯源，区块链透明、不可篡改等特性，使得德育结果与过程真实、可信，可极大提升德育评价的信度；二是进行德育评价的“精准画像”，区块链技术支持为每个学校、每位老师、每位学生建立“数字成长档案”，通过数据记录表现，呈现动态的专业发展过程；三是驱动学校、学生、家长、企业、社会多元主体共同参与评价，通过分布式账本技术，打破评价信息孤岛现象，进行数据和评价成果共享；四是可以支持“学分银行”的建立，保障在开放教育环境下的学习成果互认，使各类学习经历和成果，能够被连续地记录并得到相对有效的认证与等值转换，并可以构建跨学校、跨区域的学分银行，对于学习者在不同时间、不同空间的学习予以记录和认证；五是可以让数据安全性得到极大的提升，在一定程度上为德育评价伦理问题的解决提供了技术可能。

（二）大数据支持：数据密集型评价和立体可视化反馈

大数据和人工智能，开启了图灵奖获得者詹姆斯·格雷（James N. J. Gray）所说的数据密集型研究方式，也促进德育评价走向智慧化。它“在教育活动监测上实现了时间维的连续性、空间维的全域性和价值维的多元性，相应地，对教育大数据的识别和采集也突破了时空和类型限制，海量实时性强、真实度高、颗粒度细和内容广泛的教育评价依据全面汇聚，利于打破单一评价类型，使教育评价更加科学多元”[①]。德育评价同样如此。大数据技术支持下我们可以获得海量的数据，而且可以对海量的数据进行动态捕捉和深度挖掘，从动态轨迹和数据关联中进一步分析学生的道德情况和德育工作的进展状况，及时提供对于教和学的反馈，由此“教育评价

---

① 朱德全，吴虑．大数据时代教育评价专业化何以可能：第四范式视角［J］．现代远程教育研究，2019，31（6）：14－21.

与教育教学活动不再是线性关系，而是构成一个反复迭代的循环回路，其能促使教育成为一个‘自我纠正系统’，真正实现以评促改、以评促教、以评促学、教学评合一”[①]，带来智能时代德育评价的全面升级。

大数据技术不仅方便进行全面性测量、全员性关照、全域性覆盖，而且可以结合生物信息技术、虚拟现实技术、情境感知技术、贝叶斯知识追踪模型等，对于学生进行诊断分析，准确判断学习者的学习状态、思维方式、认知偏好、情感倾向、知识结构，精准定位学习的薄弱点和掌握情况，描绘学生个性化学习的“肖像”，动态追踪学习的整个过程。大数据技术借助“Experience API（x API）技术、wiki 技术能够精细化记录与采集真实和虚拟学习中每位学习者的学习行为特征数据，存储和检索可扩展的学习记录、学习者信息和学习经历档案，如学习交互、学习进度、学习时间和频率、学习轨迹、情感表现、任务用时等复合化数据”[②]，使学生的整个学习过程得到精准的深度描述。大数据技术通过内嵌式采集学生在真实情境下的数据，配合内置的统计软件，开展学生学习轨迹的动态描绘，进行学习过程纪实，加强过程性评价，从动态轨迹和数据关联中进一步分析学生的学习情况，不断完善个体学情图谱，动态感知和反馈个体需求，生成可视化的分析结果。这种对个体成长情况的动态追踪，对个体发展数据轨迹的深入挖掘，以及同步进行的样本持续性采集和精准匹配推送，完成了有针对性的个体化反馈，实现了对于学生生命发展的差异性关照。德育评价可以依托大数据技术，并综合多元的评价方法，多维度、多层次地收集学生多方面的数据，并利用数据挖掘技术，洞察数据所隐藏的潜在信息，分析和预测学生的品德发展状况和学校德育工作的进展，并作出即时的解释性反馈。

---

① 朱德全，吴虑．大数据时代教育评价专业化何以可能：第四范式视角［J］．现代远程教育研究，2019，31（6）：14－21．

② 吴虑．大数据支持下学习评价的价值逻辑［J］．清华大学教育研究，2019，40（1）：15－18．

第四章
德育评价的实践历程

中国德育评价的发展，分为两个层面，一是作为科学研究领域的德育评价研究的进展，如前三章所述及的问题，二是作为中国德育评价实践的进展，包括国家、区域和地方以及学校层面的德育评价实践。这是相互独立同时也有着密切联系的两条线。一方面，理论的研究因其科学性品质，在一定条件下可能会通过影响国家和地方德育政策而对德育评价的实践产生影响，也可能通过直接参与到学校教育改革中而对某些学校德育评价体系产生影响。另一方面，德育科学研究与德育实践属于不同的领域，遵循不同的路径，追求不同的标准，故两者间也存在着一定的距离。因而，前述中国德育评价的理论探索无法代表中国德育评价的实践历程。实践总是扎根于一定的文化、社会生活情境中的，是活生生的，它遵循的不完全是科学规律，而是实践逻辑。

本章是对中国德育评价实践的发展进程的立体综合梳理。立体指我们把德育评价实践看作国家、地方和学校共同参与的由宏观到微观的一体化工程，综合指德育评价实践不只是教育领域的事，也不仅是道德评价，而是综合政治、思想、道德和心理品质的精神评价，是整体社会精神文明建设事业的一个环节。中国教育整体上是中央统一领导下的集中管理模式，这使国家、地方和学校的教育行动从上到下体现出某种一致性特征；同时，由于我国是地域辽阔的统一的多民族国家，多元的文化与生活境遇也使得这种一致性只能在与地方和学校的多样性融合中呈现，从而出现一致性与多样性并存的局面。可以说，实践中的德育评价的一致性是中国精神与道德建设保持文化的内在团结和中国特色的重要力量，而多样化为中国文化保持着内在活力。

第一节　作为精神文明建设的德育评价

前文在梳理社会学视角下的道德评价时，讨论了高调的社会道德奖惩可作为社会精神和文化建设的形式，在这一意义上，社会德育工作作为我国精神文明建设的重要环节或形式，对不同历史时期的国家文化和精神建设起着重要作用。中国文化是尚德的文化，道德奖惩自古代起就是中国伦理建设的重要方式。新中国成立后，道德奖励以国家最高荣誉的形式被继承下来。1986 年中共十二届六中全会审议通过了《中共中央关于社会主义精神文明建设指导方针的决议》，对社会主义精神文明建设的相关问题作出明确规定。依据此决议，社会主义精神文明建设“必须是推动社会主义现代化建设的精神文明建设，必须是促进全面改革和实行对外开放的精神文明建设，必须是坚持四项基本原则的精神文明建设”；社会主义精神文明建设的根本任务，“是适应社会主义现代化建设的需要，培育有理想、有道德、有文化、有纪律的社会主义公民，提高整个中华民族的思想道德素质和科学文化素质”；社会主义精神文明建设“渗透在整个物质文明建设之中，体现在经济、政治、文化、社会生活的各个方面。加强精神文明建设，不单是思想文教部门的任务，而且是各条战线和一切部门的任务，是全党全军和全国各族工人、农民、知识分子和其他劳动者、爱国者的共同的长期的任务”。

进入新时代后，习近平总书记屡次强调“坚持依法治国和以德治国相结合”，道德评价作为国家治理智慧进入中国的现代生活。当然，随着中国精神文明建设的发展变化，作为精神文明建设的德育评价内容、形式、范围不断与时俱进，由最初对革命精神、阶级情感的强调逐渐转变为承载时代精神的道德模范的评选，这一转变历程与中国道德建设的进程同步。本节以国家层面具有代表性的国家模范人物评选、专项道德模范表彰及全国好少年评选为例，从方式及类型、标准及内涵、社会影响三个层面概略梳理新中国作为精神文明建设的国家道德评价实践的发展进程，从一个侧面呈现我国，特别是近期精神文明建设的立体实践网络。

一、国家模范人物评选

中国历来注重先锋模范人物对民风建设的重要作用。新中国成立后，尽管不同时期国家精神文明建设任务的重点和道德标准会发生变化，但推举优秀人物作为全社会学习的榜样，通过模范人物推进国家精神和道德建设的做法一直被保留下来。也正是由于各种模范人物的评选对社会主流道德风尚具有积极的推动作用，在丰富多彩的模范人物评选中，道德标准一直是重要内容，甚至可以说是首要标准。当然，在国家的不同历史时期，时代精神不同，道德标准也会发生相应变化。按照类别，模范评选可以分为英雄、普通劳动者和行业先进等类别。国家模范人物的评选，实际上为不同历史时期的精神文明建设工作树立了可资学习的榜样，充实了广大民众的精神生活，也促进了时代精神的形成。

（一）英雄模范评选与革命精神

新中国的诞生是英雄的鲜血换来的。第一个国庆节前夕，为纪念为国捐躯的烈士，天安门广场举行了人民英雄纪念碑奠基仪式。1958 年 5 月 1 日人民英雄纪念碑揭幕，成为永远屹立在中国人民心中的英雄精神丰碑。每个国庆节前国家领导人都会代表人民向英雄致敬，缅怀先烈。2015 年 9 月 2 日，习近平总书记在颁发“中国人民抗日战争胜利 70 周年”纪念章仪式上说："一个有希望的民族不能没有英雄，一个有前途的国家不能没有先锋。包括抗战英雄在内的一切民族英雄，都是中华民族的脊梁，他们的事迹和精神都是激励我们前行的强大力量。"新中国成立后一直保留的英雄模范表彰活动，既是对为国家建立和建设作出巨大牺牲和突出贡献的杰出人物的肯定，更是继承和发扬英雄精神的一种方式。其中最为重要和有代表性的是对革命英雄的表彰以及和平时期见义勇为英雄模范的表彰。

1. 革命英雄表彰

1950年9月25日，全国战斗英雄代表会议在北京举行，360名代表参会，共表彰战斗英雄258人，包括女英雄10人，还有民兵英雄43人，他们都是战功卓著的革命英雄。他们在各自的战斗中英勇杀敌，不怕牺牲，具有大无畏的革命精神。当时毛泽东等国家主要领导人都为大会题词，毛泽东的题词是："战斗英雄们，你们是人民解放军的模范人物，希望你们继续努力，更加进步，为建设强大国防军而奋斗！"[①]

之后国家整体进入和平时期，对战斗英雄的表彰在部队中保留下来，成为军事领域的最高荣誉。2019年中共中央办公厅、国务院办公厅发出通知，提出在全国范围内广泛开展"最美奋斗者"的评选和学习宣传活动。此次获得表彰的"最美奋斗者"包括各个历史时期、各行业和各领域的优秀代表，邱少云、罗盛教等战斗英雄入选。

2. 全国见义勇为英雄模范（群体）表彰

全国见义勇为英雄模范表彰于1988年由中宣部和公安部联合发起，中央政法委、中央军委政法委、中华全国总工会、共青团中央、全国妇联等部门大力支持，每两年举行一次。活动立足倡导见义勇为精神，弘扬中华传统美德，培育知荣辱、讲正气、作奉献、促和谐的良好风尚，把扶正扬善、扶危济困、见义勇为的榜样力量转化为人民群众的生活实践。自活

---

① 中共中央文献研究室，中国人民解放军军事科学院．建国以来毛泽东军事文稿：上［M］．北京：中央文献出版社，2010：221.

动发起以来，白雪洁等1300多名见义勇为英雄模范得到表彰。这一表彰不仅限于公安系统，也面向普通人民群众，是和平年代非军事领域对具有勇敢品质、坚持正义、为保护人民利益而作出杰出贡献的人的表彰。这一表彰活动对弘扬社会正气，激励广大人民奋发图强，认真践行社会主义核心价值观起到了重要作用。

（二）劳动模范表彰与劳模精神

如果说战斗英雄和见义勇为表彰的焦点为正义和勇敢，需要在特殊事件中才能更好地体现的话，对普通劳动者的国家表彰则是一个涉及范围更广的奖励。其中以全国五一劳动奖章和奖状为国家最高奖。全国劳动模范是党中央、国务院授予在社会主义建设事业中作出重大贡献者的荣誉称号，目的是弘扬劳模精神、弘扬劳动精神、弘扬中国工人阶级和广大劳动群众的伟大品格。

全国劳动模范和先进工作者的表彰从1950年开始，第一次表彰与上述全国战斗英雄代表会议同日举行，受表彰的有464人。截至2020年类似的表彰共进行了16次，具体情况如表4–1所示。1989年后此类奖励更为规范，调整为每5年一次，在五一劳动节前进行，个人奖项授予称号为“全国五一劳动奖章”，集体获奖表彰形式为颁发“全国五一劳动奖状”。

表4–1　全国劳动模范和先进工作者表彰会议情况

年份	会议	荣誉及人数
1950	全国工农兵劳动模范代表会议	“全国劳动模范”称号　464人
1956	全国先进生产者代表会议	“全国先进生产者”称号　4703人
1959	全国群英会	“全国先进生产者”称号　3267人
1960	全国文教群英会	“全国先进工作者”称号　2686人
1977	全国工业学大庆会议	“全国先进生产者”称号　385人

续表

<table>
<tr><th>年份</th><th>会议</th><th>荣誉及人数</th></tr>
<tr><td>1978</td><td>全国科学大会</td><td>“全国先进科技工作者”称号　1213 人</td></tr>
<tr><td>1978</td><td>全国财贸学大庆学大寨会议</td><td>“全国劳动模范”和“全国先进生产者”称号　381 人</td></tr>
<tr><td>1979</td><td>工业交通、基本建设战线全国先进企业和全国劳动模范大会</td><td>“全国劳动模范”称号　222 人</td></tr>
<tr><td>1979</td><td>农业、财贸、教育、卫生、科研战线全国先进单位和全国劳动模范大会</td><td>“全国劳动模范”称号　340 人</td></tr>
<tr><td>1989</td><td rowspan="8">全国劳动模范
和先进工作者表彰大会</td><td>“全国劳动模范”和“全国先进工作者”称号　2790 人</td></tr>
<tr><td>1995</td><td>“全国劳动模范”和“全国先进工作者”称号　2877 人</td></tr>
<tr><td>2000</td><td>“全国劳动模范”和“全国先进工作者”称号　2946 人</td></tr>
<tr><td>2005</td><td>“全国劳动模范”称号　2124 人</td></tr>
<tr><td>2010</td><td>“全国劳动模范”称号　2115 人</td></tr>
<tr><td>2015</td><td>“全国劳动模范”称号　2064 人</td></tr>
<tr><td>2020</td><td>“全国劳动模范”称号　1689 人</td></tr>
</table>

国家给劳动模范最高表彰，不仅是对这些获奖者的极大鼓励，更体现了国家对劳动人民的尊重。这一点在新中国成立初期意义尤其重大。第一代劳动模范中包括掏粪工人时传祥，这个在旧社会被蔑称为“屎壳郎”的工作者，在新中国获得最高荣誉，得到毛泽东主席的接见。这一巨大对比以事实说明了新中国是劳动人民的国家，是尊重普通劳动者的国家。毛泽东主席非常重视劳动模范的评选工作，曾经讲到劳动模范具有带头作用、

骨干作用、桥梁作用。[1] 随着时代的发展，改革开放后，知识分子作为普通劳动者的身份受到重视。到 2000 年，参加全国劳动模范和先进工作者表彰大会的劳模，大专以上学历的已经占到当年劳模总数的 50%以上，其中具有硕士学位、博士学位的也不乏其人，还有科学院、工程院院士 19 名。这一方面预示着中国社会劳动者队伍知识素养的变化，另一方面也体现着中国社会对知识和高科技人才的重视。

特别需要注意的是，劳动模范表彰中评选出的当然是在各行各业各自岗位上为国家的建设作出了卓越贡献的劳动者，但也不仅限于此，更为重要的一点是当选的劳动模范的身上有着可贵的道德品质，这也是劳模评选的首要标准。国务院于 1989 年 4 月发布的《关于召开全国劳模和先进工作者表彰大会的通知》首先明确规定劳模必须“热爱祖国，坚持四项基本原则，拥护改革开放总方针”，而后才公布具体评选条件，满足在某一方面作出重大贡献条件者方可入选。这个评选标准基本延续到现在。可见劳动模范的评选是有思想道德要求的，甚至可以说首先要思想道德达标，然后才看是否达到有重大贡献这一条件。2015 年 4 月 28 日，在全国五一劳动奖章颁发前夕，《人民日报》刊发社论《用劳动续写光荣与梦想》，号召获评劳动模范的同志继续做坚定理想信念的模范、勤奋劳动的模范、增进团结的模范，大力弘扬“爱岗敬业、争创一流、艰苦奋斗、勇于创新、淡泊名利、甘于奉献”的劳模精神，明确了劳模精神的内涵，这也成为以后劳动模范评选的道德标准。由此可见，国家对劳动模范的表彰，是对其在某一行业中突出贡献的肯定，更是对其道德品质的肯定。正是劳动模范身上的精神，唤起群众对他们的敬重和向他们学习的内在动力。

---

① 中共中央文献研究室．毛泽东文集：第六卷［M］．北京：人民出版社，1999：95－96.

（三）行业先进表彰

进入 21 世纪后，随着中国社会主义建设的不断推进，精神文明建设的工作也不断深化，除全国劳动模范的最高奖励外，结合各行业的特殊需要，国家不断推出行业性的全国先进奖励，如全国优秀新闻工作者、全国优秀记协工作者、人民满意的公务员、人民满意的公务员集体、全国模范教师等，在各行业优秀人员的表彰中，突出各自职业道德要求，对各行业的发展起了很大的激励和推动作用。

2004 年中共中央组织部、中共中央宣传部、中央文明办、人事部联合发布《关于开展评选表彰“人民满意的公务员”和“人民满意的公务员集体”有关工作的通知》，在主要内容部分明确，“以‘为人民服务，让人民满意’为主题，把对公务员的教育引导与评选表彰工作有机结合起来，进一步推进公务员队伍建设。表彰工作重点围绕三个方面的内容：一是加强宗旨教育，牢固树立执政为民的观念，引导广大公务员树立正确的世界观、人生观和价值观；二是强化公仆意识，引导广大公务员深入实际、深入基层，密切联系群众，脚踏实地为人民群众办实事、办好事；三是加强公务员能力建设，引导广大公务员不断提高依法行政和公共服务的水平，树立清正廉洁、公道正派的良好形象，努力做人民满意的公务员”。此文件将世界观、人生观和价值观作为首要标准，突出“为民服务”和“公仆意识”的核心要求，以清正廉洁、公道正派的公德形象为最高追求，可以说是公务员的职业道德要求。

对 2007 年全国新闻工作先进集体、全国优秀新闻工作者和全国优秀记协工作者的表彰中，提到他们忠诚于党的新闻事业，围绕中心，服务大局，坚持党性原则，坚持正确导向，落实“三贴近”要求，努力提高舆论引导水平；继承和发扬党的新闻事业的优良传统，坚守社会责任，弘扬职业精神、恪守职业道德；热爱新闻工作，兢兢业业、任劳任怨，恪尽职守，无私奉献。这里对新闻工作者的要求可以分为两个层面，一是对党的忠诚，二是对工作的热爱和奉献。

2007 年 4 月，人事部、教育部作出决定，由于海南师范大学生物系教师郭力华同志多年来忠于职守、爱岗敬业，教书育人、为人师表，授予他“全国模范教师”荣誉称号，同时号召全国教育系统广大教师和教育工作者向郭力华同志学习。尊师重教是中国的文化传统，教师工作的特殊性使得全社会对教师职业寄予更高的道德要求。对郭力华同志的表彰正突出了教师的职业操守。

从突出职业道德的视角可以说，行业先进首先是思想立场的先进，表彰的目的是给各行业树立优秀典型，使各行业的劳动者有努力奋斗的榜样，形成奋发向上的良好行业风气，所以表彰后的宣传往往构成表彰活动的重要环节。以 2004 年人民满意的公务员（集体）表彰工作为例，为了使此次表彰工作产生更好的社会影响，在通知的宣传工作中，明确要求各级新闻单位“密切配合，紧紧围绕‘为人民服务、让人民满意’的主题，充分利用报刊、广播、电视、互联网等宣传媒介，采取多种形式，组织好宣传报道工作。要加大宣传力度，广泛宣传开展评选表彰工作的重要意义，宣传‘人民满意的公务员’和‘人民满意的公务员集体’的先进事迹，为推动活动的顺利开展创造良好的舆论氛围”。

尽管国家在全国劳模和各行业先进的评比和表彰中非常重视思想道德内容，往往把思想道德标准作为首要条件，在投票评选中可以因思想道德问题一票否决，但因为思想道德要求相对抽象，如忠诚党的事业，在没有具体考核指标的情况下，只要没有查出违法犯罪问题的，都是可以达标的。所以在评选过程中依然会存在以行业成绩和突出贡献为硬指标，思想道德为软指标的实际情况，容易唯成绩论。这导致一些思想道德并不先进、更难说模范的人有了当选的可能，甚至出现了一些当选的劳模或先进在后来被查出严重的违法犯罪、道德败坏问题的事例，如三届全国劳模吴伟雄 2018 年因违法乱纪落马，造成极其恶劣的社会影响，给全国劳模抹黑，伤害了这一荣誉的崇高性。这也为通过推举模范推进社会风尚建设的精神文明建设方案设计敲响警钟。

二、专项道德模范表彰

由上文可以看到，在新中国精神文明建设过程中，全国模范与各行业先进表彰是一种重要形式。在诸多的模范与先进形象中,道德模范作为“产生于某一社会和某一思想文化中、体现一定社会与一定阶级的思想人格或道德理想的典范”[①]，毫无疑问对社会和文化的精神建设起着直接的推动作用。所以在国家建设的各个时期，全国不断推出道德模范，促进全国精神文明建设。而影响最大的、持续时间最长的，无疑是2007年至今的全国道德模范表彰。

（一）全国道德模范表彰

尽管在各项国家表彰中都包含有思想道德要求，但实施过程中也会出现以行业业务水平为主、思想道德为辅的现实问题。在中国经济建设日新月异的进程中，精神文明建设也取得重大进展。为适应时代发展需要，更好地推进精神文明建设，为经济建设提供不竭的精神动力，2007年，由中央文明办、全国总工会、共青团中央、全国妇联作出《关于表彰全国道德模范的决定》，通过在全国范围内推选助人为乐模范、见义勇为模范、诚实守信模范、敬业奉献模范和孝老爱亲模范五类模范人物，推动全国人民在物质生活日益丰富的同时，向榜样学习，提升道德素养。全国道德模范表彰自此开始，每两年评选一届。

全国道德模范表彰作为道德领域最高表彰，除总体标准外，各类道德模范也有具体标准。总标准是五类道德模范的基本标准，也可以看作入选

① 覃正爱．道德模范的内涵、特征及意义［J］．理论视野，2016（4）：41－44.

单项道德模范的前提条件。依据中央精神文明建设指导委员会 2008 年 3 月 27 日发布的《关于进一步做好评选表彰全国道德模范工作的决定》，全国道德模范的基本标准包括热爱祖国，拥护中国共产党领导，身体力行社会主义荣辱观，模范遵守公民道德规范，在日常工作、生活和人际交往中品德高尚、事迹突出、群众认可。以此为基础，五类道德模范根据类别，也都明确了相关评选标准。全国助人为乐模范要求充满爱心、乐善好施，长期主动无私帮助他人，积极参加公益事业，赢得群众高度赞誉；全国见义勇为模范要求秉持公平正义，弘扬社会正气，关键时刻临危不惧、挺身而出，勇于维护国家、集体利益和人民群众的生命财产安全，产生重大社会影响；全国诚实守信模范要求在经济活动和社会生活中，始终坚持诚信为本、操守为重，以诚待人、以信取人，履约践诺、言行一致，具有很高的社会信誉和良好的守信形象；全国敬业奉献模范要求追求崇高职业理想，秉持认真负责的职业态度，甘于无私奉献，勇于创新创造，为国家和社会作出重大贡献，在本行业本领域具有引领示范作用；全国孝老爱亲模范要求注重家庭、注重家风、注重家教，孝敬父母、关爱子女、夫妻和睦，家庭关系和谐，事迹特别感人，群众广为颂扬。

从 2007 年至 2021 年，八届全国道德模范评选已经评选出各类道德模范 462 人，具体人数和分类见表 4–2。

表 4–2　历届全国道德模范获奖人数表

届 / 年份	助人为乐模范	见义勇为模范	诚实守信模范	敬业奉献模范	孝老爱亲模范	总计
第一届 /2007	10	11	11	10	11	53
第二届 /2009	11	12	11	11	10	55
第三届 /2011	11	10	10	12	11	54
第四届 /2013	10	10	10	12	12	54

续表

届 / 年份	助人为乐模范	见义勇为模范	诚实守信模范	敬业奉献模范	孝老爱亲模范	总计
第五届 /2015	10	11	10	15	16	62
第六届 /2017	10	10	8	18	12	58
第七届 /2019	14	8	11	19	6	58
第八届 /2021	15	10	13	22	8	68
合计	91	82	84	119	86	462

全国道德模范评选在程序上包括推荐、投票评选和审批表彰三个步骤。在推荐阶段，以地方系统向国家系统推荐人选的方式进行，依据评选工作的实施办法要求，各省（区、市）和军队系统组委会对候选人情况审核把关后进行集中公示，组织撰写候选人事迹材料，分别报经本省（区、市）文明委和总政治部审定后报送全国活动组委会办公室。此项推荐活动与“我推荐我评议身边好人”活动结合，对入选“中国好人榜”的人物优先推荐。

在评选阶段，全国活动组委会在中央主要新闻单位和重点网站公示候选人基本情况和主要事迹，广泛动员群众踊跃投票；组织“万名公众代表”（由人大代表、政协委员、道德模范、劳动模范、优秀教师、优秀医务人员、杰出青年、三八红旗手、自强模范、身边好人、优秀志愿者等组成）投票；同时，评选委员会进行无记名投票。全国活动组委会按照一般公众、“万名公众代表”和评委投票支持率分别占 30%、30%和 40%的权重相加，得出每位候选人的总支持率，提出全国道德模范及提名奖获得者建议名单。

最后一个阶段是表彰阶段，即在中央文明委审定建议名单后，作出表彰全国道德模范的决定，择日举行颁奖典礼。

从程序上看，全国道德模范作为道德实践领域的最高荣誉，实际上是人民选出的，因而可以在一定程度上避免名不副实的情况。这种评选方式本身，也是一种道德动员和道德建设活动。在全国道德模范评选后，评选活动同样要求，“各级党委政府要重视发挥道德模范榜样作用，用他们的感人事迹、先进思想和崇高精神引领社会风尚。把学习宣传道德模范摆上重要日程，加强组织领导，深入开展多种形式的学习活动”，“充分利用报刊、广播、电视和互联网、手机短信等各种媒体，通过新闻宣传、文艺作品、公益广告和群众性文化活动等多种方式，广泛宣传道德模范的感人事迹和优秀品质，大力弘扬助人为乐、见义勇为、诚实守信、敬业奉献、孝老爱亲的崇高精神”。[①] 广泛的宣传活动，可使全国道德模范的事迹深入人心，成为人民心中和日常生活的榜样，从而更好地提升社会文明水平。

（二）中国好人榜

2008 年 4 月开始，中央文明办组织开展“我推荐我评议身边好人”活动，意在通过“身边好人”的推荐评选，实现在群众中传播文明、引领风尚，推进社会主义核心价值体系建设的目的。此项活动与前面提到的全国道德模范评选联合，通过互联网平台进行，以网上推选、投票的形式，方便群众参与。

为了使此活动具有广泛的群众基础，中央文明办要求各省（自治区、直辖市）文明办认真落实此项工作，在省会城市及各地市组织主要媒体于显著位置开设活动专栏、专题，公开“身边好人”推荐方式，及时报道活动动态和涌现的感人事迹。为使活动产生广泛影响，中央文明办要求各省（自治区、直辖市）文明办要组织各地在县级以上城市人群较集中的场所，至少设立一处“好人榜”户外宣传栏，介绍活动背景，宣传当地的“好人”事迹，公布“身边好人”推荐方式；鼓励在街道、学校、企业、机关、社区也设立“好人榜”户外宣传栏。这样一方面使评选活动和被推选的“好

---

① 中央文明委决定进一步做好评选表彰全国道德模范工作［N］. 光明日报，2008－03－28 (1).

人”候选人能够广泛地接受群众的监督，增加候选人事迹的真实性，提升活动的有效性；另一方面可以通过“好人”事迹在群体中产生的普遍影响，实现社会道德教育的效果。

（三）专项道德表彰

除上述综合性的全国道德评选外，为推进社会道德风尚建设，中宣部联合其他部门，结合社会发展需要，不断推出单项道德表彰活动。

1.“当代雷锋”表彰

雷锋作为一位平凡的战士，在其有生之年，忠诚于党的共产主义事业，全心全意为人民服务，毫不利己，热心助人，干一行爱一行，创造了平凡而伟大的时代精神。1963 年 3 月 2 日，《中国青年》杂志率先刊发毛泽东“向雷锋同志学习”题词，3 月 5 日，《人民日报》《解放军报》《光明日报》《中国青年报》等刊登毛泽东的题词手迹，全国掀起“向雷锋同志学习”的热潮。从那时起，3 月 5 日成为“学雷锋日”。雷锋成为深入人心的好榜样，弘扬雷锋精神成为中国社会新风尚建设的重要内容和方式。

2012 年开始，中央精神文明建设指导委员会启动“当代雷锋”荣誉称号的授予工作。此项殊荣首先授予了鞍山钢铁集团的郭明义，表彰他在新的历史时期以实际行动践行雷锋精神，牢记全心全意为人民服务的宗旨，坚定中国特色社会主义理想信念，满腔热情地对待党和人民的事业，模范践行社会主义道德，时时处处以雷锋为榜样，忠于职守、爱岗敬业，关爱他人、无私奉献，勤俭节约、艰苦奋斗，在平凡的岗位上作出了不平凡的业绩。为发挥先进模范的示范引领作用，激励广大人民群众自觉践行雷锋精神、热情参与学雷锋活动，形成全民族奋发向上的精神力量，在郭明义后，此称号又先后授予了庄仕华、孙茂芳。

“当代雷锋”是对默默奉献在平凡岗位上的广大民众的激励，是对每一位关爱他人、助人为乐的好人的肯定，在新的历史时期非常有利于积极向上的社会风貌的稳固和推进。

2. 节俭养德先进

改革开放以来，随着中国经济实力的迅速提升，以追求品质生活为口号，在商业力量的推动下，社会上兴起了追求名牌和奢华生活的风气，越来越多的人加入奢侈品消费的队伍，为了满足奢侈生活愿望，有些年轻人甚至形成了名牌租借和共享团队，相应的商业运行模式也开始兴起。针对发展中的新问题，2014 年 5 月 28 日中宣部和国家发展改革委召开电视电话会议，发出开展节俭养德全民节约行动的通知。2015 年中宣部和国家发展改革委在全国范围内配合发起节俭养德先进单位和个人的评选活动。

2015 年 5 月 21 日，中宣部办公厅、国家发展改革委办公厅通报表扬 100 个节俭养德全民节约行动先进单位和 100 个先进个人。被表彰的单位和个人来自社会不同领域和不同方面，具有很强的代表性和典型性。勤俭节约是体现在日常生活的小事中的，获得表彰的单位和个人，有的在日常生产生活中自觉节粮节水节电，有效避免和减少浪费；有的坚持科学规划设计理念，推动工业节能、建筑节能，推行绿色交通、绿色流通，推动发展循环经济，努力实现绿色低碳发展；有的通过多种形式宣传推广节约技术和节约产品，传授节俭技巧和节俭方法。[①] 国家节约行动开展的初衷，是把节俭节约的理念落实到生产建设各领域，融入社会生活各方面，形成节约光荣、浪费可耻的浓厚氛围。

三、全国好少年评选

国家层面的社会精神文明建设不仅包括成人群体和各行各业的努力，更关注中国新生代的道德成长。梁启超在《少年中国说》中对少年一代对国家的重要意义的强调，如今已经耳熟能详。少年的道德面貌决定国家未

① 中宣部、发改委通报表扬节俭养德全民节约行动先进单位和个人［N］. 光明日报，2015 － 05 － 22 (4).

来的精神走向和民族风格，对少年一代的思想道德引导，早已成为中国的教育传统。《说文解字》中对教育的解释“教，上所施下所效也；育，养子使作善也”，清晰地表达着中国教育传统中对道德引导及榜样效仿方式的重视。对道德教育的重视是中国作为礼仪之邦绵延繁盛的内在机制，其中德育评价发挥着不可忽视的重要作用。对少年的德育评价，除了学校负责的品德考评和学校德育课程效果的考查外，国家层面的优秀少年评选影响深远。在社会、家庭和学校德育的合力下，社会生活中不时涌现出英雄少年、模范少年的榜样，相关媒体都及时进行了宣传报道。

进入新时代后，国家对少年的道德发展有了新的期待。新时代的少年肩负着实现中华民族伟大复兴的中国梦的重任。2021 年 5 月，习近平总书记在给江苏省淮安市新安小学少先队员们的回信中说：“希望你们结合自身成长实际学好党史，以英雄模范人物为榜样，从小坚定听党话、跟党走的决心，刻苦学习，树立理想，砥砺品格，增长本领，努力实现德智体美劳全面发展。”

2018 年，中央文明办、教育部、共青团中央、全国妇联、中国关心下一代工作委员会联合发起“新时代好少年”的评选，截至 2021 年共举办三届，推选出全国“新时代好少年”98 名，在每年六一儿童节前公布评选结果。其推选程序是在各地推荐的基础上，每季度选取典型事迹向社会发布，通过同龄人的榜样示范，激励引导广大少年儿童见贤思齐、崇德向善，争当“新时代好少年”，为实现中华民族伟大复兴的中国梦时刻准备着。

这些经过层层推选、代表新时代儿童新面貌的少年的共同特点是从身边事做起、从小事做起，积极培育践行社会主义核心价值观。他们有的好学上进、自立自强，有的助人为乐、孝老爱亲，有的热爱钻研、潜心环保，体现了对家庭、对他人、对社会的责任和担当，突显了新时代青少年朝气蓬勃、奋发向上、乐于奉献的精神风貌。“新时代好少年”学习宣传活动自开展以来，在推动广大青少年以先进典型为榜样，立志向、有梦想，爱学习、爱劳动、爱祖国，见贤思齐、崇德向善方面起到了重要引领作用。

通过“新时代好少年”推选活动，在全国少年儿童中形成了积极响应时代召唤、人人争当时代新人的良好态势。

综上可见，树榜样、立典型一直是新中国精神文明建设和评价的重要方式。进入新时代后，为实现中华民族伟大复兴的光荣使命和建立人类命运共同体的宏大愿景，精神文明建设工作显得尤为突出。这也是近年来精神文化领域的奖励不断推出的背景与原因。上文所列只是诸多表彰中与道德评价比较接近的，也是有代表性的国家表彰，实际上近些年的“最美”系列、国家功勋评选等都是这一思路的体现。李建华认为：“道德模范评选表彰活动的开展符合道德榜样的生成规律、培育方式和发展轨迹，传承了传统文化中身教示范的教育原则，创新道德榜样孕育和传播的方式，是新中国成立以来最为成熟和高级的道德教育活动。”[①]

国家正通过精神文明建设这一宏观德育评价形式凝聚新时代的民族精神，探索五千年文明的现代内涵与发展方向。随着网络技术的发展，现代的宏观德育评价正在借助新兴技术，号召广大民众广泛参与，这种形式本身极大地扩大了德育评价的主体，也使德育评价更加深入人心。但在实施过程中，也存在明显的拉票问题，在微信群中尤其明显。这样的做法尽管在推进活动的广泛性方面可圈可点，但无疑稀释了道德评价的纯洁性和影响力。如何在调动群体积极性和限制拉票等行为对德育评价产生的负面效应之间把握好平衡，是新时期宏观德育评价要注意的问题。

第二节　作为文明校园建设的德育评价

如果说国家英雄模范评选是社会面德育评价的主要形式，文明校园建

---

① 李建华.以道德模范引领新时代中国道德风尚［J］.伦理学研究，2020（1）：8－10.

设则可以说是针对学校教育系统的国家表彰。国家英雄模范评选的对象是所有公民，面向人民大众，文明校园评选则是面向学校这一育人机构的专项德育评价。文明校园评选的发起单位是中央文明办，并非教育部门，因而可以说文明校园评选是国家层面面向专门机构或系统的德育评价，与国家对医疗系统的行风建设与德育评价并列，而非教育部门内部自我评价。但学校一向被誉为象牙塔，社会对作为育人系统的学校便有着更高的道德期待，其德育评价与医疗系统的行风建设相比，对国家整体文明建设的影响更大，权重更高。同时，作为文明校园建设的德育评价，由于评价主体和目的的差异，与理论研究中的德育评价并不完全一致。学校文明建设是对学校整体文明状况的考察，虽然在外延上包括学校所有工作系统和活动层面，但着眼点是学校的整体文明风貌而非某项具体活动，是综合评价。因而作为文明校园建设的德育评价的思路与标准，与理论研究中的德育评价也并不相同。

一、文明校园创建的背景与价值

社会主义精神文明建设是中国特色社会主义发展的重要组成部分，是实现“两个一百年”奋斗目标、建设社会主义现代化强国的重要内容和必要保证。实现中华民族伟大复兴中国梦的宏伟目标势必要落实到城乡基层、落实到具体的每个实体组织与个体之中，反过来，只有每个个体、每个组织都能够认真建设好自己的精神文明，全中国的整体梦想才能够实现。全社会精神文明的提升是一个国家文明建设的整体空间战略。21 世纪以来，全国文明单位评选活动陆续展开，包括各行各业的企事业单位的文明单位创建已经成为国家精神文明建设的重要形式，大中小学及幼儿园列为其中的一类重要事业单位。党的十八大以来，以社会主义核心价值观为引领，文明城市、文明村镇、文明社区、文明单位、文明家庭、文明校园的建设同时推进，不断升级，形成声势浩大的社会主义精神文明建设浪潮，为新时代中国精神培育奠定基础。

文明校园建设本质上是一种社会空间治理，是将学校这样的一个物理空间建设成一个社会期待的社会文化空间。学校作为教书育人的教育机构，本身就是精神文明建设的高地，可以说在全社会各行各业中具有精神、文化的引领作用，理应成为社会主义精神文明创建的典型、范例。同时，学校兼具弘扬共筑美好生活梦想的时代新风的作用，对形成良好积极社会新风尚具有重要意义。文明校园建设是一个以评促建的国家行动，意在通过文明校园的评选，不断推动和保持学校在社会精神文明建设中的示范作用，使之更好地承担国家和社会的教育责任。

为了全面贯彻党的十八大和十八届三中、四中全会精神，深入贯彻习近平总书记重要讲话精神，紧紧围绕“四个全面”战略布局，围绕立德树人根本任务，充分发挥广大师生参与文明校园创建的积极性，把学校建成培养中国特色社会主义建设者和接班人的坚强阵地，中央文明委希望经过 2015 年至 2020 年持续推进学校精神文明建设工作，实现高校、中小学文明校园创建活动 100% 覆盖，把培育和践行社会主义核心价值观贯穿于创建活动全过程，把创建活动延伸到班级、宿舍和每个师生员工，使每一名师生都成为创建活动的实践者和受益者，使文明校园创建工作成为精神文明建设的响亮品牌。同时，通过文明校园创建活动，健全工作机制，提高师生公民道德、职业道德、文明修养和民主法治观念，提高校园文化生活质量，使校园文化内容健康、格调高雅、丰富多彩，提高校园文明程度，使校园秩序良好、环境优美，育人环境进一步改善。全国文明校园创建与评比始于 2017 年，截至 2022 年该项评比已经完成两届，评选出 1135 个文明校园，成为教育系统的精神文明建设典范。

文明校园以立德树人为根本。一方面，德育工作是学校工作的一个重要维度，它通过丰富的活动形式，以知情意行相结合的方式推动学生道德能力及良好的学风、班风、校风的养成，助推文明校园建设；另一方面，文明校园创建过程也利于营造良好的德育环境与文化氛围，提高师生员工的道德自觉性和文明素养，指引学校各方面工作围绕文明校园建设的整体任务展开，形成德育合力。换言之，文明校园建设对学校德育工作有积极促进作用，而学校德育工作的积极开展不仅是文明校园建设的重要组成部分，更是助推剂。文明校园建设是学校德育实实在在的载体，要将其贯穿于学生思想教育和行为管理的全过程。①

二、文明校园评选的方式与指标

2015 年教育部和中央文明办联合发布的《关于深入开展文明校园创建活动的实施意见》中指出，文明校园创建的主要内容是“以立德树人为根本，以学生为中心，加强师德建设，重点围绕领导班子建设、思想道德教育、活动阵地建设、教师队伍建设、校园文化建设、整洁优美环境等方面开展工作”，并要求“充分发挥广大师生参与文明校园创建的积极性，把学校建成培养中国特色社会主义建设者和接班人的坚强阵地”。这里可以清晰地看到，教师道德建设、思想道德教育构成文明校园建设的重要内容，立德树人作为文明校园建设的根本,其最终目的是要守好“为国家育人”这一阵地。

（一）文明校园的评选方式

全国文明校园评选，基本借鉴文明单位评选工作思路，依据“先创建、后评选”方式，构成了多部门联动、多层级共建的网络，并逐步建立长效化的管理机制，确保创建活动效果，让文明校园评选落实落地。

1. 多部门联动

全国文明校园评选活动主要由中央文明办负责并在全国各地组织实施，同时，联系教育部有组织有计划地推动各地文明办开展文明校园创建

---

① 王铁，丁静涛．校园文明建设是高校德育工作的重要载体和切入点［J］．辽宁高等教育研究，1996 (3)：83 － 84.

活动。中央文明办将文明校园创建纳入《全国文明城市测评体系》和《全国未成年人思想道德建设工作测评体系》。

2. 多层级共建

中央文明办和教育部做好对全国各级各类学校文明校园创建活动的指导、考评工作。各地文明办和教育部门负责各级文明校园的创建与评选工作，促进形成自下而上、整体联动的创建格局。各层次评选，都按照自愿申报、逐级推荐、提前公示、择优评选的程序进行。各级各类学校是创建活动的主体，形成学校党政主要领导负责，各职能部门各司其职、紧密配合，全校师生共同参与的工作机制。同时，评选也要求结合本地实际制订和完善创建工作推进计划，制定中小学校文明校园评价细则；认真做好创建活动的组织、实施、检查、指导和考核、评比工作；制定创建工作时间表和路线图，并逐级上报评选，直至最高一级——中央文明办和教育部。

3. 长效化管理

文明校园评选，重点不是评选的结果，而是创建过程。所以，文明校园创建及评选更注重建立长效化的过程管理模式。首先，要求教育部门系统规划和制定具体创建工作安排，并将其纳入年度工作任务，纳入学校目标考核，纳入教育督导工作体系。要求各级教育部门及时会同各级各类学校，加强沟通，认真调查和摸排师生校园文明方面存在的问题，研究具体可行解决方案；为创建文明校园提供有效指导和切实保障；根据文明校园评价细则，组织检查考评。按照文明委评选表彰工作安排，提出表彰文明校园建议名单。其次，要求各级各类学校强化学校内部管理，进一步加强文明校园创建的制度建设，建立长效工作机制。学校同时要加强与地方有关部门的联系与沟通，及时主动地反映创建工作中存在的问题，积极争取支持和配合。再次，要求各地区有关部门定期建立文明校园管理机制，定期组织典型经验宣传，同时曝光不文明校园现象，营造文明校园创建舆论氛围。需要指出的是，“文明校园”称号不是“一劳永逸”的，需要做好文明校园日常管理，创建期内如出现有违文明校园形象的事件，将取消文明校园评选资格，已获得文明校园的，由命名表彰单位撤销“文明校园”荣誉称号。

（二）文明校园评价指标

文明校园的“六个好”评价指标是一个有机的、不可分割的整体。分析内容不难看出，每一条中都蕴含了道德内容，体现了对学校道德教育工作的要求，只不过每个方面各有侧重。其中“思想道德教育好”体现了对德育工作的针对性评价，但这不意味着其他五个方面评价指标就与德育无关。事实上，需要从每一条中析出更细的德育评价指标，从学校德育方面对其文明校园建设的真实成效进行评估，让文明校园建设真切地促进全体师生的思想、道德、意识、观念、理想、言行、价值观、人生观的发展。①

1. 领导班子建设好

“领导班子建设好”指的是坚持和加强党对学校工作的全面领导，增强“四个意识”、坚定“四个自信”、做到“两个维护”，把握正确办学方向，履行管党治党、办学治校和意识形态工作的主体责任，坚持以党的政治建设为统领，全面推进学校党的政治建设、思想建设、组织建设、作风建设、纪律建设，把制度建设贯穿其中，充分发挥学校党组织的战斗堡垒作用和党员的先锋模范作用，不断完善科学民主决策机制，建立既民主协商又团结协作的高效领导班子。学校领导班子要具备科学德育理念，能抓住立德树人这一根本任务，把牢文明校园建设的政治方向与思想建设方针，能进一步规范管理，将学校德育工作常态化、规范化、制度化，实现有效统筹，推动校园物质环境、人文环境建设，丰富校园文化活动，提升育人质量，形成积极正向的学习风尚与校园文化。

---

① 本部分主要参考教育部、中央文明办《关于深入开展文明校园创建活动的实施意见》中的高校文明校园、中学文明校园与小学文明校园创建或评价标准。

以天津市和平区岳阳道小学为例[1]，该校始建于 1911 年，近些年以“融慧”办学思想为引领，以“培养具有尚品、硕学、卓能、强体的地球村未来栋材”为培养目标，创建了“让教师享受教育的幸福、让学生享受成长的快乐”家园式学校，获评第一届全国文明校园。该校在领导班子建设上有着明确的思路，在四个方面常抓不懈，成为学校文明建设的重要保障力量，取得了良好的效果。这四个方面包括：加强学校领导班子的组织建设，落实素质教育，完善民主管理，重视文明建设；定期认真开展“不忘初心、牢记使命”主题教育，积极建设学习型、服务型、创新型党组织，严格落实“三会一课”制度，制定师生意识形态建设管理方案；加强教师党员队伍建设，充分发挥战斗堡垒和先锋模范作用，与甘肃贫困县三所学校开展帮扶活动；依法健全学校管理制度，完善校长负责制，开设家长学校，精心安排家长课程，形成育人合力。

2. 思想道德教育好

“思想道德教育好”指文明校园建设要坚持以社会主义核心价值观为引领，推动党的创新理论进教材、进课堂、进头脑。可以说，思想道德教育在一定程度上决定了文明校园建设的成效及教书育人的最终质量，同时也指引着学校文明校园建设的根本前进方向。学校在培育学生的过程中，不仅要重视学生专业知识技能的培养，更要重视其思想道德修养的提升。青少年学生处于人生的成长期，这是其道德观念建立和政治思想意识形成的关键时期，需要成人的积极引导。因而在学校教育中，要将思想道德教育作为立德树人的中心工作之一。良好的思想道德教育能提升学生的思想道德境界、情操和品性，不仅反映了学校的整体精神面貌，还有利于促进优良校风、校园文化的形成。

以湖北省潜江市田家炳实验小学为例，该校自 2017 年被评为首届全

---

① 本部分选择的案例均来源于中国文明网公示的第一届、第二届全国文明校园案例展示材料。

国文明校园以来，坚持狠抓文明校园创建“六好标准”的落实，深化文明校园创建工作激励机制，推动文明校园创建工作制度化、常态化和品牌化。在思想道德教育方面，该校采取了一系列卓有成效的做法。（1）学校采用集中学习和自学相结合的形式，开展“践行价值观，文明伴我行”的主题教育活动，将社会主义核心价值观融入学校教育教学全过程，做到有方案、有目标、有要求、有措施、有保障、有评价。（2）充分利用清明节、端午节、中秋节、国庆节、春节等重要时间节点，开展以“我们的节日”为主题的爱国主义教育社会实践活动。学校以祭扫烈士陵园和参观名人祖居、博物馆等活动为载体，生动形象地对学生进行爱国主义教育。（3）积极组织“小小志愿者服务队”走上街头、走进社区开展“文明交通劝导”“清洁家园”“关爱残疾人”等志愿服务活动，积极宣传志愿服务精神。（4）学校精心策划以文明行动等6个方面内容为主题的公益广告，充分利用学校宣传栏、网站、微信公众号等多种媒介平台，向全社会积极传播文明理念，弘扬时代新风。（5）学校认真组织开展争创文明班级、模范中队，争当先进教师、文明学生、新时代好少年等评比活动，扎实深入地开展创建活动，取得了良好的教育效果和社会反响。

3. 活动阵地好

“活动阵地好”包括两个方面的阵地建设，一是宣传阵地建设，二是活动阵地建设。相应地，活动阵地建设也包括两个方面。一方面，巩固学校作为思想政治工作阵地的建设成果，加强校报、校刊、校内广播电视、宣传橱窗和“两微一端”新媒体等建设，建好、管好、用好网络平台，以潜移默化、润物无声的方式开展德育活动，引导师生形成科学、文明、健康、守法的上网意识和习惯。牢牢地把握正确导向，坚持团结稳定鼓劲、正面宣传为主，唱响主旋律、打好主动仗，发挥宣传阵地育人功能。另一方面，学校作为学生接受教育的主阵地，要加大教育活动的丰富程度和提升活动水平，充分发挥每个学生优势与个性，搭建展示自我、发展自我的平台，促进学生全面而富有个性化的发展。

以广西桂林芦笛小学为例，该校始建于 1964 年，学校紧紧围绕立德树人的根本任务，以社会主义核心价值观为核心，以“红色教育”为抓手，将文明校园创建工作与思想道德建设相融合，与课程教学相融合，与书香阅读相结合，与实践活动相融合，引导学生“扣好人生第一粒扣子”。学校继 2017 年入选首批全国文明校园后，又先后获得教育部国防教育示范学校、自治区依法治校示范校、广西优秀少先队集体、桂林市五四红旗团（总）支部、叠彩区十佳党建品牌等荣誉称号。该校在活动阵地建设方面表现突出。学校充分发掘传统节日内涵，引导学生认识传统、尊重传统、继承传统。如春节，孩子们包饺子、写福字、书对联；中秋节，与家长共同制作一盏漂亮花灯、一份精美手抄报，追寻中秋节的各种民俗；端午节，邀请家长或走进社区，包粽子、做香囊等。同时，学校精心组织“三月三”活动，开展“最美壮乡 · 锦绣中华”亲子绣球制作、踢毽子、双人板鞋、竹竿舞等具有浓厚壮族特色的节庆活动，与社区工作人员品尝五色糯米饭，让学生感受壮族传统文化的魅力，推动了学校民族团结建设。除此之外，学校致力于文明校园、文明家庭和文明社区联动，营造全方位的育人氛围。如召开“小手拉大手，我为创城做贡献”主题中队会；开展为“创城”出金点子的活动，学生精妙的“金点子”引得市日报、晚报、电台、电视台争相报道；少先队员们利用周末、寒暑假践行文明公约，有的自发成立“铲屎小分队”，在小区发起文明养宠的号召，有的和老师、家长一起参加社区手绘墙活动等。

4. 教师队伍好

教师是优秀文化和精神文明的传承者，是学生理想人格的示范者。“教师队伍好”指的是以“四有好老师”标准（有理想信念、有道德情操、有扎实知识、有仁爱之心）培养和发展的优秀教师队伍，具有师德高尚、专业精进的优秀特质。教师是立校之本，师德建设寓于文明校园建设之中，文明校园建设也必然要求重视师德建设，教师队伍素养决定了一所学校能否取得文明校园建设的成功。因而，“教师队伍好”要以“六要”（政治要强、情怀要深、思维要新、视野要广、自律要严、人格要正）等要求引领教师成长发展,加强师德养成,将师德建设纳入教师考核评价体系,实行师德“一票否决制”;同时，重视学校主任、骨干教师的成长，注重年轻教师的培养，创造良好的政策环境、工作环境和生活环境，形成结构合理、素质过硬的教师队伍。

以浙江金华师范学校附属小学为例。该校创办于1916年，获评第一届全国文明校园学校。该校以“培养拥有社会主义核心价值观的社会主义事业接班人”为创建全国文明校园的根本目的；以“保持善良，保持努力”为创建全国文明校园的行动内核；以“立校长之德树育人之魂、立教师之德树育人之本、立学生之德树强国之基”为学校文明育人、立德树人的实践抓手；以“校内教学与校外活动相结合，上好每一节课，组织好每一个活动”为学校立德树人的实施路径，坚持从细微处育人，把立德树人做细做实。教师队伍建设是该校文明建设的重点项目。一方面，该校以“校长的道德修养、学校道德制度的修订、学校道德活动的设计开展”为师德师风建设的路径。另一方面，该校开展新教师、青年教师、名优教师及班主任等多层次、多维度的培训。每周五开展新教师、青年班学习活动；每年组织青年教师、名优教师北上清华，聆听大师授课，提升自我；每个学期开展班主任期初培训会、期中交流会和期末总结会；每年暑期召开“立德树人”交流会。通过加强教师的学习，促进教师的成长，推进改善课堂。多名教师获得浙江省师德模范、名师、最美教师等荣誉。

5. 校园文化好

“校园文化好”指的是学校不断对其教育思想、办学理念、校训、校风等精神内涵进行凝练和归纳，充分展示学校独特、鲜明的文化积淀与内涵追求。校园文化是一种精神，是学校发展的灵魂，是凝聚人心、展示学校形象、提高学校文明程度的重要体现。校园文化作为一种环境教育力量，对学生的健康成长有着巨大的影响。校园文化建设的终极目标就在于创建一种氛围，以陶冶学生的情操，构筑健康的人格，全面提高学生素质。“优良的学校文化是学校发展的永恒动力。一所学校只有形成了具有自身特质的、积极向上的文化，才能拥有持续生命力，不断增强核心竞争力。”[①] 良好的校园文化不仅体现了短时间内文明校园建设的成效，更体现了一个学校长久以来的精神传统和文化积淀。

以浙江水利水电学院为例，该校是浙江省唯一一所拥有“全国文明校园”“全国文明单位”双荣誉的高校，学校秉持“自强、务实、尚德、求真”的学校精神，赓续水利水电行业基因，将精神文明建设贯穿于学校发展和人才培养始终。经过长期的探索实践，学校以水文化为主线的多个校园文化品牌荣获国家级、省级高校校园文化建设成果奖项，在构成独具特色的校园文化方面具有标杆作用。具体来看该校主要做了四个层面的工作。（1）学校坚持“弘扬水文化·铸就水利魂”，以水文化和学校精神为主线，梳理治学育人思路，统筹规划校园文化建设，以实施水文化教育、传播、研究“三大工程”为载体，构建具有鲜明水利行业特色的文化体系。（2）学校将“以水育人，以文化人”理念深深植入人才培养全过程，开设浙江水文化、中国水文化概论等必修课程，结合专业教育开展系列水专题实践活动，对学生进行系统的水文化和水利精神教育。（3）成立水文化研究所，通过开展浙江水利史研究、水文化遗产普查、水文化交流等学术活动，丰富水文化研究成果，打造特色精品项目，提升校园文化内涵。（4）学校面向社会各层次群体开展水情教育传播活动，充分发挥学校文化的引领和辐射作用，增强师生、公众的文化自觉和文化自信。

6. 校园环境好

“校园环境好”指的是学校加强校园规划、建设和管理，推动实现校园建筑、道路、景观等达到使用、审美、教育功能的和谐统一，注重校园公共场所人文景观建设，运用雕塑、书画、建筑小品等形式，提升校园文

① 应森林，吕金芳．文明校园建设与校园文化品牌培育研究：以校园百家微店建设为例［J］．文化创新比较研究，2020，4（1）：126－127.

化形象，不断激发师生爱校热情，增强师生对校园环境的认同感，陶冶学生关爱自然、关爱社会、关爱他人的情操。学校环境是学校文化的外在体现，是校园文化的重要组成部分。

以南京航空航天大学为例，该校根据中央文明委、江苏省文明办和教育部、江苏教育工委部署，结合学校实际，紧紧围绕文明校园创建的目标方向，聚焦学生立心铸魂之本，紧扣教师明德至善之要，厚植中华文化自信之基，强化三全精准育人之道，扎实开展文明校园创建活动，努力将学校的景观文化打造成传承办学传统、彰显治学理想、陶冶师生情操、培育良好校风的重要载体，进而获评第二届全国文明校园单位。该校在校园环境建设中融入专业教育因素，使环境成为丰富的育人资源，成为立体的育人课堂，为全国文明校园建设树立了榜样。其校园环境建设可以分为两个方面。一方面是加强校园文化基础性工程建设，形成校训、校风、办学理想、办学理念、办学精神等核心文化要素表达体系；启用视觉形象识别系统，统一规范使用学校标准字、标准色彩等视觉符号。另一方面，学校持续加强对各类文化景观的设计规划，如对陶宝祺院士雕像周边景观、校风校训主题景观、御园桃李亭周边景观等做进一步设计规划，逐步形成以校风石、校训石为代表的"南航精神"文化，以太庙井、柱础为代表的明代历史文化，以南京航空航天馆、校史馆等为主体的"三航"场馆文化，以飞行器实物、模型等为代表的航空航天文化，以陈达院士雕像、陶宝祺院士雕像等为代表的科学大师雕像文化，以院士林、校友林为特色的名人园林文化。

领导班子、思想道德教育、活动阵地、教师队伍、校园文化和校园环境六个方面，涵盖了学校这一育人空间运转的核心力量（领导班子和教师队伍）、基本活动形式（思想道德教育、活动阵地）和文化环境（校园文化和校园环境）三类核心要素，构建起国家对校园这一专门育人机构开展综合性整体德育评价的立体指标体系。

三、作为文明校园建设的德育评价实践困境及其超越

文明校园创建活动，采用以评促建的方式，通过定期推出校园文明建设中的样板与榜样，为更多学校的文明建设树立了典范，对整体教育行业乃至全社会的精神文明建设无疑起到了巨大的推动作用。但是几年来，作为由上而下的精神文明建设活动，在评价实践中也存在着一些需要注意的问题，以下三个方面对作为文明校园建设的德育评价的实践困境提出解决思路。

（一）避免重外显轻内涵的问题

在文明校园创建过程中，由于各个学校在理解与实施中存在偏差，导致各创建主体对文明校园内涵的理解不够深入。不少学校的创建工作仍旧着眼于外在的、可见的、短期内能够产生立竿见影效果的物质环境建设方面，如修缮校舍、改善环境、更新设施设备等。作为文明校园评价的一项硬性指标，良好的校园物质文化建设虽然在一定程度上是必要的，也的确可以为学生创造良好的学习环境，但仅仅关注校园的物质环境建设是远远不够的。学校作为一个文化场所，其根本任务是帮助学生成人、成才，成人、成才的关键又在于德性与德行的养成。精神文化是学校的灵魂，是一个相对稳定的系统，其价值系统如人才观、教育观、学生观等是学校精神文化的核心。[①] 良好的校园精神文化是积极的、健康的、向上的整体价值观和伦理观的综合体现，它可以有效帮助学生实现智力的发展和德性的提升。[②] 由此可见，校园的精神文化建设在文明校园创建的过程中有着极其重要的作用。但不少学校在校园精神文化、价值引领、思想道德建设等方面关注

---

① 宋晔．和谐校园的伦理学思考［J］．教育研究，2007（9）：45－49.

② 宋晔．我们要追求什么样的和谐校园［J］．教育理论与实践，2010，30（7）：22－25.

尚不足，德育在文明校园建设中处于比较边缘的地位，德育评价工作未能引起学校管理者的真正重视，德育评价对文明校园创建的推动、督促的价值尚未能真正被体现。这应该成为下一阶段文明校园创建的关键内容。

（二）避免静态为主过程为辅的问题

由于推选评价数量大、任务重，在文明校园评选过程中，依据资料打分成为最重要的评价形式，分数也成为考量学校文明创建工作质量的抓手。文明是符合人类精神追求、能被绝大多数人认可和接受的人文精神、发明创造的总和，文明校园评选实际上是国家依照现阶段的人类文明标准，对学校这一特殊的育人文化场所进行的综合性德育评价。德育工作更多内隐于学校教育工作的全过程，德育效果往往具有长效特征。单纯基于文本材料很难完全真实了解校园文明情况、学校师生的道德水平，更难以真正衡量学校德育工作实效。以资料为主，短暂到场考察的评价方式，存在着将文明校园推选等同于文本资料的“累积”与短暂的来访接待工作。一方面，文本资料呈现的往往是学校德育工作开展的成果、以往获得的表彰等积极方面，是学校工作中的闪光点而非全部，是结果而非过程，因而以这些为依据下评价结论可能会存在以点评面、以结果评过程的不足，难以真正反映校园文明的全面情况，特别是无法发现文明校园创建中面临的问题与困难。另一方面，在文明校园创建评选活动中，基于文本资料的量化打分也会严重影响正常的学校教学和其他常规工作，增加相关人群的工作负担,甚至会滋生为了参加评选而“补做材料”“做假材料”的情况。实际上，进入 21 世纪以后，德育评价的信息反馈、管理、教育、研究、监督等本体性功能成为主导评价观念，其最基本的逻辑是帮助学生实现精神的升华与人格的丰盈。因此，为真正落实文明校园的创建工作对全国学校建设的道德引领作用，文明校园评选活动应该借助现有的数据库建设、信息化技术，关注学校文明创建的全过程，并对其文明校园创建的过程与结果均作出科学、全面、正确的评价，以此确保评选的公平、公正，同时避免把推选工作和日常教育教学工作分离而带来的干扰，实现工作中即时上传相关资料，工作过程即参评过程，真正实现评选和建设的一体化。

（三）避免条块分割，重视内在联系评价

文明校园推选是国家对学校的综合德育评价，“六个好”评价指标是对校园文明状况进行综合评价的落点，是为了通过六个方面的情况体现学校的整体情况。在进行文明校园创建的过程中，很多学校习惯性地将六项指标分开，逐一去落实，针对每一项评价维度单独进行组织，开展相关文明校园建设。这样做当然也对学校建设起到了一定的推动作用，但往往使学校各方面的工作各自为政，各说各话，缺少内在的育人统一性。同时，文明校园的评价也会出现针对六个方面逐一评价的问题，侧重各个不同方面的落实情况，忽视了“六个好”指标的整体性逻辑以及每项指标之间的内在联系。实际上，“领导班子建设好、思想道德教育好、活动阵地好、教师队伍好、校园文化好、校园环境好”构成了文明校园的整体，领导班子的管理理念、教师队伍的落实执行是文明校园创建的前提与基本保障，有效适宜的思想道德教育及实践活动是师生德性（意识）、德行（行为）养成的显性教育途径，良好的校园文化及校园环境则是师生文明塑造的有效隐性教育方式。因此，只有这六个方面实现内在流通，围绕学校育人这一核心实现顺畅运行，学校的育人工作才能落到实处，各个方面的工作才有灵魂。也是在这个意义上，单纯一个方面做得好很难说是真好。因而，在下一阶段的文明校园创建和评选的活动中，处理好对“六个好”评价指标之间的内在有机联系的考察就显得尤为重要。

第三节　作为德育课程与教学环节的德育评价

德育课程与教学评价构成德育评价的重要部分。在国家教育质量监测

启动之前，除高考中的政治课考试外，德育课程与教学评价一直由区域或学校组织实施，主要以纸笔测验的方式进行。2015 年国家启动教育质量监测，对学校教育质量产生巨大的影响。2017 年德育纳入国家教育质量监测体系，开启了德育课程与教学评价的新时代。国家德育质量监测基于科学的方法和指标体系，深入地描述德育教学开展的情况，对儿童学业发展过程进行跟踪监测，呈现学生在知识技能、情感价值等方面的总体样态，为德育决策提供动态信息，引领德育评价，提升德育质量。在国家德育质量监测之外，德育课程与教学评价在宏观层面依据国家课程标准规定实施，在实践层面由教师和学校实施。两者间存在着一定的差异。本节考察不同层面德育课程与教学评价的实施要求和实践变化。

一、德育课程与教学评价的标准变迁

国家德育课程的教学大纲（1997 年前）和课程标准是德育课程与教学评价的重要政策性文件，其中对德育目标、德育内容的规定限定着德育评价的目标和内容范围，除此之外，它还直接对德育课程与教学的评价形式、原则和实施方案提出建议。因而可以说德育课程教学大纲和课程标准是德育课程与教学实施与评价的国家要求，通过教学大纲和课程标准内容的变化，可以看到国家德育课程与教学评价目标、内容与方法的变化。

（一）德育评价目标的变化：从统领性目的到层次性目标

1. 以统领性德育目的为导向的评价阶段（1982—1996 年）

这一阶段德育评价以统领性的目的为导向，强调学生作为共产主义事业接班人和社会主义合格建设者所应该具备的良好思想品德。其中，1982 年颁布的《全日制五年制小学思想品德课教学大纲（试行草案）》，用共产主义思想对于小学生进行思想品德教育，使小学生初步具有共产主义道德品质和良好的行为习惯，立志做有理想、有道德、有文化、守纪律的劳动者，为把他们培养成共产主义事业的接班人打下思想基础。1986 年颁布了《全日制小学思想品德课教学大纲》，主要目的是通过以“五爱”和“五讲四美”为中心的社会公德教育和社会常识教育，从小培育学生社会主义国家公民应有的良好思想品德和行为习惯，为使他们成为有理想、有道德、有文化、有纪律的社会主义建设各类人才打下初步的思想基础。1988 年颁布的《小学德育纲要》中提出，培养学生初步具有爱祖国、爱人民、爱劳动、爱科学、爱社会主义的思想感情和良好品德；遵守社会公德的意识和文明行为习惯；良好的意志、品格和活泼开朗的性格；自己管理自己、帮助别人、为集体服务和辨别是非的能力，为使他们成为有理想、有道德、有文化、有纪律的社会主义公民打下初步的思想品德基础。

2. 突显现实性的德育目标评价阶段（1997—2001 年）

这一阶段的德育评价，突显德育评价目标与时代和学生实际生活的关联，使德育目标评价具有较强的时代感。其中，1997 年颁布的《九年义务教育小学思想品德课和初中思想政治课课程标准（试行）》在评价目标上，强调以马列主义、毛泽东思想和邓小平理论为指导，紧密联系实际，生动具体地对学生进行个人生活、家庭生活、学校生活、社会公共生活、国家民族生活中的基本道德规范教育，进行思想方法、心理品质、法律意识、社会发展常识和基本国情的教育；逐步培养学生爱祖国、爱人民、爱劳动、爱科学、爱社会主义的思想情感，文明礼貌、遵纪守法的行为习惯；初步使学生在基本的思想观点与道德观念上具有辨别是非的能力，在了解唯物史观的基础上树立崇高理想和参加社会主义现代化建设的社会责任感。在目标的表述上，强调了“紧密联系实际”。

《九年义务教育小学思想品德课和初中思想政治课课程标准（试行）》自 1997 年 4 月颁发试行以来，对于贯彻《中共中央关于进一步加强和改进学校德育工作的若干意见》的精神、加强小学思想品德课和初中思想政治课的教学和改革发挥了重要的作用。同时，在试行的过程中，我国的社会生活发生了很大的变化，教育事业不断发展，中小学生的思想状况也出现了一些新的特点，中小学德育工作特别是德育课程的建设要与时俱进，适应新情况，增强时代感。教育部于 2001 年 6 月颁布了《基础教育课程改革纲要（试行）》，同年 10 月，教育部对《九年义务教育小学思想品德课和初中思想政治课课程标准（试行）》进行了修订，在评价目标上，强调适应中小学生的身心发展规律，突出创新精神和时代精神，淡化学科理论体系，增强教学的实践环节，增强思想品德教育的针对性、实效性和主动性。

3. 有层次的德育目标评价阶段（2002—2022 年）

除了德育评价目的的引领性和时代性之外，德育评价也需要细化的、可操作性目标的指引。21 世纪后，德育评价目标开始走向分层与分类。2002 年 6 月《全日制义务教育品德与生活（社会）课程标准（实验稿）》颁布，品德与生活课程的分目标在总目标的统领下，以促进儿童的发展为核心，分成情感与态度、行为与习惯、知识与技能、过程与方法四个层面的目标；品德与社会课程目标在于促进学生良好品德的形成和社会性发展，为学生认识社会、参与社会、适应社会，成为具有爱心、责任心、良好的行为习惯和个性品质的社会主义合格公民奠定基础。对于课程评价而言，不只是检查儿童知识、技能的掌握情况，更为关注的是儿童掌握知识、技能的过程与方法，以及与之相伴随的情感态度与价值观的形成。教育部 2011 年颁布的《义务教育品德与生活课程标准（2011 年版）》，以小学低年级儿童的生活为基础，以培养具有良好品德与行为习惯、乐于探究、热爱生活的儿童为目标。课程目标仍具体化为情感与态度、行为与习惯、知识与技能、过程与方法四个层面的目标。《义务教育品德与社会课程标准（2011 年版）》提出培养学生的良好品德，促进学生的社会性发展，为学生认识社会、参与社会、适应社会，成为具有爱心、责任心、良好行为习惯和个性品质的公民奠定基础。课程目标具体化为情感态度价值观、能力与方法、知识三个层面的目标。

2016 年起，义务教育小学《品德与生活》《品德与社会》和初中《思想品德》教材名称统一更改为《道德与法治》，德育教材名称的变化，意味着道德教育以及与道德密切相关的法治教育的目标得以突显。教育部2017年发布的《中小学德育工作指南》，在“为学生一生成长奠定坚实的思想基础”的总体目标基础上，详细提出了不同学段的具体目标：小学低年级侧重“养成基本文明行为习惯”，小学中高年级侧重“初步形成规则意识和民主法治观念”，初中学段侧重“引导国家认同和培养公民意识”，高中学段侧重“学习运用马克思主义基本观点和方法观察问题”，“初步形成正确的世界观、人生观和价值观”。这一针对不同学段层层递进、设定不同目标的德育体系，背后是对学生身心发展特点和规律的理性把握，在进行中小学德育评价时，必须关注学生不同成长阶段的发展特点，体现科学性和渐进性。

2022年4月教育部颁布了《义务教育道德与法治课程标准（2022年版）》，基于义务教育培养目标，将党的教育方针具体化、细化为课程应着力培养的学生核心素养，体现正确价值观、必备品格和关键能力的培养要求，这一课程标准明确了政治认同、道德修养、法治观念、健全人格、责任意识等培养要求。政治认同是社会主义建设者和接班人必须具备的思想前提，道德修养是立身成人之本，法治观念是行为的指引，健全人格是身心健康的体现，责任意识是担当民族复兴大任时代新人的内在要求。课程评价目标坚持素养导向，注重从学生理想信念、爱国情怀、担当精神、品德修养、法治观念、日常品行表现等方面加以考查，引导学生践行社会主义核心价值观，弘扬社会主义先进文化、革命文化和中华优秀传统文化。

（二）德育评价内容的变化：从宏观内容到逻辑体系

1. 以“五爱”为基本内容的评价阶段（1982—1996年）

1982年颁布的《全日制五年制小学思想品德课教学大纲（试行草案）》中，思想品德课程和教学的内容的核心是“五爱”（爱祖国、爱人民、爱劳动、爱科学、爱社会主义）；同时，实践中结合《小学生守则》，对小学生进行社会主义国家公民应有的道德品质和行为规范教育，着重在小学生中培养爱国主义、集体主义精神和主人翁精神。1986 年颁布的《全日制小学思想品德课教学大纲》强调要对小学生进行爱国主义教育、革命传统教育、集体主义教育、劳动教育和共产主义理想的教育；增加了社会主义民主和法治观念的教育以及良好的意志、品格教育等教学内容；注意了良好行为习惯和能力的培养。1988 年颁布的《小学德育纲要》要求向学生进行以“爱祖国、爱人民、爱劳动、爱科学、爱社会主义”为基本内容的社会公德教育和有关的社会常识教育（包括必要的生活常识、浅显的政治常识以及同小学生有关的法律常识），着重教育学生心中有他人，心中有集体，心中有人民，心中有祖国；着重培养和训练学生逐步养成良好的道德品质和文明行为习惯。

2. 以“多维能力”为基本内容的评价阶段（1997—2010 年）

这一阶段的评价在坚持“五爱”的基本框架下，强调认知和行为能力的评价。1997 年颁布的《九年义务教育小学思想品德课和初中思想政治课课程标准（试行）》将小学思想品德课学习评价分为认知能力评价和行为能力评价。认知能力评价，评价学生在小学思想品德课教学内容要求的范围内，对国家的标志、正确的品德行为规范、有关的道德知识、正确的道德观点、典型的事例、模范人物的再认、再现能力；行为能力评价，评价学生在小学思想品德课教学内容要求范围内，在认知的基础上把有关知识和正确的道德判断应用于行为之中的实际表现。在该课程标准下，初中思想政治课学习评价分为识记能力评价、理解能力评价和运用能力评价。识记能力评价，评价学生在初中思想政治课教学内容要求的范围内，对有关的事实、概念、原理和观点的再现或再认能力；理解能力评价，评价学生在识记的基础上对有关知识的转换能力或解释、推理能力；运用能力评价，评价学生在理解的基础上应用有关的知识初步分析和解决简单问题的能力，以及尝试进行实际操作的能力。

2001 年颁布的《九年义务教育小学思想品德课和初中思想政治课课程标准（修订）》在“课程结构”部分首次提出小学阶段以综合课程为主，在学习评价中，强调了对学生行为表现和道德实践能力的评价，通过评价，努力创设有利于学生积极、主动、创造性学习的氛围；将七至九年级教学要求中的“运用”层次，全部改为“活动”，强调在活动中学，在活动中用，增强学生的实践能力，并且适当增加了开展活动的具体要求。

3. 以“逻辑化体系”为基本内容的评价阶段（2011—2022 年）

这一阶段的评价内容开始在“全面发展”的指引下形成逻辑化、系统化的内容体系。

《义务教育品德与生活课程标准（2011 年版）》要求从片面追求儿童的学业成绩，走向整体关注儿童的全面发展。《义务教育品德与社会课程标准（2011 年版）》的评价内容包括对学生在学习过程中学习态度、学习能力方法和学习结果的综合性评价。教育部 2017 年发布的《中小学德育工作指南》强调建立全员育人、全程育人、全方位育人的育人体系，树立大德育观，具体到学校教育中，则强调课程育人、文化育人、管理育人。

《义务教育道德与法治课程标准（2022 年版）》要求以发展学生的核心素养为导向，以“成长中的我”为原点，由“自我认识”到“我与自然”“我与家庭”“我与他人”“我与社会”“我与国家和人类文明”，不断扩展学生的认识和生活范围，以道德与法治教育为框架，有机融入国家安全教育、生命安全与健康教育、劳动教育，以及信息素养教育、金融素养教育等相关主题，强化中华民族传统美德、革命传统和法治教育。根据不同阶段学生的身心发展特点，以学生实际生活为基础，分学段按主题对内容进行科学设计，建构学段衔接、循序渐进、螺旋上升的课程体系。在评价内容方面，要求对学生核心素养的综合发展状况进行评价，兼顾学生学习态度、参与学习活动的程度以及对课程内容的理解应用水平；要求着重评价学生在日常生活与学习中表现出的思想政治素养、道德品行、法治观念，以及在现实情境与任务中运用所学知识分析问题、解决问题时所表现出的核心素养发展综合水平。

（三）德育评价方法的变化：从课程考查走向表现性评价

1. 以课程考查为主要方式的评价阶段（1982—1996 年）

1982 年颁布的《全日制五年制小学思想品德课教学大纲（试行草案）》，并未提及具体的评价方法，但是其中提出注意思想品德课的考查问题，具体的考查方法则可在教学实践中试验总结。1986 年颁布的《全日制小学思想品德课教学大纲》继续沿用 1982 年颁布的《全日制五年制小学思想品德课教学大纲（试行草案）》的思路，强调思想品德要进行考查，考查的内容包括知识、能力和行为表现几个方面，考查方法可以多种多样，各地可以继续试验。1988 年《小学德育纲要》对于学生品德评定作了规定，强调品德评定应根据该纲要及《小学生守则》《小学生日常行为规范》，从不同年级的实际出发，制定适当标准，经过学生个人、集体和教师（包括班主任和各科教师）评定，记入学生成绩册，作为评选“三好”学生的依据之一。思想品德课考核，是学生品德评定的依据之一，应依据教学大纲和教材着重考查学生的道德认识，考核成绩列入成绩册。

2. 课程考查与日常观察相结合的评价阶段（1997—2010 年）

1997 年颁布的《九年义务教育小学思想品德课和初中思想政治课课程标准（试行）》规定，学习评价可采用书面测验（含开卷与闭卷）与日常观察相结合的方式进行。2002 年颁布的《全日制义务教育品德与生活（社会）课程标准（实验稿）》提出课程评价的特点在于注重综合发展，关注个体差异，实现评价指标的多元化；鼓励多元主体的参与，充分调动不同的评价主体开展评价活动；评价贯穿于教学活动的始终，教师和学生要形成过程性和动态性评价的意识和能力，在教学活动中自觉地开展评价，发挥评价的作用；强调质性评价，定性与定量相结合，实现评价方法的多样化；注重过程评价，实现学校、家庭、社会三结合，品德与社会学科的考查采用日常考查和期终考查相结合的办法。

3. 更为注重表现性评价的阶段（2011—2022 年）

《义务教育品德与生活课程标准（2011 年版）》要求，课程的评价以质性评价为主，量化评价为辅，重视儿童在该课程标准所规定的课程目标和课程内容方面的个性化表现；采用的评价方法主要有观察、访谈、问卷、成长资料袋评价、作品分析等。《义务教育品德与社会课程标准（2011 年版）》要求注意认知和操行相统一，综合性和简约性相统一，显性表现和隐性品质相统一，采用多元的评价方式激励学生；采用的评价方式方法包括观察记录、描述性评语、达成水平评价、作品评价、学生自评与互评。

《义务教育道德与法治课程标准（2022 年版）》重视表现性评价，强调围绕学生道德与法治课程学习实践性、体验性等特点，注重观察、记录学生在学习、实践、创造等活动中的典型行为和态度特征，运用成果展示、观点交流等形式，对学生的学习情况进行质性分析，同时兼顾其他评价方式的应用；注重引导学生对自己的学习历程进行写实记录，丰富评价内容，提高评价的全面性、准确性；坚持多主体评价，充分发挥学校、教师、学生、家长等不同评价主体或角色的作用，形成多方共同激励的机制，从各个渠道，采取多种方式全面观察和收集学生在各种场景中的日常品行表现，提倡各评价主体之间充分沟通交流，形成育人合力，增强学生学习的动力和信心。在评价方法方面，强调要综合运用观察、访谈、作业、纸笔测试等方法全面获取和掌握学生核心素养发展的相关信息，加强纸笔测试与观察、谈话等方式的结合，关注不同情境中学生日常品行表现，避免仅凭考试分数判断学生水平的传统单一评价方式。

二、德育教学评价实践的举步不前

虽然有课程标准和关于课程评价的规定，在教育政策层面也强调多元、开放、整体的评价观，倡导过程性评价、表现性评价，努力推进评价过程从片面追求儿童的学业成绩走向整体关注儿童的全面发展，但是在实践层面，德育评价长期以来依然是以工具性价值为主的评价导向，注重终结性评价，以知识评价代替立体素养评价，缺乏对情感、态度、信念等方面的关注。实践中的德育课程与教学评价离国家要求和理论探索的期待还有相当的距离。

（一）评价目标的单一化倾向

基础教育中的课程与教学评价建立在科学知识掌握的基础上，这也是更适合学科课程的评价思路。但德育课程显然不是学科课程，它不是以与道德有关的知识的掌握而是以人的德性成长为目标的。因而，德育课程的性质具有明显的综合性与实践性特征，这也是 21 世纪以来国家德育课程标准中明确规定的。因而，德育课程与教学评价不同于以知识掌握为目标的学科课程，学生情感、态度和对道德问题的思考能力、问题解决能力构成这一课程的重点。尽管国家对德育课程的性质和要求的明确定位已经过去了 20 多年，但实践中以学科课程思维进行德育课程评价的思路依然普遍存在。金利曾总结中学的思想品德课教学评价的知识化倾向的三个主要表现：其一，课堂教学目标更多集中在知识点和考点上，忽视了对学生情感、态度、价值观和良好个性品质的培养；其二，课堂教学目标更多关注对知识的记忆和储存，忽视了对学生学法指导、思维训练和能力培养;其三，课堂教学目标更多强调大而全，忽视了学生的发展实际和个别差异。以知识传授为中心单一的课堂教学目标影响着课堂教学评价指标的设置，决定了知识再认再现为主的单维评价形式，于是，检查知识记忆量的随堂练习和小测验成为评价者评价课堂教学的重要指标。① 仲建维提出评价单一化体现在德育评价的行为化倾向上，即所有的量化考核都是针对学生的具体行为的，它本性上只关注学生的行为而不关心学生的道德认知和道德情感

① 金利 . 对中学德育课程课堂教学评价问题的分析［J］. 思想政治课教学，2006 (2)：44 － 46.

的发展。更具体点来说，它只关注学生的行为规范达标和外在行为习惯的养成，本性上不承担推动学生的道德认知发展的功能，或者说因其规范性和强制性特征而倾向于把学生的道德认知能力限定在较低水平上，同时，其控制性色彩也和人本主义的精神旨趣南辕北辙。[①]

（二）评价内容的片面化倾向

课程标准中的评价内容，不断朝向综合性素养方向发展，并且强调通过表现性评价、多元主体的评价来呈现综合素养的发展状况。但是实践中的德育课程评价，主要表现形式为德育课的考试或考查，基本上考试分数既作为学生德育课的学业表现，也作为对教师教学水平的检验。学校品德评价在实践中另一个常见并一直延续的方式是班主任、辅导员给学生写的篇幅短小的操行评语。无论是采用何种形式，都是任课教师、班主任或辅导员掌握着评价的话语权，学生基本上没有“发言权”，形成了单一性的德育评价主体模式。[②] 在德育课进入各个层次统考科目的情况下，评价主体变成地方教育管理部门、学校管理者和少数教师，一般的任课教师、学校和学生一起成为被评价对象。学生基本上是作为评价的被动接受者，而且因为对教师和学校的评价终究还要通过学生在考试中的表现来说明，学生的考试成绩就成为与教师和学校高利害相关项。这一方面加重了学生在考试中与其他班级、学校学生竞争的压力，另一方面也加剧了师生间的内在紧张状态。[③] 在这种情况下，学生的好成绩不只是用来说明学生道德知识掌握的情况，更是给老师和学校争光，德育评价的工具性被放大。以单一主体（教师或者主管部门）为主导进行的评价，很难呈现学生真实的综

① 仲建维．德育评价应超越量化取向［J］．教育研究，2014，35 (5)：75 − 77.

② 黄立平．德育评价的缺失及对策［J］．基础教育研究，2006 (4)：6 − 7.

③ 尹伟．德育评价的重心转向及其合理性辩护［J］．湖南师范大学教育科学学报，2015，14 (2)：104 − 107.

合性的发展样态，可能造成实践中德育评价的片面化。

（三）评价方法的简单化倾向

一方面，相对于人的德性本身的复杂性，实践中流行以纸笔测验为主要方式的德育课程评价简单化为考查学生的道德知识，成为对学生记忆力，最多是理解力的考查，而无法真正实现对人的整体德性的评价。另一方面，考试本身的方法和程序过于简单。从目前学校德育评价的具体实施情况来看，中小学通常采用的德育评价方法主要有操行评语评价、成长记录袋评价和学生综合素质评价三种。[①] 就操作评语而言，即使在提倡评语“人性化、散文化、温馨化”的今天，以散文的方式描述学生有代表性的细节或生活中精彩的片段，仍有一种简单化的趋势。[②] 而在这之前相当长的一段时间内，学生的操行评定更是抽象空泛，流于形式。就纸笔测验而言，德育课的考试题目跟历史课类似，填空、选择、判断、简答和论述题都是围绕着教材上已有的答案进行。期中、期末各一张试卷就可以完成对学生德育课学习情况的评价，但就连任课老师自己也知道这门课的考试分数与学生的品德之间并不存在多么紧密的关联。

（四）评价结论的模糊化倾向

德育评价在实践中的另一个倾向是评价结语的模糊化。它首先体现为教师“打分”缺乏固定的标准。就操行评语的评价方式来说，要求老师通过语言对学生的德性进行一个总结性评价，除过于简单化外，也缺少相应的标准和过程性、实证性数据的支撑，常常是凭借老师对学生的有限印象，给一个概括性的说法。这种老师眼里的“好”与“坏”，与同学和家长眼

① 尹伟．德育评价的重心转向及其合理性辩护［J］．湖南师范大学教育科学学报，2015，14 (2)：104 − 107.

② 黄立平．德育评价的缺失及对策［J］．基础教育研究，2006 (4)：6 − 7.

中的“好”与“坏”可能存在着较大差别。这导致“打分”失真现象普遍，在客观上造成了教育系统乃至整个社会对于德育评价的诟病。[①] 而且这种教师评价的方式，主观随意性比较大，不能客观公正地反映学生实际道德水平；考试所测量的往往只是儿童的道德知识水平，而不是儿童的真实道德涵养，更无法预测儿童的真实道德行为。[②] 如果以上是实践中德育评价的信度问题，那么以下就是教师德育评价的专业性问题。由于教师给学生的品德评价建立在印象和自己的有限经验之上，信息的随意性就比较大，再缺少严谨的评价程序，加上随意的评价标准，德育评价往往等同于工作的总结，评价的科学性和专业性都存在问题，很难真正起到诊断、改进的作用。[③] 同时，学校德育工作评价缺乏科学统一的指标体系。各个学校使用的德育评价指标五花八门，其中不乏不科学的、不合理的。[④] 这使得学校德育工作评价基本上等同于比较随意的工作总结。实现德育评价的科学性和导向性，需要科学的德育评价指标体系。从全国范围来看，如果有国家统一的质量监测标准作为全国学校德育工作评价的基本标准，各地、各学校就可以根据本地、本校实际，在统一的评价指标基础上做加减法，形成个性化的评价指标体系。

三、国家教育质量监测中的德育评价

近些年来，对义务教育质量进行监测成为国际的通行做法，而且已成

---

① 赵之浩．从赋值到增值：新时代学生德育评价的理念转型与实践探索［J］．上海教育科研，2021 (2)：40 － 44.

② 张冲．中小学德育评价与创新研究：现状・问题・建议［J］．中国特殊教育，2019 (11)：75 － 80.

③ 金东贤，刘新成，何蕊．学校德育评价改革的若干问题：基于《深化新时代教育评价改革总体方案》的思考［J］．教育理论与实践，2021，41 (10)：19 － 24.

④ 同③.

为当前主要发达国家的政府行为。教育质量监测作为国家掌握学生学习情况、发现教育质量问题、调整教育政策、控制教育行为的有效措施而被普遍采用。2015 年，我国也启动了国家教育质量监测工程，来深化基础教育改革、推进素质教育、完善教育督导体系、为教育决策提供依据、促进教育的均衡发展。2017 年，德育纳入国家教育质量监测体系，迄今发布了两次德育质量监测报告。

（一）教育质量监测的国际进程

早在 1969 年，美国教育部国家教育统计中心就设置了全美教育进展评估机构（National Assessment of Educational Progress, NAEP），用来评价 4、8、12 年级学生在阅读、数学、科学、写作等领域的学业成就和学习能力，据此客观地分析与描述美国学生的学习状况。布什政府提出提高教育质量的核心目标是“不让一个孩子掉队”，加强教育质量监测成为实现这一目标的重要举措。之后美国多州都在尝试运用“绩效责任制”，试图通过制定明确的成就指标来监控、评估每所学校的教育质量。英国方面，在《1988 年教育改革法》颁布后，英国政府就采取了一系列措施监控教育质量。其中包括对 7、11、14 岁的学生进行定期测试，并将结果告知家长；每四年对学校进行一次教学质量监督评估，并将结果向社会公布。1992 年英国成立了教育标准办公室（Office for Standards in Education, OFSTED），通过对分散的地方督导网络的整合，建立起一个独立于行政体系的全国督导体系，对全国的公立学校实施督导检查；1997 年英国成立教育证书与课程管理局（Qualifications and Curriculum Authority, QCA），负责制定国家课程和各种教育证书标准，组织统一的教学水平检测。韩国在 1998 年成立了课程与评价研究所（Korea Institute of Curriculum and Evaluation, KICE），其中一项重要任务就是对义务教育的质量进行监测，着重对 6、9、10 年级学生的韩语、数学、社会、科学和英语进行学习质量评估。2003 年德国联邦教育与研究部（Bundesministerium für Bildung und Forschung，BMBF）、各州文化教育部长联席会议（Sekretariat der Ständigen Konferenz der Kultusminister der Länder. KMK）共同举行会议，讨论“国家教育标准”研制的相关问题，提出要成立“国家教育评估机构”，定期发表“国家教育报告”等多项建议。2006 年德国 KMK 颁布《教育监测总战略》，这成为德国基础教育质量监测工作的重要指导框架。之后，德国基础教育质量监测形成了“国家—州—学校”三级基本监测架构，国家定期参加国际大型学生学业成就比较测试，联邦州开展基于国家教育标准的教育趋势研究，学校实施三年级和八年级学生比较测试。法国 2003 年组建了“学校未来全国讨论委员会”，该委员会于 2004 年 10 月 12 日向教育部提交了题为《为了全体学生成功》的最终报告。墨西哥联邦政府于 2002 年 8 月 8 日和各州政府、高等教育机构、民间团体、企业界的代表共同签署了《提高教育质量社会契约》，强调教育质量对国家未来的重大和决定性意义。

除了各国的教育质量监测探索之外，一些重要的国际组织也进行了国际教育质量监测与比较，助推了世界范围内国家教育质量监测项目的建设。2000 年世界全民教育论坛通过了《达喀尔行动纲领》，提出了“全面提高教育质量”的目标，教育质量逐渐为人们所关注和重视。2001 年欧盟发布《学校教育质量》报告，列出了评价教育质量的 16 个标准，涵盖学业成就、成功和转变、学校教育管理、资源和结构四个方面。有质量的教育和培训在欧盟各国的关注处于最高政治级别，高水平的知识、能力、技巧是积极的公民权利、雇佣和社会凝聚的最基本条件。2005 年联合国教科文组织公布了《2005 全民教育全球监测报告》，为国际范围内教育质量指标体系的建立起了重要的推动作用。近年来大型的基础教育质量的比较研究项目引起了人们高度的关注，极大地推动了相关国家的教育质量监测体系的建立。其中最有代表性的项目包括由经济合作与发展组织发起的 PISA 项目和由国际教育成就评价协会组织的国际数学与科学趋势研究（Trends in International Mathematics and Science Study, TIMSS）。PISA 项目所涉及的评价内容包括阅读素养、数学素养和科学素养等；TIMSS 项目评价的内容为数学成绩和语言成绩。

（二）德育评价纳入教育质量监测的中国探索

改革开放至21世纪初，基础教育质量监测与评价活动实质上以教育督导评估的方式开展，评估的内容与实施从最初的侧重学校办学条件督导检查逐渐向素质教育和提高教育质量转变，负责机构由1984年国务院批准教育部设立的视导室转变为2000年设立的“国家教育督导团”。①

基础教育的质量监测制度脱胎于20世纪90年代的教育督导制度，始于对九年义务教育普及工作的评估。1993年我国正式提出建立“普九”验收制度，重点在于对义务教育实施情况进行监测评估；1994年国务院发布《关于〈中国教育改革和发展纲要〉的实施意见》明确提出在坚持基本办学条件标准的基础上，对中小学的评估开始重视教育质量的提升；1997年国家教委印发《普通中小学校督导评估工作指导纲要（修订稿）》，提出“构建以素质教育为目标，全面科学评估学校办学水平的机制”；1999年中共中央、国务院《关于深化教育改革全面推进素质教育的决定》要求“把保障实施素质教育作为教育督导工作的重要任务”，对素质教育实施情况的评估，成为督导评价工作的重点。

为了贯彻落实《国务院关于基础教育改革与发展的决定》，2002年全国教育督导工作会议提出，国家教育督导团将建立义务教育监测制度，拉开了国家基础教育质量监测探索和试点的序幕。2004年，国务院批转了教育部《2003—2007年教育振兴行动计划》，明确提出深化基础教育课程改革，建立国家和省、市两级新课程的跟踪、监测、评估、反馈机制，加强对基础教育质量的监测。2007年经中央机构编制委员会办公室批准，教育部基础教育质量监测中心在北京师范大学挂牌成立，标志着我国基础教育

---

① 陈慧娟，辛涛．我国基础教育质量监测与评价体系的演进与未来走向［J］．华东师范大学学报（教育科学版），2021，39（4）：42－52.

质量监测工作正式启动。2007 年至 2012 年，监测中心工作获得长足发展，开展了八轮义务教育质量试点监测，开发了大量监测工具，建立了规范的数据采集技术和实施流程，每年对 1—2 门学科或领域及与学生发展相关的影响因素进行监测，监测样本从 2007 年的 3 个，发展到 2012 年的覆盖全国 31 个省（自治区、直辖市）及新疆生产建设兵团。2012 年国务院成立国务院教育督导委员会，审议通过《教育督导条例》，使国家的教育督导活动从体制机制和法律法规两方面取得了重要突破。2013 年教育部颁布《关于推进中小学教育质量综合评价改革的意见》，提出要建立品德、学业、身心等发展水平的综合评价指标体系，其中品德发展水平主要考查学生品德认知和行为表现等方面的情况，可以通过行为习惯、公民素养、人格品质、理想信念等关键性指标进行评价。2014 年国务院教育督导委员会办公室印发《深化教育督导改革转变教育管理方式的意见》，明确提出“形成督政、督学、评估监测三位一体的教育督导体系”。自此，建立科学评价教育教学质量的评估监测体系作为教育督导的一项重要职能被明确下来。

2015 年国务院教育督导委员会办公室印发《国家义务教育质量监测方案》（以下简称《方案》），决定从 2015 年起在全国开展义务教育质量监测工作。《方案》明确了监测工作以引导树立正确的教育质量观、纠正以升学率作为评价学校和学生的唯一标准的做法，提出国家统筹指导、省级县级政府督导部门组织实施的基本程序，并对监测对象、周期、时间、样本等作出了具体规定。《方案》的印发标志着我国义务教育质量监测制度的正式建立。2021 年 9 月，为落实《深化新时代教育评价改革总体方案》《关于深化教育教学改革全面提高义务教育质量的意见》《关于深化新时代教育督导体制机制改革的意见》《义务教育质量评价指南》等文件精神，进一步完善国家义务教育质量监测制度，推动落实立德树人根本任务，促进义务教育质量提升，教育部印发《国家义务教育质量监测方案（2021 年修订版）》，对新时代改进监测工作进行了部署和安排。这对于建设高质量国家义务教育质量监测体系、更有力地推动义务教育改革发展具有重大意义。

《国家义务教育质量监测方案》和《国家义务教育质量监测方案（2021年修订版）》规定：我国义务教育质量的监测对象为义务教育阶段四年级和八年级学生；监测学科领域主要包括德育、语文、数学、英语、科学、体育与健康、艺术、劳动、心理健康；每个监测周期为三年，每年监测三个学科领域。第一年度监测数学、体育与健康、心理健康，第二年度监测语文、艺术、英语，第三年度监测德育、科学、劳动。因而国家教育质量监测中德育的始测安排是在 2017 年，其评价内容与同期的课程标准高度相关，涉及学生的理想信念、道德行为规范以及基本国情常识掌握情况等。

2018 年 7 月，教育部基础教育质量监测中心发布首期《中国义务教育质量监测报告》。该份报告抽取了全国 31 个省（自治区、直辖市）和新疆生产建设兵团的 973 个县（市、区）的 572314 名学生参加监测。同时，监测还对 19346 名中小学校长、147610 名学科教师及班主任教师进行了问卷调查。其中德育质量监测报告的结论是积极的，认为学生普遍具有积极的人生观和价值观，对中华优秀传统文化有较好了解，具备基本的法律素养，具有良好的行为规范。具体来看，学生国家认同感高，九成以上的学生为自己作为一名中国人感到自豪，96.2% 的四年级学生和 97.9% 的八年级学生对国家的未来充满信心。学生对成功的原因看法积极，有关获得成功最重要因素的调查中，选择个人努力的学生占比最高，四年级、八年级分别为 47.9% 和 62.7%，而选择家庭背景、他人帮助、运气或机遇的学生占比在 0.6% 至 8.5% 之间。学生具有良好的行为规范：在勤劳节约方面，四年级、八年级学生日常表现良好的人数比例分别为 87.5%、95%；在诚实守信方面，四年级、八年级学生日常表现良好的人数比例分别为 89.2%、95.3%；在团结友善方面，四年级、八年级学生日常表现良好的人数比例分别为 81%、81.1%；在遵守公德方面，四年级、八年级学生日常表现良好的人数比例分别为 93.6%、97.3%。尽管学生在行为规范方面总体表现较好，但仍存在不足，例如，只有 68.4% 的四年级和 68.6% 的八年级学生做家务劳动，只有 53.1% 的四年级和 38.2% 的八年级学生主动积极地参与学校和班级劳动。

2021 年 11 月，教育部基础教育质量监测中心发布了《2020 年国家义务教育质量监测——德育状况监测结果报告》，这也是第二期国家基础教育质量监测报告。本次监测在全国 31 个省（自治区、直辖市）和新疆生产建设兵团 331 个样本县（市、区）的 4012 所小学、2523 所初中开展，共对 116328 名五年级学生和 78856 名九年级学生进行了测查。同时，监测还抽取了样本学校校长，以及参测学生所在四年级、八年级相应的德育教师和班主任教师参加了问卷调查，实际参测的四年级、八年级德育教师分别为 11097 名、5761 名，四年级、八年级班主任教师分别为 15943 名、19496 名，小学、初中校长分别为 4009 名、2522 名。此次监测的具体指标和工具如表 4–3（出自《2020 年国家义务教育质量监测——德育状况监测结果报告》）所示：

表 4–3　德育状况监测指标与监测工具

监测指标		监测工具
学生品德发展状况	价值观、行为规范、国情常识、中华优秀传统文化、法律素养（仅八年级）	德育测试卷 学生问卷
道德与法治课教学状况	课堂教学、教师队伍	学生问卷 道德与法治老师问卷 校长问卷
学校德育实践与育人状况	德育实践活动、家庭、学校、社会协同育人	学生问卷 班主任问卷 校长问卷

此次监测报告包括了与第一期报告结论的对比结果，形成了横截面跟踪结论，呈现了学生思想品质的动态发展状况。报告认为，学生普遍具有积极的人生价值观；85% 以上学生行为规范表现较好，与 2017 年相比有所提升；学生对国情常识的了解得分与 2017 年大体相当；学生对中华优秀传统文化的了解得分与 2017 年大体相当，40% 以上学生对中华优秀传

统文化内涵与价值的理解处于中上水平及以上；学生法律素养得分与2017年大体相当，85%以上学生运用规则的相关知识解决生活中实际问题的能力处于中等水平及以上；80%以上学生喜欢上道德与法治课，90%以上学生喜欢学校开展过的德育活动；道德与法治教师数量大体上能满足教学需求，50%以上道德与法治教师经常采用联系生活实际、讲故事、分析案例等方式开展教学；80%以上的班主任每周积极主动地与家长进行沟通，学生学习成绩、学习习惯、心理健康是班主任与学生家长沟通的主要内容；家长最关注的是子女的学习情况，子女最希望家长关注的是身体健康、兴趣爱好或特长；七成以上学生对亲子关系满意，半数左右学生认为家长尊重自己；社区（村）活动场所、烈士陵园、革命纪念馆是学校使用较多的校外德育资源。

（三）德育评价纳入教育质量监测的前景展望

国家义务教育质量监测体系的建立对于义务教育的质量保障和发展具有十分重要的价值。教育质量监测在我国实施时间还不太长，处于进一步完善过程中。国家教育质量监测活动也引起学者们的普遍关注，大家从不同的视角出发提出宝贵建议。

王少非从其持续性、系统性和综合性，提出要关注国家教育质量监测的知识基础、保障国家义务教育质量监测体系建立的经费投入，也要注意国家义务教育质量监测的法律建设。[①] 辛涛等从国际视野出发，提出国家教育质量监测应该倾向第三方立场，以委托制、项目制的方式进行。根据我国实际，在没有充分立法和教育评估行业不成熟的情况下，成立国家级的基础教育质量监测机构，由教育部采用项目制的管理方式，吸引全国优秀的学科专家、教育和心理测量专家，才有望在一个较短的时间内开始

① 王少非．国家义务教育质量监测：一个模型构想［J］．教育发展研究，2006（5）：5－9.

基础教育质量监测。[①] 李凌艳等基于美国国家基础教育质量监测制度的设计经验，建议不同评价目的应通过多种评价项目实现，相关基础研究应成为监测制度发展的重要保障，由评估向问责的功能转变应循序渐进，应高度重视监测结果的应用。[②] 刘云华和段世飞借鉴德国教育质量监测的结构、实施与功用，提出我国基础教育质量监测工作需要进一步普及监测的科学理念、加强建立专业高效的第三方教育监测中介机构、有效构建多方协作的基础教育质量监测项目以及进一步强化对监测结果的数据分析与使用。[③] 结合新时代国家对教育的要求，檀慧玲提出教育质量监测应该实现五个方面转变：监测目标从基于课程标准的测评转向基于学生核心素养的综合测评；监测内容从侧重抽测样本群体的学业表现向关注学生个体的全面发展特别是其中的软性指标转变；监测重心从单一结果监测向多元全过程监测转变；监测方式方法从传统教育测评向基于信息与智能技术的测评转变；监测主体从注重学校监测向学校、家庭、社会协同监测转变。[④] 伍远岳认为，发展性是教育质量监测的重要价值体现，教育质量监测应回归教育本真，实现发展性价值；国家教育质量监测要立足现代教育价值观，重视学生发展过程，理解和尊重学生，对有特殊需要的个体体现人道关怀。[⑤]

纳入国家教育质量监测体系的德育评价，是遵循源始的学业质量评价的初衷，还是扩展为学生品德发展监测工程？教育质量监测是做广义的包

---

① 辛涛，李峰，李凌艳．基础教育质量监测的国际比较［J］．北京师范大学学报（社会科学版），2007（6）：5－10.

② 李凌艳，蔡静，郑巧．美国国家基础教育质量监测制度设计及启示［J］．比较教育研究，2016，38（5）：43－49.

③ 刘云华，段世飞．德国基础教育质量监测：结构、实施与功用［J］．比较教育学报，2021（2）：62－76.

④ 檀慧玲．新时代我国基础教育质量监测的向度转变［J］．教育研究，2018，39（6）：98－104.

⑤ 伍远岳．教育质量监测的发展性价值及其实现路径［J］．全球教育展望，2022，51（3）：20－32.

括家庭和社会在内的教育系统监测，还是限于狭义的学校教育监测？在学生品德作为家庭、社会、学校共同影响的结果这一前提下，德育质量监测的边界和内涵的界定也是非常重要的问题。

第四节　作为班级管理的德育评价

班级管理属于学校管理的重要组成部分，也是开展校园德育工作的重要途径。[①] 新的班级管理理念，是以育人为指向，在帮助学生个性获得充分发展的同时建立起基本的规则意识。新的德育评价理念，同样是以育人为目标，着眼于通过评价帮助学生树立起正确的价值取向。新的班级管理理念与德育评价理念在价值导向上是一致的，即育人是根本。德育评价与班级管理不仅在价值理念上存在重合，在教育实践活动中也能相辅相成。与其他德育评价实践的发展一样，班级管理层面的德育评价并非一开始就走在育人为本的道路上，本节将呈现改革开放以来班级管理层面德育评价指向由“管住学生”向“管理育人”的转变历程。

一、管住学生：班级德育评价的工具化思维

“文化大革命”时期，学校、班级管理陷入混乱状态，教师丧失了班级管理的权力。党的十一届三中全会后，重掌班级管理权成为确立教师权威和恢复正常教学秩序的关键。出于教育秩序和教师权威重建的需要，德育评价演化成了“管住学生”的手段之一。部分教师通过品德负面评价来贬低、控制、约束学生，或通过把学生群体划分成不同类别并对其进行差

① 王青．班级管理中学生思想品德教育探索［J］．成才之路，2021(23)：42－43.

异化对待的方式彰显教师的教育权力，这一时期的班级德育评价体现着明显的工具化思维，有背离育人宗旨的倾向。

（一）严厉批评：借负面评价约束学生

马克斯·韦伯将权威分成克里斯玛型、传统型、法理型三种，其中传统型权威的典型形式即家长制、封建制权威。虽然党的十一届三中全会强调要加强社会主义法制建设，做到有法可依、有法必依、执法必严、违法必究，但当时“依法治国”的理念还没有深入人心，整个社会的民主法治建设还不够完美，韦伯所说的法理型权威还没有完全建立起来。学校管理乃至班级管理也同样处于这样的状态中，教师意志成了班级德育评价的最高意志。在班级授课制的主导形式下，班主任成了班级德育评价的唯一主体。

学校正常教学秩序恢复后的一段时期内，班主任和教师权威成为教育工作的重要内容，但这一时期的教师权威观念类似于一种封建家长式的权威，主要通过限制学生自由权利的方式体现，各种形式的体罚在班级德育管理中屡见不鲜，甚至有着很高的认可度。封建家长式权威显然与社会主义国家的现代教育观念是冲突的。1986 年《中华人民共和国义务教育法》首次以法律规范的形式明文禁止体罚学生，加强对未成年人的法律保护。从另一角度也可以说这是对封建家长式教师权威的一种限制。教育法的颁布，以国家意志的方式宣布了旧教育权威观念的落伍，但在教育实践中，挖苦、贬损、呵责等给学生心理带来严重伤害的“心罚”现象依旧存在。

刘文波的研究发现，“神经病、笨蛋、傻瓜、饭桶”“啥东西”“给脸不要脸”“狗改不了吃屎”“天天都这样,没一点进步,你也就这点出息”“上课这样，怎么听课，你看看别的班，活该落后”这样的评价至今依然存在[①]。这些负面评价显然不仅仅是学业成绩评价，评价一个学生“不要脸”

---

① 刘文波.教育惩戒视角下教师语言暴力消解策略研究:以S市X小学为例[D].上海:华东师范大学,2021.

已经关乎学生的品德。金冠舟的访谈研究中，76.67% 学生表示自己在上学经历中目睹过教师在课堂上用极端语言辱骂学生。① 为了强化班级管理，教师还会将关涉品德的评价泛化到学业成绩上。彭伟家的研究发现 67.7% 的学业成绩差的学生会遭受教师的语言暴力，有的教师会直接说“混蛋”“狗改不了吃屎”“给脸不要脸”“考这么点成绩也不嫌丢人，要是我早没脸见人了”这类带贬损性质的评价话语。② 用这些词语来评价学生似乎是司空见惯的事情，许多教师并不认为这是一种有关学生品德与尊严的评价，仅认为自己是“恨铁不成钢”而已。③ 对掌握评价权的教师而言，他们习惯将自己设定为“规训者”，将学生视作管理和塑造的对象。

依靠严厉乃至刺耳的评价来约束学生可能是“立竿见影”的办法，但是这样做无益于学生的品德发展，甚至会对儿童的心理健康产生消极的后果。这一点刚开始并没有被人们认识到，心理健康领域的研究对改变人们的认识产生了很大的促进作用。今天，在教育领域“心罚”已经与体罚一起成为公认的教育伦理问题。传统权威型的班级管理方式可能存在以下伦理风险：（1）教师的语言暴力会对学生良好品德的养成造成不良影响。教师是学生学习的榜样，在学生心中是颇具权威的存在，因此教师言行会对学生的人格发展产生重要的影响。教师的失当评价直接损害了学生的自尊心，轻则让学生反感、厌恶班级生活，重则可能引起逃避、对抗等越轨行为的发生。（2）学生迫于评价的压力遵守规范，但却不见得真懂、真信、真行。外在评价只有通过内化吸收才能发挥出德育功效，要求学生一味地服从外在评价，根本无法培养出人的规范意识，反而可能养成奴隶人格。

---

① 金冠舟. 中学教师语言暴力现象探析与对策探索：基于师生不同视角的个案研究[D]. 上海：华东师范大学，2021.

② 彭伟家. 小学教师语言暴力现状调查及对策研究［D］. 曲阜：曲阜师范大学，2020.

③ 董艺. 小学教师语言暴力问题研究：以烟台市芝罘区 A 小学为例［D］. 烟台：鲁东大学，2014.

（3）严厉的负面评价打压学生的主体性意识。品德负面评价会对人的自信心、自尊心、羞耻感、荣誉感[①]等道德情感产生消极影响。北京青少年法律援助与研究中心公布的《教师语言暴力调研报告》显示，51% 的小学生、72% 的初中生、39% 的高中生认为，老师的“语言暴力”给其造成了心理伤害。[②]

学生作为正在发展中的人，犯一些错误是正常的，改正错误的过程也是非常有效的成长方式。教育者应该始终怀有欣赏的眼光来看待学生，始终相信任何人都是具有可教育性的，要警惕自己的评价可能对学生造成的伤害。不论是何种管理，其最终的目的都是唤醒人的道德自觉；不论何种评价，其最终目的都是唤醒人的道德良心。负面评价对于一个人来说是有价值的，它可以快速使一个“自然人”成为遵守规范的“社会人”，但是随着学生认知能力的增长，负面评价不应该成为主要的管理手段。

总而言之，依靠负面的、严厉的品德评价来约束、管理学生是班级管理中德育评价的一种阶段性形式，在改革开放初期的教师和教育权威重建中起到过一定的积极作用。但随着班级管理观念和水平的不断提升，以及社会整体道德要求的提高，这种管理方式必然被更为人本化的方式所取代。从历史进程来看，21 世纪之初是中国班级管理观念发生变革的转折期。进入 21 世纪后，教师德育专业素养和管理素养得到迅速提高，国家也更加关心儿童的身心健康成长，传统权威型的班级管理模式日渐边缘化。

（二）妙用奖励：以正面评价鼓励学生

随着整个社会的进步，班级管理中消极评价的弊端受到越来越激烈

① 李雯星. 教师语言暴力对小学生品德的影响研究：以南宁市为例［D］. 南宁：广西师范学院，2018.

② 胡杨，邢永宏. 良言一句三冬暖：关注教师的“语言暴力”［J］. 思想政治课教学，2006(8)：54－56.

的批评。1991 年，《中华人民共和国未成年人保护法》颁布，其中第十五条明确要求“学校、幼儿园的教职员应当尊重未成年人的人格尊严，不得对未成年学生和儿童实施体罚、变相体罚或者其他侮辱人格尊严的行为”。除国家法律规定和整体教育观念的转变外，随着计划生育的深入推进，儿童人数的锐减使得儿童成为家庭和社会的中心，儿童社会地位大大提升，也从侧面提升了学生在教育中的地位。消极评价越来越不被家长接受，倒逼班级管理放弃消极评价，积极评价成为主导性趋势。同时，因为班级管理中的德育评价会记入学生的档案中，甚至会对学生的毕业与就业产生影响，出于对后果的考虑，多数学生会努力避免“差评”，争取获得“好评”，形成“求好避差”的德育评价动力机制。

在学校教育实践中，班级管理中的德育评价也常常与学校对学生的综合素质评价融合在一起进行，其中不乏优秀的实践经验。武汉市唐家墩小学构建了“五星争优”特色评价体系，对学生德、智、体、美、劳五个维度的行为规范进行养成和评价。每年 12 月，学生可将积攒一学期的五星龙族印章交给学校五星成长银行兑换五星金卡换取新年创意礼品。该学校以“五星成长评价体系”为载体，对学生进行及时引导和鼓励，在不断调节中，形成了一种“认同 + 激励”的德育评价体系。[①] 类似的做法还有很多。南京市雨花外国语小学以周、月、学期为单位，细分为“每周之星”“每月之星”“学期之星”三个层次来评选。结合学生在此周期内的常规表现和习惯养成情况，以自我推荐、同伴投票以及教师评价相结合的形式，最终选出相应的“班级之星”，颁发荣誉证书并借助班级微信公众号展示风采。[②] 甘肃省岷县城郊初级中学发放“七色奖励卡”，对集齐一套（不同色

① 王萍．多元德育评价体系助力学生成长：以武汉市唐家墩小学为例［J］．成才，2021(6)：34－36.

② 李根．个性化评优在班级管理中的具体尝试和价值探索［J］．生活教育，2020(10)：32－35.

7 张）的学生授予“阳光七彩少年”奖杯和“阳光七彩少年”证书，并在学校展览栏留下个人简历，在以后本校的活动中邀请其出席，面向学弟学妹们举行讲座、提供指导等。[①] 总之，这样将德育评价与奖励相结合的做法已经十分普及。

将善行与奖励结合的做法实质上是行为主义心理学的思路。将德育评价与奖励相结合固然可以快速增加学生作出道德行为的概率，提高班级管理效率，但是也存在以下风险：（1）随着奖励的消除，道德行为可能会逐渐消退。学生作出道德行为如果是为了获得外在奖励或荣誉，一旦奖励降低或取消便会失去行善的动力。（2）外部奖励会削弱内部动机。[②] 如果完全依靠外部奖励来激励学生向着道德前进，学生可能并不会将真正的道德观念内化于心，也不会成为一个自觉、自愿的“道德人”。（3）为了获得奖励，学生可能会隐藏起自己的真实动机。学生一旦明白什么样的行为会获得奖励，就会刻意向奖励看齐，这可能会培养出急功近利的功利主义者，这与道德教育本身的目的是相违背的。

总之，通过激励与奖赏的办法来评价学生是一种可行的班级管理办法，但根据现有的心理学研究成果，道德奖励的负面效果也确实存在。这就要求班主任老师、德育工作者在施予学生奖励的时候要慎重，在奖励内容的选择与确定上要注意导向问题。如果将“免写一次作业”作为奖励，可能是在暗示写作业是一个不讨人喜欢的事，是个苦差事，这样的奖励思维本身会带来消极暗示。因而，奖项的设计、奖励内容的导向本身，不仅会产生当下行为的激励作用，也会产生潜在的价值观引导。将物质奖励与精神奖励相结合，在奖项的设计上注意正向积极价值导向，尽力避免出现消极

---

① 张宏，谈剑锋．科学构建中小学班级管理评价机制：预防和修正青少年学生偏差行为的策略研究［J］．新课程，2022 (5)：28 － 29.

② DECI E L. Effects of externally mediated rewardson intrinsic motivation［J］. Journal of Personality and Social Psychology, 1971，18 (1)：105 － 115.

后果，这些问题都是班级管理中需要慎重考虑的问题。

（三）分类治理：依据评价结果安排座次

学生的座位安排作为班级管理中的细节，也反映着教师的德育评价观念。由于涉及学生的平等教育权问题，自 20 世纪 70 年代以来受到学者的关注，并于 90 年代后期形成研究热点问题。[①] 郑鸿根的观察研究发现，坐在后排的学生除了小动作多、发言机会少、得不到教师的关注之外，后排学生还与表扬无缘。[②] 这说明，座次安排与能收获多少评价、收获什么性质的评价似乎有某种关联。事实上，教育评价的结果经常被作为安排学生座位的依据，至今仍有许多学校依照考试成绩的优劣来安排座位[③]，“排座位”作为一种班级管理的技术与手段与教育评价一起，共同对学生施加人格影响。

班级管理中，品德评价比学业评价功效更明显。学业评价主要是对学生的学习水平（尤其是认知水平）进行事实判断，而品德评价则是对学生思想品德表现或者人格整体的实际状况作出的肯定性或否定性的价值判断。如果一个学生的学习成绩较差，班主任或许不会很快想着将其与好学生区隔开来，反而，把成绩好的与不理想的搭配在一起以实现优势互补也是常有的做法。[④] 说明学业评价不一定就会成为区分学生的标准，但是品德评价则不同。一旦某个学生被教师鉴定为品德不良，这个学生很快就会陷入孤立无援的状态中。

“排座位”不但是学校教学管理的技术和手段，也是家长眼中的重要

---

① 田慧生．浅谈课堂座位的编排设计及其教育学意义［J］．上海教育科研，1995（6）：15－16．

② 郑鸿根．后排现象值得关注：关于学生座位问题的调查研究［J］．上海教育科研，2005（1）：42－44．

③ 唐海宝．为了教育公平的理想［J］．上海教育科研，2009（5）：1．

④ 刘宗宝．“座位空间”中教育要素的挖掘与利用［J］．教学与管理，2016（20）：9－11．

教育资源，甚至是家长教育竞争中的“角斗场”。[1]在校园里，品德评价是影响学生座次安排的有力因素。有些班主任会把调皮捣蛋的学生、经常违纪的学生放在最后两排或教室的四角，以示限制或惩戒[2]，还会将“品行不好”的学生与“三好学生”分隔得远远的，尽量减少“好学生”与“坏学生”之间的交往，以维护教学秩序、保证教学质量。更有甚者，还有的教师在讲台旁设置了“坏学生专座”，将顽皮捣蛋的学生从正常的班级座次中拿出来，最大限度将其与好学生区分开来，以提升班级管理的效果。朱亚培的研究发现，有学生就班级座位安排提议，应该“把爱捣乱的同学调至教室后排，任其自生自灭，反正他们的学习成绩也不会有太大提升”。[3]而且，品行不良的“标签”只要被教师贴上，想要在同学的心中摘掉是十分困难的。有些教师通过品德评价将品行不合格的学生筛选出来，对其进行严厉的批评或惩罚，以保证正常的教学秩序不被他们破坏，而对表现出众的学生则大加赞赏，这种“捧一踩一”的班级德育评价更是直接造成了同学之间的对立。如此一来，品德评价就成为班级分类治理的主要依据。

不管教师是否意识到，德育评价的确发挥着班级管理的功能。其主要表现为通过评价将学生划定成具有不同道德水准的群体，并将不同的群体区隔开来。这种做法存在着极大的伦理风险。（1）一旦为某个学生扣上品德不良的帽子，容易形成刻板印象，不利于学生改过自新。只要学生被教师贴上“标签”，安排到“专座”，就会给其他同学、教师造成这位同学是坏学生的印象，这些坏印象会影响该生获得正常的表现机会，甚至失去许多应有的权利。[4]（2）班级德育评价的教育功能无法正常发挥。品德评价

---

① 张智林．“排座位”中的空间等级与父母焦虑：基于N市M中学的人类学考察［J］．湖北社会科学，2021(10)：54－62.

② 黄邦明．从学生座位谈教育问题［J］．中学政治教学参考，2013(35)：7.

③ 朱亚培．小学生座位排列问题的研究［D］．太原：山西大学，2021.

④ 宋志强．学生“边缘座位”回归中心的路径与策略［J］．教学与管理，2020(30)：66－68.

本身就有价值引导、激励、诊断等功能。通过真诚而中肯的评价，学生可以发现自己的问题并及时改正。但为了管理而施行的班级德育评价是片面的，它没有将学生视为可以改变、可以提升的人来看，只想着将坏学生“管住”“控住”，这种思维不利于学生的成长与改变。（3）容易造成同学之间的对立，不利于塑造团结一致的班级氛围。通过“好”与“坏”的对立评价将人划分成不同的群体，是人为地制造出群体间的割裂。对于获得“差评”的学生群体而言，可能会产生逆反心理，破坏现有的评价体系。

总之，根据评价给学生贴标签的做法弊大于利。在社会生活中，“监狱”的存在是为了将道德品行败坏、违法乱纪的人与遵纪守法的人区隔开来，以保障社会运行系统不被破坏，保护好人的平安生活不被打扰。但学校不是监狱，而是学生健康成长的场所，所以在义务教育阶段明确反对“分班”，反对根据学生的表现分类区隔管控。建立学校是为了一切学生的发展而不只是为了“优等生”的发展，换一个角度来看，在义务教育阶段如何让存在品德问题的学生实现德性成长才是更应该重视的问题。

二、管理育人：班级德育评价的内在追求

20 世纪 80 年代初顾明远提出“学生既是教育的客体，又是教育的主体”[①]，受教育者的主体地位及能动作用开始在理论界得到重视。学术界对学生主体性的研究是超前于教育实践活动的，直至 20 世纪 90 年代，主体教育理论不断深化，相关的教育实验才得以广泛展开。[②]1997 年 10 月 29 日，国家教委印发《关于当前积极推进中小学实施素质教育的若干意见》[③]，由

① 顾明远，黄济．教育学［M］．北京：人民教育出版社，1982：67.

② 王道俊，郭文安．试论教育的主体性：兼谈教育、社会与人［J］．华东师范大学学报（教育科学版），1990 (4)：33 − 40.

③ 关于当前积极推进中小学实施素质教育的若干意见［J］．人民教育，1998 (1)：11 − 14.

此掀起了素质教育实践的区域性高潮，教育中人的失落、失真和空场问题才开始逐步扭转。自此时起，“以人为本”的教育理念开始扎根到全国各地的大中小学中，班级管理与德育评价也实现了价值的耦合，育人作为班级管理的重要内涵日益为大家所认可。20 世纪末至今，德育评价的管理功能主要表现在借评价之力弘扬正气、以多元评价激发管理热情两个方面。

（一）树立榜样：借评价之力弘扬正气

“文革”结束后，人们对榜样的认识开始变得理性客观。“择其善者而从之，其不善者而改之”（《论语 · 述而》）重新成为榜样学习的原则。自 1988 年版开始，德育教科书中英雄人物的选文比重开始大幅度下降①，品德教育中的榜样除了革命人物之外增加了更多生活中的“小人物”，更多彰显了平凡中的不凡。1995 年，徐树林等的调查研究发现，“三好”学生及其他德、智、体、美、劳表现突出的学生，成为榜样教育的典型，而树立榜样的主要方式是通过表彰活动。② 表彰的本质是评价，如在全校升旗仪式上点名表彰、戴大红花、佩戴小榜样绶带、颁发荣誉证书等，都是对学生品德的认可，是一种品德评价。

康德认为，榜样的力量之所以产生是因为我在别人身上看到了我尚不具备的一种纯粹的善性，在这种崇高的善面前我是谦卑的，对这种普遍的善我是敬重的。康德道出了榜样力量产生的先验机制，但是却没有说明其产生所需要的社会条件。其实，榜样的树立过程离不开评价，尤其是官方的、主流的社会评价。如果一个经常做好事的人被官方评定为全社会学习的榜样，并被授予荣誉、大力弘扬，榜样的力量就会在整个社会面上形成，

---

① 闫闯，郑航．小学德育教科书中传统文化教育的嬗变：以四套人教版小学德育教科书为文本［J］．课程 · 教材 · 教法，2015，35 (10)：72 − 78.

② 徐树林，魏国芬，杨惠敏，等．在学生中开展小榜样教育的研究报告［J］．教育研究，1995 (8)：74 − 78.

而一个未能得到“官方好评”的榜样所能产生的影响力则是相对有限的。榜样在净化社会不良风气、确立社会价值导向、塑造各阶层人民精神风貌等方面取得过十分显著的成效，因此不论是儒家所歌颂的尧、舜、禹，还是社会主义建设时期大力倡导民众学习的雷锋，都是推动民众向榜样看齐，不断改过迁善，最终实现社会精神文明不断提升的高效治理。

同样，在教育领域，教师对学生的品德施予积极的褒扬，将其树立为全班学习的榜样，实际上也是一种班级管理的策略。通过评价树立榜样是一种“软管理”方法，它不是将学生划分出不同的档次与等级来治理，也不是运用奖惩的手段来控制学生。通过评价的力量弘扬正能量，引导学生向榜样学习，有利于形成崇德向善的班风、校风，减少刚性管理可能产生的不良后果。陕西西乡一中在班级设置了榜样栏，对教师选出的班级学习之星、进步之星等的风采进行展示，加以鼓励，为班级同学树立学习的榜样，从而激发和调动每个成员参与班级活动的积极性、主动性和创造性。同时，该校的教师曾以“我的优点”为题目让每位学生写出至少五条优点在风采栏里展示，用于帮助学生树立信心。[①] 对学生的优点加以肯定并当众展示，实际上就是榜样教育的一种策略。合肥市五十中的袁自前老师，鼓励学生通过文字、图画甚至数学公式等形式呈现自己，形成自我评价卡片，并且选择优秀又不涉及学生隐私的卡片张贴展出。[②] 这样的做法既增强了学生自我认知与评价的能力，又为其他学生树立起学习的榜样。除了树立榜样之外，还有的教师通过对某种社会现象或社会人物施予较高的品德评价，为学生树立起道德学习的榜样。比如有老师通过视频、文字材料和讲述呈现淄博市的党员榜样朱彦夫、刘发德、孟力维等的事迹，让学生走近榜样、

① 陈文霞，王红波．学生自主管理模式的探索与实践［C］// 2017 年“基于核心素养的课堂教学改革”研讨会论文集．2017：98 － 99.

② 袁自前．以多元评价模式促进班级德育工作的开展［J］．安徽教育科研，2020（15）：88 － 89.

理解榜样、解读榜样和践行榜样。[①] 在这样的课程设计中，教师适时对榜样人物的高尚行为进行评价与总结，表达自己的价值立场，引导学生与自己一样向榜样学习。上述这些实践智慧实际上都有意无意地使用了榜样教育法，对于班级管理而言确实有效。

通过班级德育评价树立道德榜样，营造起崇德向善的班级氛围，是班级管理的方式之一。但是这种做法也可能存在以下风险：（1）将道德榜样树立为一个具体的、现实的人，可能会产生“榜样崇拜”现象。如果教师没有明确的意识将“善”与承载善行的“人”区分开来，榜样教育就可能走上歧途。教师应该引导学生学习道德榜样身上所具有的善念、善心、善情，也就是真正促使一个人作出道德行为背后的东西，而不只是学习表面上的善举，更不是搞个人崇拜。从榜样身上应该学习的是一种普遍的善，而不是偶然的、特殊的、具有个人喜好的善。（2）通过班级德育评价树立起来的榜样可能不具有价值引领的稳定性。通过好评树立起来的榜样可能很快被一个“差评”剥夺。所谓“人非圣贤，孰能无过”，对一个人的品德评价往往要辩证地、全面地进行，所以很难说班级里的哪一个榜样是“纯善的”，一个“差评”很有可能削弱榜样的道德示范的力量。（3）利用评价树立的道德榜样有脱离现实的风险。一个榜样形象的确立往往伴随着晕轮效应，晕轮效应也就是日常所说的“一好百好”，这样很容易将榜样抬高到出离日常生活实践的领域。一旦树立起一个“道德高标”可能会给那些无法向榜样看齐的人造成心理压力，进而产生放弃学习的想法。

总之，“通过评价来树立道德榜样—通过榜样来引领班级风气—以班风来熏陶学生”，是一种行之有效的班级管理策略。但从道德学习的角度而言，向榜样学习应该是自觉自发的而不是评价主导的，学习的内容应该是深刻普遍的而不是肤浅偶然的。

---

① 齐刚，付永峰．“身边的榜样”教学设计［J］．思想政治课教学，2021 (7)：63 − 66.

（二）民主评议：多元评价激发管理热情

1985 年，中共中央发出了《关于改革学校思想品德和政治理论课教学的通知》。此后，初中开设公民课，开始实施公民教育。[①] 公民教育的关键不在于传递知识，而在于民主参与。随着民主法治建设的不断推进，人们已经意识到管理是一种兼具统一性与多元性的活动，特别是面对具有无限可能的学生群体，权威式的管理模式所造成的风险可能要远大于其收益。公民道德教育的重要任务之一是帮助学生实现从“他律”到“自律”的转变，落实到班级管理上就是实现从“别人管”到“自己管”的转变，落实到班级德育评价上就是实现从“教师评”到“自己评”“互相评”的转变。因此让学生参与到管理与评价中来，是唤醒学生的主体精神、自律精神的重要途径，也是公民教育的内在要求。

民主评议既是保障科学管理、民主管理的有效手段，也是促进全面评价、客观评价、辩证评价的实践智慧。教师要鼓励学生们自己决定、自由讨论、自己体验，鼓励学生全方位地参与到班级公共事务的管理中来。而民主评议就是民主管理的一种方式。在民主评议中，每个人既是评价的主体，又是评价的客体，既有评价别人的权利，也有接受他人评价的义务。在评价与被评的过程中人才能突破自我中心，理解他人的感受，正视他人与集体的需要，这既有利于培养学生的民主监督能力，减少班级管理的失误，也有利于培养学生的自评能力。目前，走向民主化的评价正在成为越来越多的学校班级管理的基本形式。

在教育实践中，有许多宝贵的经验可供我们学习与参考。江苏省射阳县外国语学校小学的周丕老师认为，凡是学生自己能管理好的事情，教师要尽量“袖手旁观”，静观学生的作为，做到不插手、不评论。在“放权”

---

① 芦雷．我国中小学公民教育目标与内容重构研究［D］．大连：辽宁师范大学，2012.

之初，可以利用班会课组织讨论“谁是班级的主人”，以学生或朋友的平等身份积极参与讨论、发表意见，以扭转部分学生头脑中“班主任高高在上”的固有观念。[①]这样，学生才能成为班级的主人、学习的主人、评价的主人，真正调动起积极性。有的教师还会鼓励学生写“反思性品德日记”，对自己的行为习惯、生活事件、言谈举止进行情感叙事与文学表达，促进深度反省[②]；还有教师为学生制定了日常道德规范的自我监督表，要求学生自我评价与记录，促使学生意识到品德评定的主体是自己，从而更积极地去改进自身的行为，努力发展自身的品德[③]。为了培养学生的自主管理能力，有学者提议设立专门的民主评议机构，从制度设计上保证学生的管理权，提升学生的评价水准。比如学生代表大会、学生治理委员会、学生监督委员会或者学生议事会等新型的组织机构[④]，鼓励学生全方位地参与到学校公共事务的民主管理中去。这些方法都有利于学生养成自我评价与反思的习惯，发展学生的自我管理能力。

民主评议实质上是依靠多元主体共同参与评价，进而实现自主管理的一种方法。这种方法既减少了班主任的管理工作，又培养了学生的公共意识与责任意识。但这种做法如果使用不当也可能产生一些负面效果。（1）完全依靠学生自我评议、自我管理，可能会产生“多数人的暴政”。如果班级中大多数人秉持着错误的价值理念，那这种错误可能会通过民主程序而合法化。所以自主管理与评价的过程不应该是完全放任的，外在的

---

① 刘金虎．现代教育理念下班级“人文化”管理的思考［J］．现代教育科学，2008 (4)：19－21.

② 叶伟胜．学生参与教学反思初见成效：品德日记的功能分析［J］．思想政治课教学，2006 (2)：78－79.

③ 叶飞．让学生成为主动的自我评价者：品德评价的一种有效方式［J］．教育测量与评价（理论版），2009 (5)：41－43.

④ 叶飞．道德教育与“积极公民”的培育：从以赛亚·伯林的两种自由概念谈起［J］．苏州大学学报（教育科学版），2019，7 (4)：47－54.

价值引导在关键期是不可缺位的。(2)可能会滋生出价值相对主义。西方“价值澄清学派”虽然帮助学生厘清了自己所信奉或坚持的价值观念，但却也造成了意识形态多元无序的混乱状态，这不利于统一的公共价值观念形成。

班级不是属于教师一个人的，而是由所有享有受教育权的学生们组成的。由教师独断班级事务、由教师一人决定班级发展的做法是无法满足学生主体性、创造性发展要求的。因此，教师应该让出班级管理的主动权，相信学生有基本的判断是非曲直的能力，鼓励学生参与公共生活，鼓励学生进行自我评价、相互评价。在民主评议中学生可以学会赞美、学会倾听、学会判断、学会公正，在聆听别人的评价时个体更容易真实、客观地看待自己，促进自我角色的认同。总之，只要努力规避民主评议本身存在的问题，充分发挥学生的管理热情，充分调动学生的主体精神，民主评议就会发挥出更大的功效。

第五章 学生道德品质的时代变迁

如前所述，学生道德品质状况评估是德育评价的重要构成内容，也一直是学界和实践共同关注的话题，甚至被理解为德育评价的核心。从计划经济向市场经济的转变是一场深刻的中国社会变革，带来社会道德观念的深度转型。改革开放以前，与公有制为基础的计划经济模式相适应，中国社会逐渐形成了比较系统的以集体主义为原则的社会主义道德观念，包括个人、集体、国家利益相统一，大公无私，为人民服务，艰苦奋斗，勤俭建国等观念；改革开放后，随着经济体制的转型，以公有制为主体、多种所有制经济共同发展的基本经济制度下，价值观领域也出现了多元化的趋势。一些人认为集体主义观念是计划经济的产物，在市场经济条件下已丧失了存在的经济基础，应当重建与之完全不同的道德体系，如个人主义、功利主义、互利主义的价值观念。[①] 在时代变迁的大背景下，学生的道德状况发生了怎样的变化，呈现出何种时代特征？这些问题的答案不仅可以让我们对中国学生的道德品质有整体的认识，更是科学德育政策制定、德育课程与教学改革的重要依据，也可以为我们厘清新时代中国学生道德教育未来朝向提供数据支持。

---

① 宋希仁，张国春．道德观念的继承与发展［J］．求是，1995 (21)：27 − 29.

追溯文献，不同时期的道德发展研究为中国学生的道德观念、道德情感、亲社会行为（道德行为）、道德判断水平的发展提供了可贵的数据。尽管在缺乏顶层设计的情况下，各方面的数据呈现出多点散发的无序状况，但它们依然为我们描绘中国学生道德风貌的时代变迁提供了珍贵的资料。[①] 本章通过对 1978—2022 年不同时段的实证研究数据和结论进行进一步分析，以类似元研究的思路，尝试从道德观念、道德情感、道德判断、亲社会行为和整体道德风貌五个视角描述中国学生道德品质变迁的时代轨迹。

第一节　学生道德观念的时代变迁

道德观念，是人对善恶的基本认知，也是人的意义世界的重要内容，与情感、意志一起，构成人的道德实践的内在机制，决定着人的行动方向，并形成人们进行道德实践的自觉性和主动性。[②] 环境是产生道德观念的重要影响因素之一。对道德观念的观测与描绘，既能够呈现不同道德观念与当时社会生活环境之间的联系，也能够揭示道德观念的形成机理，为预防非道德行为的发生提供数据支撑。本节内容以改革开放为时间起点，以学生道德观念为研究内容，借助文献分析工具梳理学生道德观念研究的变化，通过有关研究结论的再分析展现改革开放以来中国学生道德观念的变迁。

一、改革开放以来学生道德观念研究回望

虽然学生的道德观念一直是国家和社会关注的话题，但国内学生道德观念研究进入理论视野，特别是采用实证研究方法开展中国学生道德观念

① 孙彩平．中国德育研究的认识论困境及突围路向［J］．齐鲁学刊，2022 (1)：78 – 86.
② 杨雪骋．当代道德理念系统建设［J］．南昌大学学报（社会科学版），1997 (4)：32 – 38.

的研究却经历了一个相当长的时期。从文献梳理情况来看，在改革开放以来的整体社会转型中，道德观念变迁研究在 21 世纪前以思辨类研究为主，21 世纪后实证研究才开始兴起；道德观念研究最先受关注的人群是大学生和农民，少年儿童群体的道德观念进入研究视野发生在 2010 年前后。这说明中国有数据依据的学生道德观念研究只有十多年的时间。当然，学生道德观念生发于中国社会整体道德观念之中，因而可以从社会整体道德观念、与少年儿童年龄最接近的人群（如大学生）的道德观念中折射出不同时代学生道德观念的模糊景象。同时，研究者视角代表不同时间研究者的兴趣或敏感点，也可以从另一侧面反映当时社会道德观念的敏感点。

关键词分析可以表明一时段内学术界道德观念问题关注点的变迁。以“道德观念”为检索关键词、“1978—2022”为检索时间，选取“北大核心”与“南大核心”期刊类别的期刊文献，共检索到 347 篇相关主题文献。通过对这 347 篇文献的摘要进行认真研读，筛选出真正符合主题要求的期刊论文 147 篇，随后借助 Citespace 对 147 篇文献加以分析。从关键词突现时间趋势图[①]（图 5–1）不难看出，“市场经济”“道德观念”“大学生”三个关键词突现强度（Strength）大于 3，远高于其他关键词，说明“市场经济”“道德观念”“大学生”是这一时段内研究者的重点关注主题。同时，从关键词持续的时间长度来看，“市场经济”（1993—2003）、“价值观念”（1994—2001）是改革开放后至世纪之交关注度最高的两个主题词，可见市场经济带来的价值观变化成为这一时期学界关注的核心问题；而“大学生”（2003—2016）和“思想道德”（2004—2011）成为 21 世纪前十年研究的主旋律之强音；进入 21 世纪的第二个十年，“青少年”（2009—2020）成了重点研究对象，其突现强度达到 2.86，说明新生代的思想道德状况正日益为学界关注，而且年龄有逐渐降低的趋势。

① 关键词的突现强度可以呈现其研究热度，关键词出现的起止时间即为其热度延续时间。

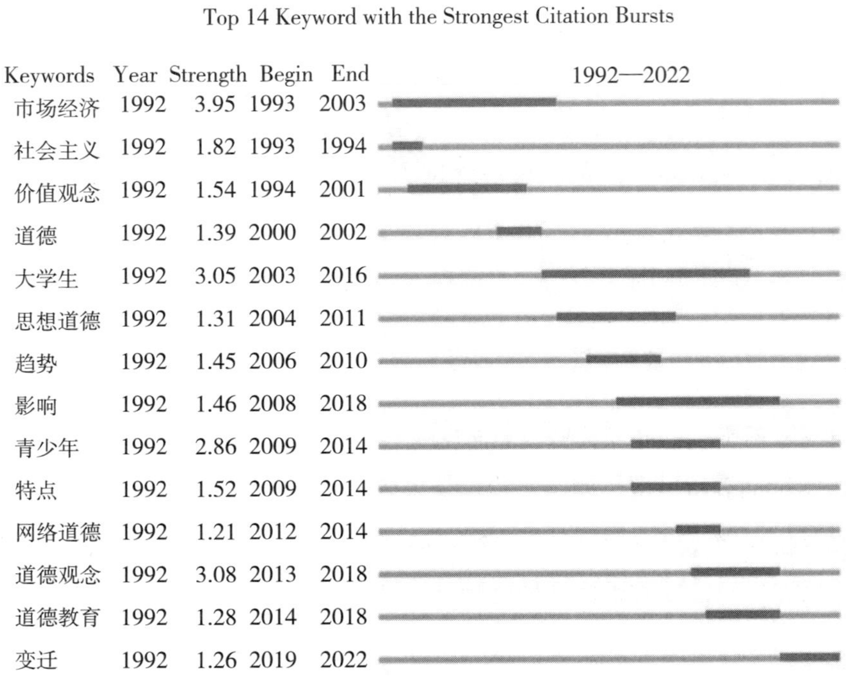

图 5-1　道德观念研究关键词突现时间趋势图

（一）市场经济作为道德观念讨论的激发因素

从上述分析可以看出，1978—2000 年，“市场经济”在道德观念研究中的突现强度远高于同期的另外两个关键词“社会主义”和“价值观念”，说明这一时期社会经济体制的改革举措在深刻地影响着中国社会经济生活的同时，也引发了学界对道德观念、价值观念的热烈讨论。市场经济是道德观念研究展开的背景，社会主义、价值观念是道德观念研究的内容。结合关键词时间共线图[①]（图 5-2）可以发现，知网上有记录的道德观念研究始于 1992 年，从文献内容来看，2000 年前思辨研究为主要研究类型，而

① 关键词时间共线图除了可以呈现重要关键词的时间变化外，还可以看到与某个关键词同时出现的其他研究主题词的变化，结合其研究内容，可发现它们与重要关键词的内在关联。

市场经济激发的个人主义、享乐主义对社会主义和传统道德的冲击为这一时期的讨论热点。这一时期，研究者们努力探索传统道德观念在市场经济形势下的转型与更新问题。闻明反思和梳理了中国传统伦理文化中的“恩”观念，提倡克服传统伦理文化中“恩”观念的一切局限性，赋予其新的理解和新的内容，使其为建设平等团结、互助友爱、美好和谐的社会人际关系服务。[①] 申明从道德观念与经济活动间的关系入手，认为以往的道德观念往往不与市场经济活动相联系，或只是泛泛而谈，容易陷入道德支配经济的结论，使得道德建设脱离经济建设，甚至与经济建设相互对立。因此，道德价值观念的更新必须与经济建设相联系，要将道德放在社会主义市场经济条件下重新加以检验和选择，培育与新的经济体制相适应的道德观念。[②]

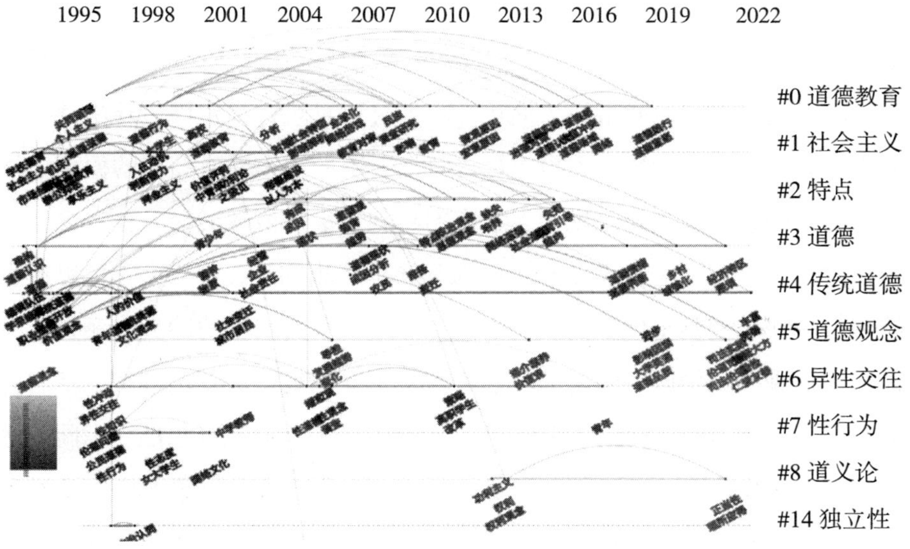

图 5-2　道德观念研究关键词时间共线图

① 闻明 . 中国传统伦理文化中“恩”的观念［J］. 道德与文明 , 1992 (5) : 23 － 25.

② 申明 . 建立与改革开放相适应的新的道德价值观念［J］. 理论与改革 , 1994 (12) : 35 － 37.

（二）大学生成为道德观念变迁的前哨

2003 年后市场经济观念深入人心，学界对其讨论的热度散去，大学生群体的道德观念开始受到高度关注。到 2016 年“大学生”成为突现强度仅次于“道德观念”的关键词（图 5–1），与之相伴随的讨论主题包括“异性交往”“性行为”等道德敏感话题（图 5–2）。除此之外，“道德”“思想道德”和“趋势”也是这一时期的研究关键词，但突现强度要低于“大学生”（图 5–1）。把以上四个关键词拼接起来不难发现，“大学生思想道德观念趋势”成为这一时期道德观念研究的主流。这可能是由于大学生作为时代变迁中的新青年，最先接触新兴事物和观念，容易发生思想道德观念的变化，因而成为道德观念变迁的前哨。从研究方法来看，这一时期“道德观念”的实证调查逐渐增多。从图 5–2 可以看到，大学生群体道德观念的变化趋势、发展特征、影响因素、教育对策等问题都受到关注。这一时期，王耀峰等通过对河北省某高校周边环境的分析发现，高校周边环境具有依附性、营利性、复杂性、不可控性等特征，因而很容易对高校的德育工作产生消极的影响，主要表现为大学生的功利主义价值观突显、社会责任意识淡薄、家庭归属观念缺失等方面[①]；桂溪涓提出知识经济为大学生思想道德观念的变化提供了广阔的发展空间，加速了中西文化的冲突与融合，在极大地推进社会物质文明的同时也给大学生道德观念的变化带来了新的挑战和困惑[②]；曹勇认为大学生因其不同生活方式、不同教育水准、不同人生经历，在理想信念、政治抱负、道德观念、生活方式、情感态度以及对事物现象和本质的认识上存在着很大差别，进一步加剧了其道德观念变化发

---

① 王耀峰，张志超．高校周边环境对大学生道德观念的影响及治理策略：以河北省某高校为例［J］．教育探索，2013 (11)：126 − 127.

② 桂溪涓．当代大学生思想道德观念变化的原因探析［J］．教育与职业，2007 (17)：87 − 88.

展趋势的复杂性和多样性——整体上呈现出从务虚向务实、单一向多元的发展趋势。①

（三）学生道德观念进入研究视野

图 5-1 数据表明，2013 年后“道德观念”成为突现强度最高、研究频次最高的关键词，与之几乎同时出现的是“网络道德”，说明这一时期在道德观念的讨论中，网络和虚拟世界的兴起成为重要的影响因素。从研究关注的群体来看，“青少年”群体成为突现强度第二的关键词，说明随着网络生活的迅猛发展，在大学生思想道德状况受关注的同时，儿童青少年的道德观念引起研究者的关注。同时，在 2010 年后“道德教育”出现在关键词突现时间趋势图中，说明“道德观念”变迁的讨论引发了人们对“道德教育”学科领域的关注，并聚焦于“道德判断”“道德行为”等具体道德要素上。从图 5-2 可以看到，2011—2016 年，网络媒介、网络文化对青少年、大学生群体的道德观念影响的讨论成为热点。孙彩平团队在 2006 年和 2016 年开展了两次全国规模的大中小学生网络生活及道德状况调查，从十年间隔的数据分析发现，网络对新生代的影响日益深入，同时，新生代网络心理也日渐成熟，整体而言网络生活对新生代的诚信观念和友情爱情观念、语言文明带来巨大的挑战。② 与之相伴的是青少年、大学生群体的功利主义倾向及权利观念的增强。2017 年孙彩平团队开启了全国范围的

---

① 曹勇 . 论当代大学生道德观念变化发展的六大趋势［J］. 黑龙江高教研究，2005 (9)：40 － 42.

② 孙彩平，石榴，徐静，等 . 全国中学生网络生活 10 年跟踪调查结果显示：网友对青少年的影响正在扩大［J］. 辽宁教育，2016 (8)：12 － 15; 孙彩平，刘文亮 . 青少年网络生活的道德状况及对道德教育的挑战［J］. 思想理论教育，2010 (6)：16 － 20; 孙彩平，耿少萍，曹艺珂，等 . “数字原住民”的网络生活：小学高年级学生网络生活及其道德状况调查报告［J］. 教育家，2016 (17)：44 － 47; 孙彩平，唐燕 . 国内中学生网络交友调查报告［J］. 上海教育科研，2009 (11)：40 － 43; 孙彩平，王春梅 . 国内中学生“网恋”专题调查报告［J］. 上海教育科研，2010 (10)：35 － 38.

大样本儿童道德发展状况调查，儿童道德观念成为一项重要指标，涵盖个人道德、公共道德、传统美德、社会主义核心价值观四个方面的内容。

二、学生道德观念的时代变迁

学生道德观念的形成与变迁受到社会环境、家庭、舆论导向、自身素质的影响，是一个不断建构的过程。不同时代的学生因为生活的社会环境和道德观念的变化，其道德观念也会表现出一定的时代印迹。改革开放以来，市场经济体制带来的竞争意识、个人主义、享乐主义，以及虚拟世界兴起带来的多元价值、躺平观念、丧文化等都对学生的道德成长产生着不可估量的影响，使得个人主义、拜金主义、享乐主义和悲观主义的道德“失范”现象在学生群体中时有发生。[①] 出生于信息社会的学生获取自身生活以外的信息更加便捷和容易，眼界逐步开阔，思维更加活跃，活动领域空前扩展，其道德观念也从原来封闭、半封闭向全方位开放的方向发展，学校道德教育面临着严峻的挑战。近十年，在全球化和信息化的推动下，价值多元、阶层隔阂、社会分化的情况加剧，极端个人主义、功利主义和盲目攀比等价值观念正借助新媒体等技术手段对学生的价值观养成带来新挑战。[②] 以“中小学生道德观念”“儿童道德观念”“青少年道德观念”为检索关键词、“1979—2022”为检索时间，在中国知网上共检索到 173 篇相关主题文献，通过对这 173 篇文献的摘要进行认真研读，筛选出切合主题的实证类调查期刊论文 22 篇；同时参考孙彩平团队的《中国儿童道德发展报告（2017）》《中国儿童道德发展报告 2020》以及教育部基础教育质量监测中心发布的《2020 年国家义务教育质量监测——德育状况监测结果报告》，

① 孙希娟，王惠中，韩洪玉，等．市场经济对中小学生道德观念的影响［J］．道德与文明，1994 (4)：9 － 10.

② 孙彩平．中国儿童道德发展报告 (2017)［M］．福州：福建教育出版社，2018：1.

以期较为全面地概括出改革开放以来中国学生道德观念在不同阶段的时代特征。另外，由于 2000 年以前关于儿童 / 青少年道德观念的实证调查类文献极为有限，本节内容尝试以国内大样本学生道德观念调查结果的出现为界，分两个阶段来呈现学生道德观念的变迁图景。

（一）在传统与现代道德观念碰撞中的学生

1. 家国情怀等传统美德观念依然得到认同

在这一时段共有 16 篇相关主题的实证调查类文献，覆盖湖北、江苏、广东、四川等十多个省市。2007—2010 年有 5 篇实证调查结果认为，这一时期的中国学生对主流的价值观念（爱国、爱家）以及中华优秀传统美德表现出较大程度的认同。佘双好等对包括湖北省在内的全国十省市青少年的调查研究发现，青少年依然保持着较高的国家观念，对社会主义核心价值观念、中国传统价值观念表示出较高的认同。① 杨韶刚等基于江苏和广东地区随机调查的 735 位青少年的研究发现，青少年对传统道德价值中的“仁”“义”“信”普遍有较好的道德认同，绝大部分的传统品德（如“孝”“诚”“信”等）仍然受到肯定。② 徐连萍等通过对四川省青少年的道德发展现状进行调查发现，青少年有较强的爱国意识，对社会主义核心价值体系有一定的了解和认识。85.5% 的青少年觉得作为中国人“很自豪”，在“如果有外敌入侵是否会主动报名参军保卫家园”的调查中，有约 72.1% 的青少年选择“愿意主动报名、自愿参军”。③ 樊浩就当前中国伦理道德状况及其发展规律进行全国性调研（包括但不限于青少年群体）发

① 佘双好 . 青少年思想道德现状与分析［J］. 当代青年研究，2007 (11)：1 － 9.

② 杨韶刚，万增奎 . 中国青少年道德观念现状与特点的调查研究［J］. 广东外语外贸大学学报，2008 (5)：83 － 86.

③ 徐连萍，杜维彦 . 社会变革时期四川青少年道德发展现状调查分析［J］. 现代农业，2009 (1)：109 － 110.

现，当前中国伦理道德精神呈现为“市场经济中形成的道德”“意识形态提倡的道德”“中国传统道德”“受西方道德影响”四元梯形结构，意识形态提倡的道德和中国传统道德是相对变化较小的维度，在时间变迁中呈现出一定的稳定性特征。①

2. 个人功利主义倾向增强

覆盖北京、天津、四川、湖北等全国十多个省市，时间跨度从 1994 到 2010 年间的 9 篇实证调查发现，在认同传统道德观念的同时，这一时期中小学生的道德观念也表现出较为明显的个人主义色彩及功利化倾向，为集体和公共利益牺牲个人利益的道德观念正在被打破。孙希娟等通过对中小学生在不同情境下表现的研究发现，分别有 5%、18%、12% 的小学生、初中生、高中生帮老师搬家以后想接受“劳务费”，有 7% 的中学生打算张口索要劳务费；分别有 7%、13%、8% 的小学生、初中生、高中生认为有钱的爸爸才是好爸爸。② 北京市青年研究会关于道德观念变化的调查发现，当自己面对利益和道德的抉择时，青少年往往选择利益，“一切向钱看”“个人利益第一”被认为是社会最流行的道德观念（分别排在第一、第二）。③ 纪秋发对北京市区 15 所学校 979 名学生进行的调查发现，在处理个人与他人关系问题上青少年更强调自我的利益。在“在处理与他人关系问题时，你的原则是什么”的调查中，有 44.9% 的青少年选择“利己但不损人”、21.4% 的青少年选择“先己后人”、1.2% 的青少年选择“只要利己，不顾他人”，分别有 7.8% 和 14.2% 的青少年对“人不为己，天诛地灭”

---

① 樊浩．当前中国伦理道德状况及其精神哲学分析［J］．中国社会科学，2009 (4)：27 − 42.

② 孙希娟，王惠中，韩洪玉，等．市场经济对中小学生道德观念的影响［J］．道德与文明，1994 (4)：9 − 10.

③ 北京市青年研究会．北京市青年道德状况调查报告（上）［J］．青年研究，1996 (7)：1 − 6.

这种观点持“非常赞同”和“比较赞同”的态度。① 楚丽霞先后两次对天津市在校青少年在互联网上活动的情况进行了调查，发现越来越多的青少年重视个人权利甚于社会价值、个体自由高过社会责任的倾向越发明显。② 徐连萍等人对四川省青少年的调查发现，将自己的利益放在第一位的青少年占有很大的比例，青少年的“自我中心主义”突显。③ 樊浩的调查也指出，伦理世界、道德世界、伦理道德素质及其影响力结构中的突出矛盾是以个体主义为基础的“理性”对以“单一物与普遍物统一”为本性的“精神”的僭越。④ 佘双好对全国十省市青少年的调查发现，他们更多地倾向于从个体发展角度来考虑入党问题，而信仰性因素考虑较少；在个人与集体关系上更多地倾向个人发展，考虑国家需要的同时注入了个人发展的因素，以个人发展作为出发点和归宿，个人利益因素在人生价值的成分中日益明显。⑤

3. 集体责任观念弱化

1997—2006 年，覆盖北京、天津、河北等省市的 5 篇实证调查结果指出这一时期学生集体责任观念逐渐弱化。范雷对北京市 90 所大、中、小学的 3065 名学生和 542 名教师的问卷调查发现，正直、善良、诚实等侧重于协调人际关系的道德品质受到学生的重视，而责任感、独立性、有毅力、自制力等侧重于自我约束、自我规范的道德品质受到学生的忽视。⑥

---

① 纪秋发．北京市青少年道德状况调查报告［J］．青年研究，2000 (2)：18－24.

② 楚丽霞．互联网对青少年道德人格形成趋势的影响：来自天津社会科学院的调查［J］．道德与文明，2004 (2)：45－49.

③ 徐连萍，杜维彦．社会变革时期四川青少年道德发展现状调查分析［J］．现代农业，2009 (1)：109－110.

④ 樊浩．当前中国伦理道德状况及其精神哲学分析［J］．中国社会科学，2009 (4)：27－42.

⑤ 佘双好．青少年思想道德现状及发展特点的实证研究［J］．思想理论教育导刊，2010 (5)：54－60.

⑥ 范雷．北京大、中、小学生德育状况调查报告［J］．青年研究，1997 (11)：1－4.

纪秋发对北京市区 15 所学校的 979 名中小学生进行调查发现，中小学生的集体主义价值观的弱化现象不容忽视。调查表明，分别有 5.1% 和 2.6% 的学生对集体主义价值观持否定的态度，即选择“不太赞同”和“完全不赞同”，另有 24.2% 的青少年学生对这种价值观持中立的态度。① 楚丽霞基于对天津市在校青少年的两次调查发现，互联网的虚拟性特征使青少年的某些道德意识呈现弱化状态（如责任意识）。② 薛彦萍等基于对河北省 10 个市的青少年进行的调查发现，无论在现实真实世界还是在网络虚拟世界,青少年的社会责任意识都比较弱。在“如果发现黄色网站链接，你会看吗，会向管理员举报吗”的调查中，68.2% 的青少年表示“不看”，65.2% 的青少年表示“不举报”，在“你对打架、酗酒、破坏公物等行为的反应是什么”的调查中，56.3% 的青少年选择了“事不关己”“逃避或远离现场”。③

（二）新时代学生的道德观念动态

该时段学生道德观念变化的跟踪主要基于孙彩平团队的《中国儿童道德发展报告（2017）》和《中国儿童道德发展报告 2020》及团队成员的相关论文，这些研究从传统美德、公共道德、个人修养以及社会主义核心价值观四个维度勾勒新时代中国学生道德观念的动态变化。学生对中国传统美德的认同情况，可以鲜明地反映出中国精神的绵延情况及更迭变化；学生对公共道德的认同既是新时代民族精神的构成要素，也是中华民族现代精神建设的成果。如果说学生对传统美德的认同彰显着中国文化的伦理基

---

① 纪秋发 . 北京市青少年道德状况调查报告［J］. 青年研究 , 2000 (2) : 18 － 24.

② 楚丽霞 . 互联网对青少年道德人格形成趋势的影响 : 来自天津社会科学院的调查［J］. 道德与文明 , 2004 (2) : 45 － 49.

③ 薛彦萍 , 刘继贞 . 在虚拟与现实之间 : 对我省青少年网络道德和现实道德状况的研究报告［J］. 河北青年管理干部学院学报 , 2006 (3) : 29 － 34.

因，其对公共道德的认同则说明着中国伦理的现代性进程。个人修养是道德自为与自觉的本质特征的体现。学生的个人修养观念可以说一方面体现着中国伦理基因传统，另一方面体现着学生对道德的本质体认。学生对社会主义核心价值观的认同提供了学生当代社会主流价值观的侧面，同时，也可以通过学生对社会主义核心价值观教育落实情况的评价调查，看到学生心中理想的国家精神样貌，了解学生的国家价值观期待。

1. 尚无“突出”的社会主义核心价值观认同

从社会主义核心价值观认同的数据来看，“平等”和“诚信”在两次调查中分别是学生最为看重的社会层面和个人层面的价值观，国家层面最看重的价值观在两次调查中发生变化，2017 年是“文明”，2020 年为“和谐”，但数据相差都不大。学生对“践行最好的价值观”的看法中，“爱国”“平等”“文明”分别为个人、社会和国家层面选择频次最高的选项。[①] 学生对社会主义核心价值观的重视及践行程度均存在较为明显的年龄波动。最看重“诚信”“平等”价值观的学生比例在 10—14 岁时呈现较为明显的上升趋势，在 14—18 岁时呈现较为明显的下降趋势；最看重“爱国”价值观的学生比例在 12—14 岁时呈现较为明显的下降趋势，在 14—18 岁时又呈现较为明显的上升趋势。[②]

另外，通过对比图（图 5–3）也可以清晰地看到，学生对社会主义核心价值观认同相对分散，除个人层面诚信的认同相对突出外，其他两个层面各项价值观的认同度数据均相差不大，说明社会和国家层面社会主义核心价值观认同中没有形成明显的核心。

① 孙彩平. 中国儿童道德发展报告 (2017)[M]. 福州：福建教育出版社，2018：29；孙彩平，周亚文，司马合强. 中国儿童道德发展报告 2020［M］. 北京：科学出版社，2022：20.

② 张峰峰. 儿童社会主义核心价值培育的现状与策略：基于 77367 个儿童的调查分析[J]. 少年儿童研究，2021 (10)：49 – 56.

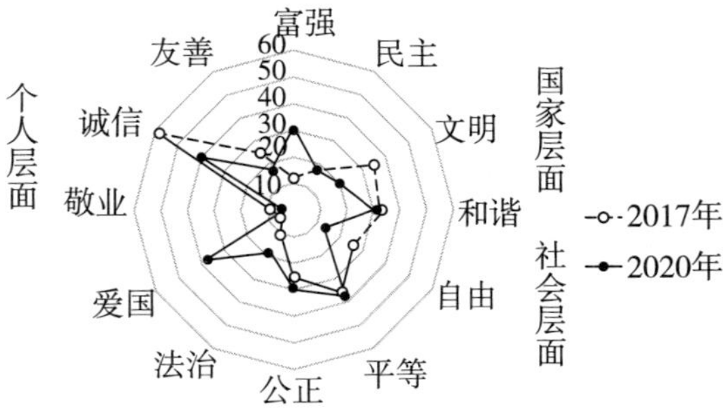

图 5-3　孙彩平团队两次调查样本认同的社会主义核心价值观对比图（单位：%）

2.“孝敬”依然是传统美德观念的核心

相对于社会主义核心价值观认同相对分散的情况，孝敬父母在新时代学生的传统美德观念中占有绝对优势（55.61%），成为传统美德观念的核心，并且在 2017 到 2020 年，孝敬父母的认同度表现出明显的上升趋势，同时出现增长的还有忠诚国家（图 5-4）。相对而言，谦虚礼让和勤劳节俭的认同度均有所下降。中华文化传统将修身—齐家—治国—平天下视为君子人格的奋进之路，平天下是中国人的最高理想与追求。只有当代中小学生拥有“先天下之忧而忧，后天下之乐而乐”“为往圣继绝学，为万世开太平”的格局与气度，国家与民族的复兴才会有不竭动力。然而从以上调查结果来看，当下学生更看重孝敬父母而非忠诚国家，看重天下胸怀的学生仅有 5.14%，而且这一比例没有随年龄增长而得到扩展。这一方面说明孝作为中国传统美德得到了传承，另一方面也说明当前中国学生对传统的继承仅限于家庭观念，传统的家国天下观念仍有待弘扬。

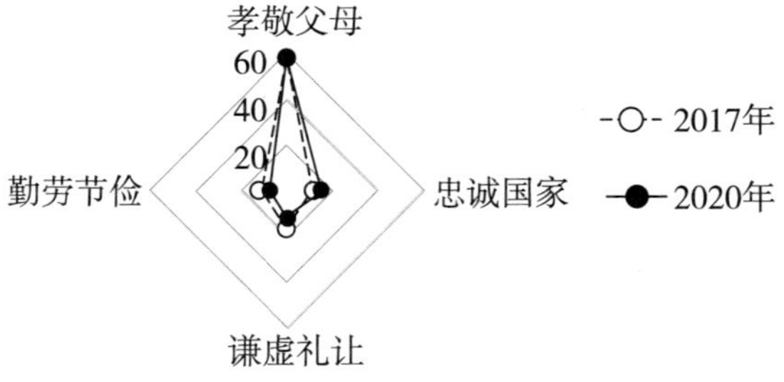

图 5-4　孙彩平团队两次调查样本认同的传统美德观念对比图（单位：%）

3. 公共道德观念领域缺少主导价值观念

整体来看，学生公共道德认同中也没有出现主导性的价值观念。在公共道德领域，廉洁奉公、正义、按规则办事三种公共道德观念的认同度差异不大，选项的被选频次相对均匀，这与传统美德观念和个人修养中存在明显的主导性价值观的情况表现出很大的不同，与社会主义核心价值观认同的情况类似(图 5-5)。现代社会与传统社会的区别在于公共领域的兴起，它不仅是一个人要担当公共责任的问题，也是现代社会治理的基本形式和生活的基本方式。在公共道德的指引下过好公共生活，是现代人与传统人的区别。良好的公共生活需要有主导性的公德观念或原则，从目前社会公德认同情况看，学生公共精神主导价值观的培育还任重道远。

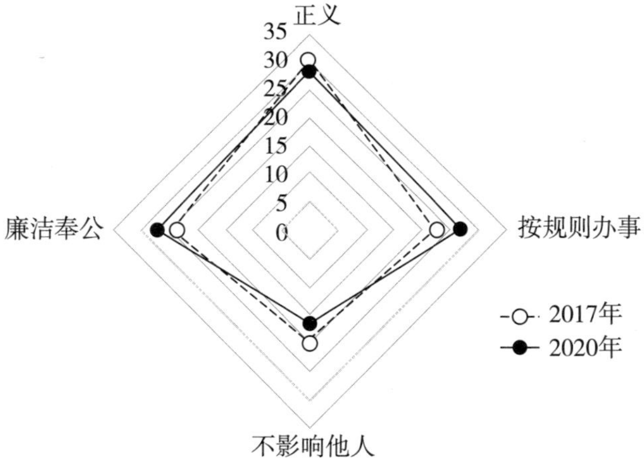

图 5-5　孙彩平团队两次调查样本认同的公共道德观念对比图（单位：%）

4. “勤奋”的观念被广泛认可

整体看来，在孙彩平团队 2017、2020 年的两次调查中，个人修养认同呈现“一核多元”价值观结构，“勤奋”被视为最重要的个人修养，而且在后一次调查增加了“向上”选项的情况下，看重“勤奋”的人数占比依然上升了约 5 个百分点，说明“勤奋”的个人修养观念在当下学生心中具有稳定的优先地位。同时，《2020 年国家义务教育质量监测——德育状况监测结果报告》也指出，学生普遍具有积极向上的奋斗观，92.6% 的四年级学生和 95.0% 的八年级学生同意“幸福是奋斗出来的”，96.5% 的四年级学生和 97.1% 的八年级学生同意“为梦想奋斗是一件让人觉得幸福的事情”。这两项数据说明奋斗精神在当代中国学生的价值观念中得到普遍认可（图 5-6）。

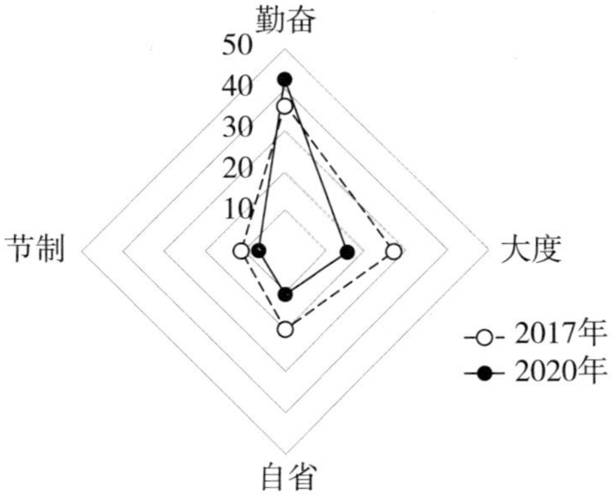

图 5-6　孙彩平团队两次调查样本认同的个人修养观念对比图（单位：%）

三、总结

学生时期逐渐形成的世界观、人生观、价值观作为个人后续生命发展历程中道德观念塑造的基础，对道德成长有着不可忽视的重要作用。改革开放以来，主体意识不断觉醒，在中国伦理传统观念（孝敬）和个人修养（勤奋）被普遍继承的情况下，功利主义也正在“侵蚀”着新生代的道德观念。最近十余年，随着虚拟空间的不断扩展，网络中多元的价值观念对学生也正在产生不可忽视的影响，新时代学生道德建设面临着新的挑战。

国家和社会层面的社会主义核心价值观认同的多元分散状况，说明当下学生在国家与社会层面的各项价值观都达成一定程度的认同，但还缺少明确的核心观念。在传统美德方面，“孝敬父母”的认同度远高于“忠诚国家”，这一方面说明“孝”作为中国传统美德得到了传承，另一方面也说明当前中小学生对传统的继承仅限于家庭观念，传统的家国天下观念仍有待弘扬。当然，不能简单地对关注家庭的观念扣上“自私”的帽子，毕竟人的道德萌芽都是从父母的关爱中生发而出的，家庭之德是一切德的根基。但现代中国社会的转型中，社会领域核心价值观念的建设是非常重要的方面。相对于传统社会的家国天下，现代社会中社会公共生活成为人们生活的重要组成部分，在公共道德的指引下过好公共生活，是现代人与传统人的区别。良好的公共生活需要有主导性的公德观念或原则，人类命运共同体建设更需要有广阔的天下胸怀。从目前中小学生公德认同的情况看，公共精神和人类精神的培育还需要更为努力。①

因此，针对当下学生道德观念的这种多元差异发展状况，学校德育可以更有针对性，在稳固文化传统的同时，侧重公共生活领域中道德观念、加强学生胸怀天下价值观的播种，才能期待他们更好地担当民族复兴的大任。将传统与现代、个人修养与公共生活的道德观念协调统一起来，探索引导新时代学生超越家庭与个人，生长出兼济社会、国家与天下的大格局人格，是当下德育的时代使命。②

第二节　学生道德情感的时代变迁

道德情感作为人类的一种高级情感，是人们依据一定的准则或者观念在评价他人或者自身时的内心体验。道德情感在个人道德品质的形成过程中具有激化、选择、评价和预测的作用，因此学生道德情感的发展水平在一定的程度上会影响学生思想品质的发展和德性的培养。了解学生道德情感的发展中的现状与问题能够为学生道德整体水平的提升寻找出合适的途

① 孙彩平，周亚文，司马合强．中国儿童道德发展报告 2020［M］．北京：科学出版社，2022：63 − 64，92.

② 张峰峰，孙彩平．中国儿童道德行为发展特征及影响因素探析：基于 10 省市儿童的实证调查［J］．中国电化教育，2022（9）：52 − 60.

径。对于学生道德情感发展状况的准确了解和把握必定要基于相应的调查研究，通过数据和事实来判定学生道德情感发展状况才能做到有据可依。相对于经验感觉，采用调查研究方法来探究我国学生道德情感发展的变迁才更具有说服力。本节内容主要通过相关的调查研究结论来探求我国学生道德情感发展变迁状况。

一、改革开放以来学生道德情感的研究回顾

学生道德情感的实证研究起始于心理学领域。在 20 世纪 60 年代初，苏联心理学家雅科布松（П. М. Jacobson）对小学生做了道德情感的实验研究[①],库尔奇茨卡娅（Е. И. Kurchitskaya）通过实验法对学前儿童做了羞愧感与道德认知相联系的研究[②]。新中国成立初期我国受苏联影响较大,苏联品德心理的实验研究较早被国内学者翻译过来，在一定程度上影响了当时国内学者的学术视野，也丰富了国内学生道德情感的研究方法。我国自己的学生道德情感的实证研究起步相对较晚，党的十一届三中全会之后学术界的研究才逐渐回归到正常的轨道上来。

以“道德情感”为关键词、“1978—2022”为检索时间,选取“北大核心”与“南大核心”期刊类别的期刊文献，共检索到 917 篇相关主题文献。通过对这 917 篇文献的摘要进行认真研读，筛选出真正符合主题要求的期刊论文 319 篇，随后借助 Citespace 对 319 篇文献加以分析，得出国内道德情感研究关键词突现时间趋势图（图 5-7）。由图 5-7 可以看到，在道德情感研究领域，“道德教育”“青少年”“儿童”“道德情感”“情感培养”“品德课”六个关键词突现强度要远高于其他，说明儿童青少年的道德情感培养是学界关注的重要问题，而且品德课成为道德情感养成的重要相关项。从

① 林崇德 . 品德发展心理学［M］. 上海 : 上海教育出版社 , 1989 : 341.

② 陕西省教育学院教育系 . 教育专业教学参考资料选编（一）［G］. 1984 : 348.

关键词持续的时间长度来看，“品德课”的热点时间段出现在 1991—1998 年，而情感教育（1998—2003）、情感培育（2001—2005）、情感（2007—2010）、道德教育（2003—2008）的热点时间相对集中在 21 世纪前十年，21 世纪的第二个十年中，青少年（2009—2020）、儿童（2010—2016）、留守儿童（2012—2016）的道德情感问题成为研究者们重点关注对象。依据文献关键词的时间分段，本节将按以上三个时间分段来概括道德情感相关研究的趋势与特征。

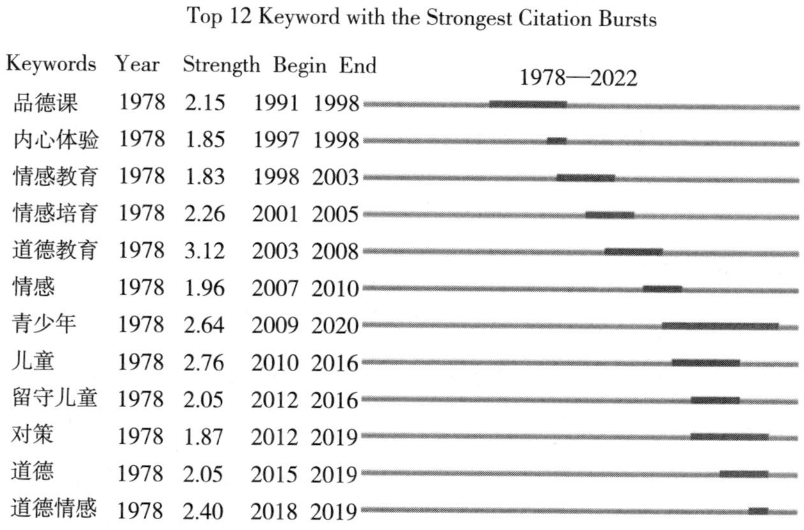

图 5-7 道德情感研究关键词突现时间趋势图

（一）情感作为道德行为影响因素

相对于道德认知、道德判断以及道德行为的研究，早期研究者们对道德情感的关注较少。从图 5-7 可以看出，21 世纪前“内心体验”“品德课”是研究者们主要关注点。从文献的内容来看，这一时期研究的主要内容聚焦在探讨道德情感在学生品德中的地位，主流的观念是把道德情感看作基于道德认知产生的一种情绪感受，是道德行为的重要调节因素。这一时期专门的道德情感实证研究数量较少，主要是在道德行为和品德研究中涉及道德情感的研究，把道德情感作为道德行为的一个影响因素。仲彬提出道德主体的某些价值取向、道德需要必须通过情感的渠道表现出来，同时，道德主体的道德情感往往成为道德活动的直接动机，因此，道德情感是道德发生作用的主体保证。① 左其沛认为道德情感在道德需要中占有较大的比重，它是道德需要发展水平的标志，也是道德需要调节道德行为的主要机制。② 李勇把道德情感定义为人们对客观存在的道德关系、道德现象、道德义务所产生的爱慕、憎恨、喜好或厌恶情绪，认为一旦道德情感形成，它将以难以估量的力量驱使主体完成道德行为。道德认识如果不能引起道德主体情感的共鸣，就很难付诸实践。③

（二）道德情感专门研究的开启

进入 21 世纪后，学生道德情感调查研究有了较快的推进。从道德情感研究关键词时间共线图（图 5–8）来看，“羞耻感”“敬畏感”“焦虑”等道德情感受到研究者们的普遍关注，研究方法和工具、研究领域及研究范围都有了较大的进步，学生道德情感研究呈现出新局面。从调查研究涉及区域范围来看，这一时期对学生道德情感发展的抽样范围有了较大扩展，基本遍布了全国各地；从研究内容看，除对道德情感整体的调查外，对关爱、羞耻等单一情感的研究比上一时期有所增加，并且受信息时代发展的影响，学生网络情感状况在这一时期受到关注。徐建军等提出，相对于羞耻感以及内疚感，道德焦虑是更为基本的道德情感，在产生与维持伦理秩序的过程中有重要作用，在主体行为净化和人格升华等方面具有重要的价值。④ 周

① 仲彬 . 论道德发生作用的主观机制［J］. 南京政治学院学报 , 1997 (1) : 80 － 81.

② 左其沛 . 略谈对品德心理的几个基本问题的看法［J］. 上海教育科研 , 1999 (2) : 47.

③ 李勇 . 道德认识向道德行为转化的关节点［J］. 河南师范大学学报 (哲学社会科学版), 1999 (5) : 106.

④ 徐建军 , 刘玉梅 . 道德焦虑 : 一种不可或缺的道德情感［J］. 道德与文明 , 2009 (2) : 41 － 44.

营军重视道德敬畏感的研究，把它看作“人心秩序”建立的基础性情感。他认为重塑个体道德养成中缺失的道德敬畏、唤起道德主体对道德法则的敬重和惧怕之心有助于个体道德的成长和整个社会道德价值秩序的维系。[①]在研究方法上，为了提升学生道德情感发展水平测量的科学性和客观性，过于依赖间接故事法的单一研究工具局面有所突破。一些学者开始自主编制用于道德情感研究的测评工具，问卷的科学性和规范性相比前一时期得到较大的提升。研究方法观念的更新和问卷的编制为学生道德情感发展特征研究的提升打下了基础。在研究对象上，这一时期基本与上一时期保持一致，小学和中学的学生群体皆有涉及。

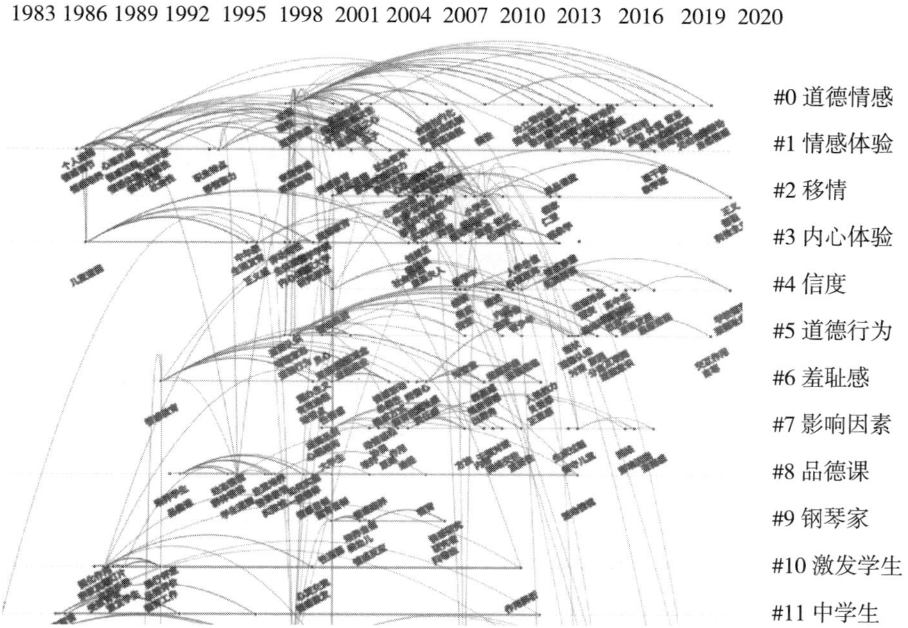

图 5-8　道德情感研究关键词时间共线图

① 周营军．道德敬畏：个体道德养成的心理机制［J］．河南师范大学学报（哲学社会科学版），2010（4）：240－242.

（三）大样本的学生道德情感调查开启

21 世纪第二个十年，道德情感研究迎来了大样本的科学化测评时期。这一时期，留守儿童的道德情感发展受到研究者的关注，同时科学化的情感测评工具的研发与应用成为这一时期道德情感研究的重点，特别是出现了全国样本的中小学生道德情感调查，为了解这一时期学生道德情感全貌提供了宝贵资料。杨玲等从多元文化视角编制了针对中学生内疚和羞耻感的情境量表。[①] 卢家楣等通过自编问卷首次对我国三类地区九大城市及其郊县的 117 所学校的 25485 名 11—19 岁青少年学生进行道德情感的专项调查，发现我国青少年道德情感总体正向积极，但正直感和责任感现状堪忧，从性别上看，女生道德情感及其关爱感和责任感优于男生。[②] 孙彩平团队分别于 2017 年、2020 年进行的两次全国范围内的儿童道德发展状况的综合性调查中，道德情感是其中一个重要一级指标，包括爱国情感、关爱情感或恻隐之心、集体责任感、羞耻感、自尊感五项情感，调查结果发现，大多数儿童内心有着强烈的爱国情感和恻隐之心，违背诚信会触发明确的是非感和羞耻感。[③] 该团队 2022 年的横断面跟踪调查发现，农村中小学生的爱国情感、羞耻感亟须关注，有待加强。[④]

---

① 杨玲，王含涛，周艳艳．中学生内疚和羞耻情境量表的编制及适用：基于多元文化背景下中学生道德情感研究［J］．心理与行为研究，2014 (3)：339－344.

② 卢家楣，袁军，王俊山，等．我国青少年道德情感现状调查研究［J］．教育研究，2010 (12)：83－89.

③ 孙彩平．分层与分叉：当代中国儿童道德发展调查报告 (2017)［J］．教育科学研究，2018 (2)：10－19.

④ 张峰峰，曾庆芳，李占彪．农村中小学生道德发展的现状、问题及德育建议：基于 16174 名中小学生的调查研究［J］．上海教育科研，2022 (3)：63－69.

二、学生道德情感发展的时代变迁

以“儿童道德情感”“中小学生道德情感”“青少年道德情感”为关键词,“1979—2022”为检索时间,在中国知网上共检索到 177 篇相关主题文献。通过这 177 篇文献的内容摘要的审读，筛选出切合主题的实证类调查期刊论文 24 篇。同时，对《中国儿童道德发展报告（2017）》《中国儿童道德发展报告 2020》《2020 年国家义务教育质量监测——德育状况监测结果报告》等全国范围的调查报告中的相关数据进行综合分析，希望提供改革开放以来中小学生道德情感发展的差异性特征，以及社会关注的爱国、责任以及网络生活中的道德情感发展状况。

（一）学生道德情感发展的差异性

学生道德情感的差异性发展特征包括两个方面：一是不同类型的道德情感发展不均衡性，二是学生道德情感在区域、年级、性别、城乡等自然变量方面存在的差异。

首先，目前的研究结论支持学生道德情感发展存在着类型性的差异。在关于中小学生道德情感发展的研究中，爱国情感、责任感、网络道德情感备受关注，下文会单独讨论。除此之外的道德情感的关注度相对较低。卢家楣团队和孙彩平团队分别于 2010 年、2017 年和 2020 年进行过青少年、儿童多种道德情感的综合调查，涵盖了关爱感、正直感、羞耻感以及自尊感。卢家楣团队 2010 年的调查发现，青少年的爱国、关爱、责任和正直感发展并不均衡，关爱感（M=4.92/6）表现最好，正直感（M=3.94/6）现状堪忧，爱国情感（M=4.83/6）表现良好，责任感（M=4.16/6）有待提升。

孙彩平团队 2017 年、2020 年的两次调查支持了学生道德情感发展的差异性特征，同时通过横断面动态数据分析发现，中小学生羞耻感得分比较低，且在三年间差异不大；自尊感得分相对较高，且在三年间有明显提升；另外，爱国感、责任感、关爱感 2020 年的数据相对 2017 年也有不同程度的提升，整体发展良好，均值保持在 3.5（满分为 4）左右。详见图 5–9 所示。

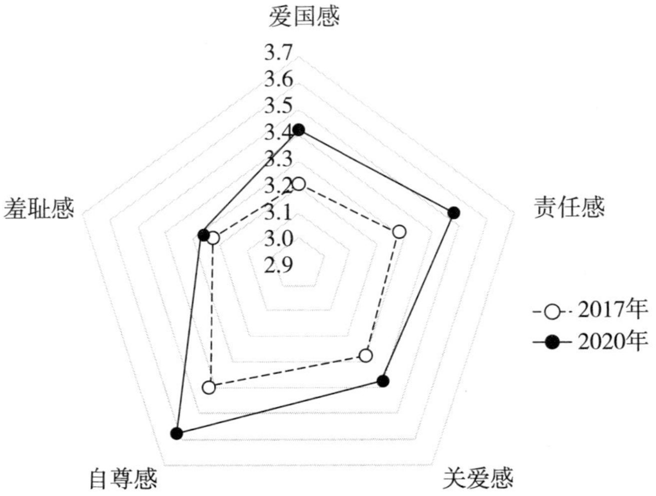

图 5–9　孙彩平团队两次调查样本道德情感调查均值对比图

其次，学生道德情感随年龄增长发生变化。从不同时期的文献看，目前对学生从小学到高中道德情感变化的结论并不一致。导致结论不一致的原因很多，包括时代变化、被试样本和测量工具等。

陈会昌运用情境故事法对小学一年级到高中二年级（7—17 岁）的 348 名学生的爱国主义情感进行研究发现，小学一年级到初中一年级时期爱祖国情感发展较快，初中二、三年级爱祖国情感发展较平缓，到高中又有新的发展。中小学生比较容易理解、发展速度较快的是对祖国山河的热爱与报效祖国的情感，学生理解比较困难、发展比较慢的是中国尊严感和区别爱国主义与狭隘民族主义的能力。[①] 梅仲荪等对 3500 名上海市中小学

① 陈会昌 . 中小学生爱祖国观念的发展［J］. 心理发展与教育 , 1987 (1) : 10 − 18.

生进行调查发现，上海中小学生的爱国情感整体表现良好。[①]李怀美等人组成的儿童品德心理研究协作组通过自编问卷，在京津地区选取小学二、四、六年级和初中二年级、高中一年级共2400名学生进行调查发现，爱国主义情感排在最末的位置。[②]曲建民的调查发现，中小学生的道德情感发展在城乡上存在着差异，城市、乡村不同年级中小学生道德情感各范畴发展水平趋势基本一致，但发展速度不一，城市中小学生除幸福感和爱国主义情感两范畴以外，其他范畴均在小学六年级达到最高水平，而乡村各范畴则是到初中二年级达到最高水平。[③]明旭军对山东省957名中小学生的品德调查发现，在道德情感水平上初中生低于小学生和高中生，存在“峰谷”现象。[④]梁凤华以自编问卷对江西省2800名小学六年级至高中一年级学生进行调查发现，初中生的道德情感表现优于高中一年级学生。[⑤]在“性别”差异中的结论相对具有统一性，即女生的道德情感表现要高于男生。卢家楣团队的调查也发现女生道德情感的整体表现、关爱感和责任感优于男生。[⑥]

---

① 梅仲荪，高洁敏，顾海根，等．上海市中小学爱国主义教育现状调查综合报告［J］．上海教育科研，1994 (7)：7 － 10.

② 儿童品德心理研究协作组．中小学生道德情感发展研究［J］．心理发展与教育，1989 (3)：1 － 6.

③ 曲建民．计算机辅助道德情感教育系统［C］//全国计算机辅助教育学会第四届学术年会论文集．1990：51 － 53.

④ 明旭军．青少年学生品德现状的调查分析［J］．胜利油田师范专科学校学报，2000 (2)：51 － 53.

⑤ 梁凤华．江西省青少年道德现状调查及教育建议［J］．上饶师范学院学报，2019 (4)：87 － 92.

⑥ 卢家楣，袁军，王俊山，等．我国青少年道德情感现状调查研究［J］．教育研究，2010 (12)：83 － 89.

（二）学生爱国情感的趋弱

以“中小学生爱国情感”“青少年爱国情感”“儿童爱国情感”为关键词，以“1979—2022”为检索时间，在中国知网上共检索到34篇相关主题文献，但专门关于爱国情感发展现状与特征的文献不多见，多为综合调查。梅仲荪认为，爱国情感是以多种情感体验为基础的综合性情感，它的形成是一个多因素、多阶段、多层次、多水平的，逐步孕育、不断升华的过程，具有高度的概括性。①

整体而言，中小学生爱国情感的绝对值水平表现良好，在不同时期的研究中都达到良好水平以上。在上文提到的20世纪80年代陈会昌、90年代梅仲荪的调查中，中小学生的爱国情感整体表现良好，在卢家楣团队2010年和孙彩平团队2017年、2020年的调查中，爱国情感的绝对分值分别是4.83/6、3.21/4和3.41/4，相当于百分制的80分以上，处于良好状态。但就爱国情感与其他道德感的横向比较来看还有提升空间。20世纪80年代末李怀美的调查和孙彩平团队的研究结论中，学生爱国情感得分相对较低。在孙彩平团队2017年的调查中，爱国情感以3.21分在自尊、羞耻、关爱、责任和爱国五项情感中排在最后②；2020年的调查中爱国情感的分数略有上升，但仅高于羞耻感的得分。从年龄发展趋势来看，与陈会昌的调查结论相近，孙彩平研究团队两次全国范围的调查均发现，学生爱国情感表现出随年龄增长而下降的发展趋势③，但梅仲荪的调查发现爱国情感的深刻性和稳定性有随年龄增长而提升的趋势。

---

① 梅仲荪．中小学生爱国主义情感形成过程的研究［J］．教育科学，1993 (1)：38 － 43.

② 孙彩平．中国儿童道德发展报告 (2017)［M］．福州：福建教育出版社，2018：84 － 85.

③ 孙彩平．分层与分叉：当代中国儿童道德发展调查报告 (2017)［J］．教育科学研究，2018 (2)：10 － 19; 张峰峰．中小学生爱国观念与爱国情感发展现状及德育策略：基于77367个中小学生的调查研究［J］．教育科学论坛，2022 (23)：22 － 26.

从上述文献梳理来看，中小学生爱国情感培育还可以适当加强，同时要特别注意随年龄增长而弱化的趋势。

（三）学生责任感有待加强

以“中小学生责任感”“青少年责任感”“儿童责任感”为关键词、“1979—2022”为检索时间，在中国知网上共检索到 182 篇相关主题文献，而且责任感自 21 世纪以来一直是研究者们的关注重点。不论是区域范围的调查还是全国样本的调查都显示，中小学生的责任感培养有待加强，特别是中学生和留守儿童责任感的发展亟须关注。

2006 年至今的区域范围及全国范围的调查研究结论都对中小学生的责任感培养发出需要加强的信号。何新宏对广东省某区的 420 名高中生的责任感调查发现，高中生对自己的责任意识比较模糊、对国家大事的责任意识比较薄弱。[①] 何良艳等对汨罗市 2769 名高中生道德情感的调查也发现其同情感、义务感发展较为成熟，但责任感不够强。[②] 安宝珍对山西省临汾市尧都区 409 名初中生责任感的调查发现，初中生社会责任感的整体水平为中等，如果以百分制来计，大致在及格线水平。[③] 李晓弘对 197 位六年级学生、198 位二至六年级学生的家长、32 位教师的调查发现，小学生责任意识比较薄弱。[④] 毋丹丹对深圳市南山区的 1347 位中小学生的调查发现，学生的责任感在初中阶段有下滑的趋势且最不稳定。[⑤] 汪海

---

① 何新宏. 高中生“责任感”调查与分析报告［J］. 福建教育学院学报，2006 (6) : 27 − 28.

② 何良艳，周辉林，湛杰良. 汨罗市区高中生道德情感的调查与思考［J］. 中国德育，2006 (12) : 73 − 74.

③ 安宝珍. 初中生社会责任感的调查研究［J］. 教学与管理，2007 (10) : 41 − 43.

④ 李晓弘. 小学生责任感内涵认知的调查与分析［J］. 福建论坛（社科教育版），2011 (11) : 74 − 77.

⑤ 毋丹丹. 中小学生社会责任感调查研究［J］. 中国德育，2015 (4) : 16 − 20.

彬等对安徽省 360 名留守儿童的道德情感调查发现，留守儿童道德情感的总均分显著低于全国常模，四种道德情感均值排序中关爱感得分最高，责任感得分最低。[①] 全国大样本调查结果基本支持以上结论。卢家楣等调查发现青少年正直感（3.94/6）和责任感（4.16/6）现状堪忧[②]；孙彩平团队的调查发现中国儿童的责任感随年龄的增长呈现下降趋势，低学段儿童在面对集体问题时更加积极主动，相较低学段儿童对集体整体状况的关注，高学段儿童更多地表现出将集体责任感分化为个人义务感的倾向[③]。

从以上结论来看，学生责任感的发展自 21 世纪以来在道德情感发展中是弱项，需要特别给予关注，其中要特别关注学生责任感随年龄出现的弱化趋势和留守儿童等弱势群体责任感的培育。

（四）学生网络道德情感堪忧

以“网络道德情感”为关键词、“1979—2022”为检索时间，在中国知网上共检索到 33 篇相关主题文献（期刊论文 20 篇、博硕士论文 13 篇），其中大学生群体的网络道德情感是研究者们的重点关注对象，关于儿童 / 青少年 / 中小学生的网络道德情感研究仅有 7 篇。整体来看，当下学生网络生活存在着一定程度的情感放纵、消极和偏差，特别需要及时给予正确的引导。

姜兰姝采用自编问卷对 800 位高中生进行调查发现，高中生的网络道德情感在某些方面相对放纵，总体情况令人担忧。在回答“使用不文

---

① 汪海彬，田晶晶，王刚，等．留守儿童道德情感的现状调查研究［J］．集美大学学报（教育科学版），2016 (3)：30 － 36.

② 卢家楣，袁军，王俊山，等．我国青少年道德情感现状调查研究［J］．教育研究，2010 (12)：83 － 89.

③ 孙彩平，周亚文，司马合强．中国儿童道德发展报告 2020［M］．北京：科学出版社，2022：110.

明语言”时，74.7% 的高中生回答不内疚，有高达 40.1% 的高中学生崇拜“黑客”，还有不少于 14.4% 的学生在“散布不负责任的信息”时感到很愉快。① 沈楼认为，由于网络当中虚拟的道德情感体验无法代替真实的道德情感，网络会造成主体对真实的道德情感体验的忽视，引起主体在道德认知上的不足与扭曲。② 王焯轩发现，高中生的网络情感十分丰富，但网络道德情感有待完善。很多学生在网络道德情感上表现失控，经常在网络中使用不文明语言，散布不良信息，因为网络玩笑而感到愉快等。③ 袁晓琳等采用自编的网络道德问卷对 871 名中学生进行调查发现，网络道德情感体验在不同年级之间有显著差异，随着年龄增长情感体验越来越积极，其中高三、高二学生网络道德情感表现都显著高于初一学生。④ 袁晓琳等还采用自编问卷对 1665 名青少年进行调查发现，青少年网络道德情感表现一般（M=2.856/4），而且青少年网络道德情感水平随着其年级的升高呈下降趋势。⑤ 由此可见，随着时代的发展，学生道德情感也受到社会的外部环境的影响，新兴的网络由于具有虚拟性特征以及充斥着各种驳杂的信息，在一定程度上侵染了学生对外界的感知，也影响到学生道德情感的发展，需要给予一定的关注。

---

① 姜兰姝．大连市高中生网络道德现状及教育对策研究［D］．大连：辽宁师范大学，2006：20.

② 沈楼．Web2.0 时代青少年群体的网络道德问题及对策研究［D］．杭州：浙江财经大学，2015：1.

③ 王焯轩．高中生网络道德现状与教育对策探析［J］．中国新通信，2016（24）：141.

④ 袁晓琳，肖少北．中学生网络道德的实证研究［J］．教学与管理，2017（30）：25－27.

⑤ 袁晓琳，肖少北．青少年网络道德与现实道德状况的调查研究［J］．教育观察，2021（11）：69－72.

三、总结

改革开放至今的四十多年风云变幻中，研究者们对青少年学生道德情感的关注度越来越高。特别是随着道德情感测评工具的科学化发展，越来越多的研究者开始对不同群体的多种道德情感进行区域性乃至近几年来兴起的全国范围内的大样本实证调查。通过对不同时期的相关主题研究的汇总、整理与分析不难发现，学生道德情感的发展确实与时代的发展紧密相连。在整体良好的情况下，个别维度的情感的发展水平不尽如人意，尤其需要关注学生的责任感、羞耻感、爱国情感的培育。同时，学生道德情感发展存在着关键期，在不同的年龄段，学生的道德情感发展会出现不同程度的波动。另外，学生道德情感的发展既受到自身成熟因素的影响也与外界的社会因素密切相关，在不同的时期，社会环境或者流行的价值取向均会导致学生情感变化，从而影响相应情感的发展。

从以上分析来看，在新时代学生道德情感的培养中，责任感、羞耻感、正直感特别需要给予重点培育，同时要注意学生发展较好的关爱、爱国情感随着年龄增长而出现波动的特征。当下新生代学生都已经是“数字原住民”，网络生活方式正在极大地改变着人类的生活状况、价值观念，同时也引起学生道德情感的变化，这也是当下中小学生道德情感培育中需要关注的重要问题。

第三节　学生道德判断的时代变迁

道德判断，是道德认知转化为道德实践的关键所在，也是人在具体生活情境中根据一定的规范标准为其行动的开展作出的合于现实情境的意识选择。道德判断是道德观念和道德行为的中介，因而也成为道德发展研究的核心问题。道德判断是个体作出的，但却不完全是由个人决定的，而是受着学校、家庭及社会习俗与环境的重要影响，因而某一时期中小学生道德判断也会呈现出一定的整体特征，表现出一定的时代性和文化性特征。本节通过梳理近四十年中小学生道德判断的研究，尝试在此基础上呈现学生道德判断水平的时代变化，期待为学生道德成长提供可资借鉴的资料。

一、改革开放以来中小学生道德判断研究回望

改革开放以后，随着商品经济的不断发展，国际交流日益密切，不同的国家制度、社会意识、道德观念和生活方式进入了国人的视野。在学术界，国外的研究范式也传播到国内，影响着中国学者的研究。“把道德现象的某些可实证的内容交由心理科学进行实证研究，使之具有科学的形态，同时道德哲学又可以从中汲取新的营养进行新的哲学探索，这对道德哲学和心理科学两方面的进步和繁荣都是有利的。”[①] 基于以上思考，国内的研究者们借助国外的研究范式，在国内展开了中国学生道德认知的研究，试图揭示中小学生的道德判断图景和道德认知发展趋势。以中国知网为检索数据库，以 1978 年 1 月至 2022 年 12 月为时间范围，在教育和心理学科研究领域，以“道德判断”为主题词进行检索，我们共筛选出 347 篇研究文献。随后借助 Citespace 对 347 篇文献加以分析，绘制出道德判断水平研究关键词突现时间趋势图（图 5-10）和时间共线图（图 5-11）。

---

① 李伯泰．儿童道德判断发展研究阶段报告（上）［J］．山西教育科研通讯，1984(3):13-18+22.

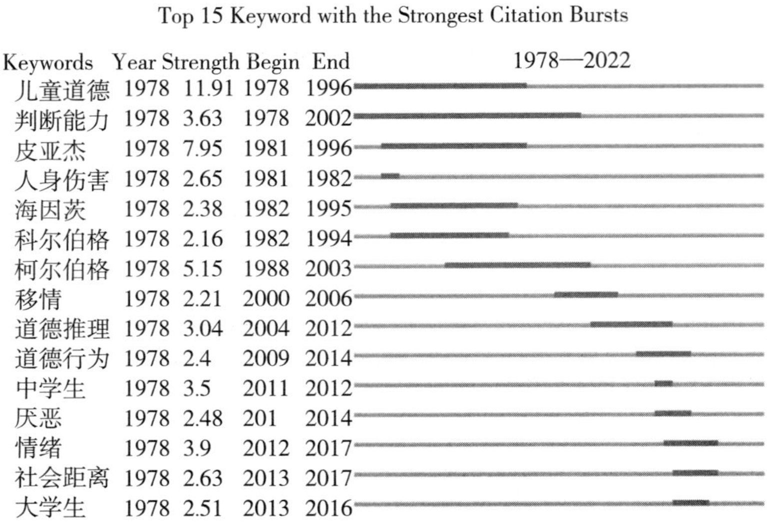

图 5-10 道德判断水平研究关键词突现时间趋势图

（一）道德认知发展研究热潮

中国中小学生道德判断研究的第一个热潮伴随着道德认知判断理论在中国的传播与应用而来，其核心代表人物皮亚杰和柯尔伯格及其相关研究成为 21 世纪前突现强度最高的关键词。在图 5-10 中，“儿童道德”“皮亚杰”“柯尔伯格”“判断能力”“海因茨”成为这一时期道德判断研究最主要的关键词。皮亚杰的突现强度接近 8，柯尔伯格与海因茨的叠加强度超过 9.6，是这一时期研究的绝对主流。从研究内容看，此间研究主要集中在心理学领域，除了对道德认知发展理论的引介，国内还出现了对这一理论在中国文化情境中的大样本验证性应用分析，为了解 21 世纪前中国学生道德判断水平留下了宝贵的数据。这一时期学生道德判断研究还表现出以下特征：（1）从研究内容上看，道德判断研究遵循着柯尔伯格的研究设计，以中小学生为研究对象，借助两难故事探究学生的认知过程和判断动机，并在此基础上与国内的思想品德教育有所链接。（2）从研究区域上看，学生道德判断水平的研究多集中在北京、天津和华南地区，而在其他地区较少有研究者展开相关研究。(3)从研究倾向来看，同一关键词随着时间变化产生出不同的研究趋向，以“柯尔伯格”这一关键词为例，最早借助其道德故事研究学生的判断能力和德育心理，至1999年时研究重心转向关注个体判断能力的人际取向。另外，从这一时期文献的内容可以看出，相对于学生道德观念与道德情感很晚才出现大规模调查研究的状况，国内学生道德判断的研究在20世纪80年代就有了全国规模数据，非常难得。

(二)道德判断研究视角拓展

从图5-10可以看出，2000年到2010年前后，国内学生道德判断水平的理论研究视角发生了转变，皮亚杰和柯尔伯格的道德认知发展理论热潮退去，国际心理学研究中的新概念道德推理进入国内研究视线。这一时期，除柯尔伯格与莱斯特的问题测量在继续完善外，道德判断逐渐从传统心理学研究转向神经科学领域，研究思路从依靠调查、访谈、观察等经典经验研究方法转向通过监测个体作出道德判断时大脑皮层不同区域的活动情况探索其神经机制的实验研究。除此以外，与之前相比，这一时期的学生道德判断研究路向还出现了以下转向：(1)研究倾向从通过实证研究探索发展道德判断的规律和现状转向了以实验设计探寻判断成因，因此关键词之间的联系多表现为研究因素或预设成因与道德发展之间的关系。(2)在研究内容方面，除去道德判断的后果与动机，研究设计中关注更多因素，如“人际关系”“情绪直觉”“美德钦佩”等，说明这一时期的道德判断已经跳出了纯粹理性主义视野，情感、人际关系等成为道德判断的内在因素，为研究注入了新鲜血液。(3)研究对象的年龄有所扩展，从中小学生扩展为大中小学生，大学生和中小学生在道德判断的相关研究中占有同等比重。(4)研究区域有所扩展，如增加了江苏无锡等地(图5-11)。

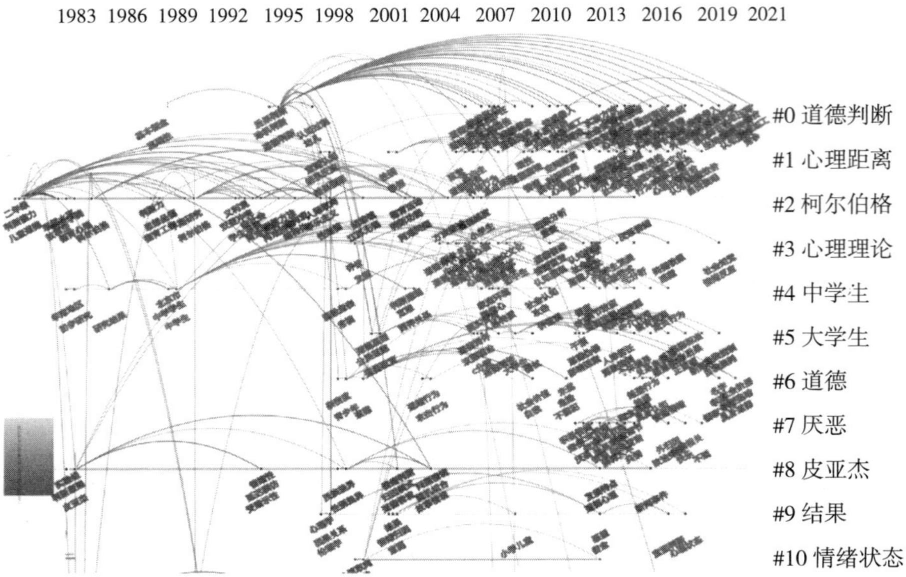

图 5-11　道德判断水平研究关键词时间共线图

（三）科学性稳步提升

2011 年以后，道德判断研究的科学性稳步提升，具体表现在以下三个方面 :（1）从研究取样来看，区域内或全国范围内的大样本调查逐渐增多，甚至大样本的追踪性调查也开始登场。（2）从研究内容来看，研究者们不仅继续探究外在因素对学生道德判断的影响,也开始关注内在影响因素（如测量心理距离、时间距离、空间距离、社会距离等），并开始探究内外因素对学生道德判断影响的发生机制。（3）从研究方法来看，从经验性走向实验性。以脑神经科学实验为基础的道德双加工理论提出，加之现代科学技术成熟，使得这一时期的国内外研究者更注重借助精确的仪器，通过人为地控制某些因素，在实验中对学生的道德判断展开研究，以期更准确地提示变量之间的因果关系。然而，从 2011 年到 2022 年学生道德判断研究挑选被试的区域并无太大变化，仍然以华中、华东和华南等经济发展较好的地区为主，而对于西北和西南地区，则甚少有研究者进行相关研究，这也是未来继续提升学生道德判断研究水平的努力方向（图 5-11）。

二、中国学生道德判断水平的变迁

从上述研究文献的梳理中，已经可以隐约发现中国学生不同时期道德判断水平的研究结论。这里尝试以上述研究为依托，描绘中国学生道德判断的演变图景，追溯中国学生道德判断的时代变迁与发展路向。由于只能在已有文献的基础上进行再分析，因而会受到所分析文献的方法、理论和被试范围的影响，以下分析只是在有限文献基础上的一种概括。

（一）不同研究结论支撑的高水平发展

无论是采用较早的皮亚杰的研究方法，还是采用国际上普遍认可的柯尔伯格的研究方法，改革开放后二十年间中国学生道德判断水平的研究都指向了一个共同的研究结论：中国学生道德判断阶段出现的时间早于国外，这意味着同年龄学生的道德判断水平中国高于国外，是超前式的发展。

1981 年李伯黍团队参照皮亚杰的对偶故事研究方法，在全国 18 个地区对 2788 名 5—11 岁儿童开展了道德判断能力调查，发现我国儿童的道德判断发展整体趋势与皮亚杰的研究结论基本一致，都是从客观性道德判断向主观性道德判断过渡。[①] 与国外情况不同的是，我国儿童在 6—7 岁时已出现从客观性道德判断向主观性道德判断的过渡，7 岁时主观性道德判断已经有了明显的发展；而根据皮亚杰的研究资料，他的被试样本中儿童的客观性道德判断在 10 岁才开始出现减弱。由此来看，我国儿童主观性道德判断发展的年龄出现得要早。[②] 该研究还针对不同民族儿童进行了跨文

① 李伯黍．国内 18 个地区 5—11 岁儿童道德判断发展调查［C］// 中国心理学会第三次会员代表大会及建会 60 周年学术会议（全国第四届心理学学术会议）文摘选集（上）. 1981：108 − 109.

② 顾海根，岑国桢，李伯黍．行为责任判断的跨文化比较研究［J］. 心理发展与教育，1991(2)：1 − 6.

化的道德判断发展研究，发现在由客观性判向主观性判断的年龄转折点上，国内各民族儿童之间存在差异，但整体的发展趋势仍比国外的年龄早2—3岁。随后彭景训[①]、刘振群[②]的研究团队皆借鉴皮亚杰的研究方法，在不同的地区针对5—12岁的儿童进行了道德判断发展水平的测量，所得结论与李伯黍团队基本一致。由此可知，这一时期我国儿童的道德判断发展整体上呈现出跨地域、跨民族的超前发展面貌。

1987年王新玲及其团队采用莱斯特编制的DIT测验对北京市12—17岁的240名学生进行了调查，发现我国中学生的道德判断水平整体处于柯尔伯格习俗水平的阶段三与阶段四，即角色定向与法律规则定向阶段；学生的道德判断水平会随年龄的增长而逐级发展，较高的判断水平也会在年龄较低的学生身上体现，只是高级的道德思维并不主导年龄较低学生的思维形式；初二年级是学生道德判断水平发展的关键期和转折期。[③]1996年王美芳及其团队借鉴采用艾森伯格的亲社会两难故事测量表对济南市6—17岁共计151名学生进行了调查研究。结果表明，学生的亲社会道德判断同样存在一定的发展阶段，不同年龄的学生具有不同的判断取向，但与柯尔伯格的道德判断阶段相比，不存在惩罚和服从为定向的阶段；同时，我国学生的亲社会道德判断发展趋势整体上符合艾森伯格的道德发展阶段论，但我国学生推理水平要略高于同年级美国中产阶级学生。[④]

改革开放至21世纪前，我国学生道德判断发展的实证研究数量是可

---

① 彭景训，刘翰晋，王淑琴，等．儿童道德判断发展调查［J］．天津师院学报，1982(2)：31－33.

② 刘振群．华南儿童道德判断发展的初步研究［J］．华南师范大学学报（社会科学版），1983(1)：65－70＋64.

③ 王新玲．关于北京市一所中学学生的价值系统与道德判断的调查报告［J］．心理学报，1987(4)：365－374.

④ 王美芳．6—17岁儿童亲社会道德判断的研究［J］．山东师大学报（社会科学版），1996(2)：58－62.

观的，研究对象以中小学生为主，特别可贵的是 20 世纪 80 年代就有了全国样本的大规模的实证研究。20 世纪 90 年代的研究虽然主要针对区域内的小样本，但开始了多元的道德判断思路的探索，为当时中国学生道德认知发展研究奠定了坚实基础，为我们了解当时学生道德判断水平提供了不可多得的数据。这一时期的主流研究中，采用不同的研究理论与方法皆得出中国学生的道德判断阶段到来的年龄要早于国外学生的研究结论，并且这一结论在不同地域和文化下皆成立，因此在这个意义上，可以说 21 世纪前中国学生道德判断水平高于国外同年龄段儿童。

（二）多元价值冲击中的多样态发展

从 21 世纪前十年青少年道德判断的研究来看，关于这一时期我国学生的道德判断水平的结论并不一致。有些研究认为这一时期学生道德判断混乱甚至判断能力停滞。这有可能是随着社会价值多元趋势的发展，学生的价值观念发生冲突，从而影响了学生的道德判断。当然，结论的差异也可能源于不同的测量工具和理论解释框架。

王蔚等采用韦纳（Bernard Weiner）的归因理论，从大学生日常生活中道德判断因素入手，以自编问卷对三所大学、四个年级、七个专业共计 1141 名大学生进行了调查研究，发现大学生在与自身相关的情境中责任归因准确、公德意识不够清楚、日常伦理认识不够明确[①]。这一研究结论与后来张静的研究结论[②]得以相互佐证。杨韶刚与吴慧红团队运用林德的 MJT 测验量表，对 12—17 岁共计 724 名学生进行测验发现：在道德情感层面，学生面对道德两难故事时的态度既不中庸，也不极端；而在道德判断能力的得分上，我国中学生的平均得分低于西方国家同龄人；性别差异与学生

---

① 王蔚，林钟敏．大学生对日常行为道德判断的调查分析［J］．高等教育研究学报，2003 (4)：88 － 91.

② 张静．青少年道德判断能力的实证研究［J］．学校党建与思想教育，2011 (28)：31 － 33.

自身之间的差异对道德判断能力的影响较小。① 张静同样以 MJT 为测量工具，对广州市 12—29 岁共计 1172 名青少年进行的调查研究结果显示：青少年道德判断水平整体的发展趋势是与柯尔伯格的阶段理论保持一致，高中阶段学生的道德判断能力最高，其次是大学毕业后与初中阶段，大学时期成为青年道德判断能力均分最低的阶段；除此以外，政治面貌与家庭背景均与青少年道德判断能力的发展相关。②

这一时期，随着网络技术的迅猛发展，诞生了“数字原住民”一代，网络生活对新生代道德判断能力的影响引起学界的关注。江爱民认为网络时代的崛起冲击着学生固有的道德观念，给其道德发展带来正向影响的同时，也使得学生的道德判断陷入“休克”“错位”和“异化”的泥潭。③ 在研究对象上，这一时期的研究除了关注青少年、大学生群体外，也关注幼儿。李晓东等采用奈森（Sharon Nelson）设计的临床故事，对 4—6 岁共计 84 名幼儿进行道德判断水平的测量，结果表明：我国 4—6 岁的幼儿已经获得了社会上基本道德规范的相关知识以及作出道德判断的能力，在 5 岁时能够意识到行动者的行为意图，而奈森 1980 年的研究中认为，幼儿在道德判断中进行结果与意图的区分时间早在 3 岁就开始发生了。④ 从这项结果看，中国幼儿对道德意图理解的发生时间要略迟。

21 世纪的第一个十年，中国学校德育体系更加健全，课程内容体系更为丰富，教学方法更为多样和现代化，但从上述研究结果来看，以上的进步却并没有带来学生道德判断能力的发展迈向更高的台阶。这一现象说明，学

---

① 杨韶刚，吴慧红．青少年道德判断能力的研究［J］．心理学探新，2006（2）：55－60；吴慧红，余嘉元．基于 MJT 的道德结构验证性分析研究［J］．心理科学，2008（4）：963－965.

② 张静．青少年道德判断能力的实证研究［J］．学校党建与思想教育，2011（28）：31－33.

③ 江爱民．网络时代中学生道德判断力研析［D］．福州：福建师范大学，2002：28.

④ 李晓东，王轶楠．关于 4—6 岁幼儿道德判断特点的研究［J］．学前教育研究，2002（2）：40－42.

校德育并不能完全主导学生道德判断的发展，时代巨变下社会价值取向的更迭对学生的道德判断同样具有重要影响。综上来看，市场经济下诞生的功利主义与多元价值的进入，以及公共伦理空间中主体的失位，造成了中国学生道德判断在多元价值冲突中失去超越性的文化支撑，进而影响其道德判断的发展生态，致使学生的道德判断水平出现了多样态震荡发展的情况。

（三）倾向个体功利的道德判断标准

学生道德判断发展是需要自身与群体双向并进的。从自身的角度来看，随着年龄的增长和认知水平的提升，学生的道德判断发展阶段皆应该遵循柯尔伯格的道德发展阶段规律，呈现出一种自然而然的、进步性的发展状态。但 2010 年以后的调查研究是否支持中国学生道德判断能力呈现出良好发展的趋势呢？从目前的文献来看，2010 年以后中国学生道德判断的整体发展趋势良好，道德判断中的价值观念也有所澄清，使学生无论是在日常生活中，还是在道德冲突中，都能够作出明确的道德判断，并且能够依据道德性显著的规范准则清楚地区分道德事件与非道德事件。但是肖丽华的调查和孙彩平团队的研究也发现了当前中国学生道德判断的“新面貌”：功利化倾向。

肖丽华采用社会认知领域理论的研究方法测查了 8 岁、11 岁、13 岁和 17 岁共计 200 个对象的道德判断能力，发现在非道德冲突的情景中，所调查对象都能够从违反规则的严重性、规则的普遍性、权威的依赖性和个人允许性对事件作出道德和非道德区分，所有样本进行道德推理的理由主要集中在道德类理由和习俗类理由上，且在年龄上不存在显著差异；在道德冲突的情景中，道德判断受道德特征明显性和个人领域认知发展的影响，对违反规则类道德事件的否定性回答人数远高于肯定性回答人数，并且这一比例在 17 岁年龄组中最高。[①]

---

① 肖丽华 .8—17 岁儿童道德、习俗、个人领域认知的发展研究［D］. 南京：南京师范大学，2013：18.

孙彩平团队借鉴莱斯特 DIT–2 量表设计思路，对全国七大行政区共 77953 名儿童进行“亲情—法律”“友谊—职责”以及“人情—法理”的道德两难冲突测验，发现在违反规则类事件中，否定性回答占据主流，而且具有跨年龄的特征，说明在这类问题上儿童的道德判断主流处于柯尔伯格的阶段四，这一结论与肖丽华的研究结论一致。该研究还发现，在不同的道德两难情景中，儿童进行道德判断的依据主要是对个人是否有利以及行为是否违反社会规范，这证实了肖丽华的研究结论：道德冲突情景中，道德推理的理由主要集中在习俗领域和个人领域。[①] 值得关注的是，根据孙彩平团队的研究，这一时期肯定性道德判断理由发生了变化，个体功利的判断理由在初中二年级后成为道德判断的主导性理由，而以社会契约为定向的道德理由则趋于第二位置，说明当下学生肯定性道德判断理由呈现出功利化的发展特征。

饶军民团队采用道德能力测验（Moral Competence Test，MCT）量表中文版，对西安市四年级和八年级学生两个群体共计 3298 名学生进行的测验发现：高学段学生道德判断的能力优于低学段学生，家庭背景因素和学业成绩并未对学生的道德判断产生显著影响。[②] 这一研究结论与孙彩平团队的研究结论一致，即中国学生的道德推理在初中时期出现了明显分化，功利判断的道德理由超越社会规范的道德理由，年级越高，分化的程度越明显。[③] 从以上研究结论来看，在 2010 年以后学生的道德判断的价值序列从混乱走向明晰，功利化的价值倾向在众多价值序列中被学生认可、接受，并成为当前中国学生进行肯定性道德判断的标准的特征。

---

① 孙彩平 . 分层与分叉：当代中国儿童道德发展调查报告 (2017) [J] . 教育科学研究，2018 (2) : 10 － 19.

② 饶军民，姚春艳，康蕾 . 中小学生道德判断能力特征初探：基于西安市某区四年级与八年级学生的实证研究 [J] . 中国考试，2019 (6) : 57 － 61.

③ 孙彩平 . 分层与分叉：当代中国儿童道德发展调查报告 (2017) [J] . 教育科学研究，2018 (2) : 10 － 19.

三、总结

改革开放至今四十年多的中国学生道德判断研究，研究视角不断开拓，研究方法不断更新，研究对象不断扩大，研究理论不断深入。既有心理学背景的研究者追随国际前沿研究方法和研究理论在神经科学领域进行道德判断发生机制的探索，也有德育学研究者借鉴国际成熟的研究方法，在国内面向不同年龄阶段学生进行道德认知发展的大规模的实证研究，还有部分研究者结合道德哲学相关学派，在精神层面追溯道德判断的发生规律和演变轨迹。无论是研究视角或是研究方法，国内道德判断的研究皆在新世纪有了长足进步。

从目前的研究看，当前中国学生道德判断出现了功利化倾向，在价值取向多元的社会背景下，借助理论研究对学生道德判断的发展作出正确干预和指引就显得尤为重要。未来道德判断的相关研究，应该纳入道德教育实践的视野，将发展现状的研究与学生道德判断提升的实践策略结合起来，使研究能够更接近课堂与教学，提升推进学生道德判断水平的德育实践品质，直接解决学生道德判断发展中的问题。

第四节　学生亲社会行为的时代变迁

学生的行为表现是其观念认知、情感、理性的综合体现，其亲社会行为就是学生在社会交往中表现出的符合社会期望并对他人、群体和社会有利的行为。亲社会行为是以利他性和亲和性为特征的人类活动，是社会道德行为的主要成分，是个体社会化发展的一个重要指标。亲社会行为习惯的养成是学生优秀个人品质养成的基石，是学生培养团体意识、形成良好的人际交往、养成助人为乐等良好道德品质的关键要素。亲社会行为不仅仅是社会对学生的要求，也是学生自己对真善美的追求，这是一种双向选择与契合。当然，学生的亲社会行为不是既定不变的，而是后天逐渐养成的。社会发展、时代进步会影响学生亲社会行为的表现形式，为其亲社会行为确定标准，因而学生的亲社会行为也随时代的变迁而变化。研究学生亲社会行为的发展状况对于探索学生亲社会行为的发展规律、推动其亲社会行为朝着良性优质的方向发展有着极为重要的作用。

一、学生亲社会行为研究回顾

以“亲社会行为”为检索关键词、“1978—2020”为检索时间，选取“北大核心”与“南大核心”期刊类别的期刊文献，共检索到 881 篇相关主题文献。通过对这 881 篇文献的摘要进行认真研读，筛选出真正符合主题要求的期刊论文 227 篇，随后借助 Citespace 对 227 篇文献加以分析，得到这一时期研究文献的关键词突现时间趋势图（图 5-12）和关键词时间共线图（图 5-13）。由图 5-12 可以看到，“助人行为”“青少年”“利他行为”“共情”“移情训练”五个关键词突现强度要远高于其他关键词，说明“助人行为”“青少年”“利他行为”“共情”“移情训练”是研究者们对于亲社会行为研究重点关注的主题。同时，从关键词热度持续的时间长度来看，“助人行为”（1990—1997）、“利他行为”（1993—2003）、“移情训练”（1990—2000）成为改革开放至 21 世纪之初这段时间重点关注的主题词。21 世纪前十年，“移情”（1998—2012）成为研究者重点关注的亲社会行为类型。21 世纪的第二个十年，“大学生”（2011—2015）成为研究者们重点研究对象，“感恩”（2018—2022）、“共情”（2016—2022）成为研究者重点关注的亲社会行为类型，“中介作用”（2015—2018）也逐渐成为研究者们重点关注研究的主题。

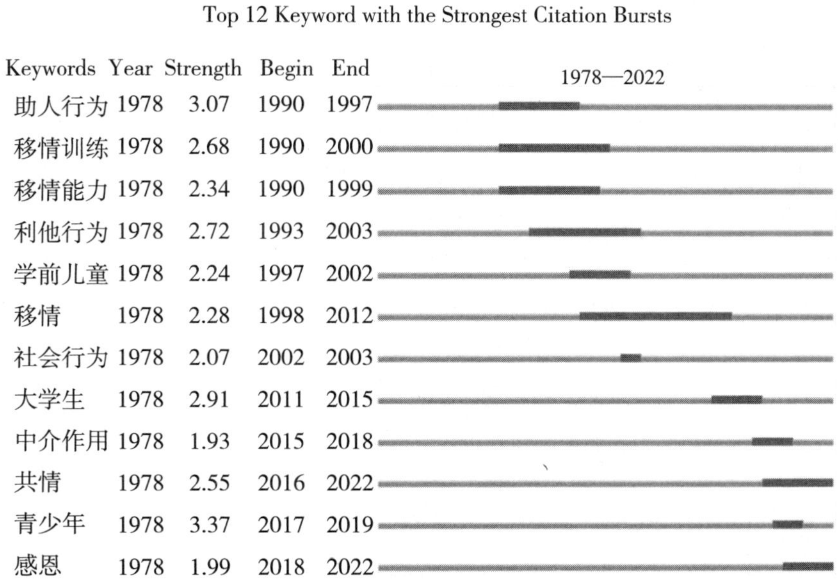

图 5-12 亲社会行为研究关键词突现时间趋势图

（一）学生亲社会行为状况研究

由亲社会行为研究关键词时间共线图（图 5-13）可以清晰地看到，“分享行为”“助人行为”是这一时期受到研究者重点关注的亲社会行为，共情和移情能力在亲社会行为研究中成为重要考察点，研究对象主要是儿童和青少年。王国栋对北京市周边地区的 417 名 4—6 岁儿童的问卷调查发现，儿童亲社会行为的发生受情境影响，自我控制能力、同情心、独立性表现在幼儿园普遍高于家庭情境。[①] 王美芳等采用事件取样的方法对 276 名幼儿园儿童的亲社会行为进行 10 天的自然观察，对获得的 942 个有效事件样本进行统计分析发现，幼儿的亲社会行为表现也存在着类型性差异，合

① 王国栋 .4、6 岁儿童在家庭和幼儿园中的社会行为的比较研究［J］. 教育科学研究，1993 (5) : 21 － 24.

作行为最为常见，安慰行为和公德行为发生较少。[1] 董应芬基于对 607 名青少年调查发现，绝大多数青少年愿意与人合作、利他观念及行为与非利他相比处于极显著的高水平、集体意识强烈。[2] 这些研究者们通过自然观察法或问卷调查的形式对儿童和青少年的助人行为、攻击行为、移情能力、利他行为、分享行为以及同伴关系行为的现状进行描述分析。

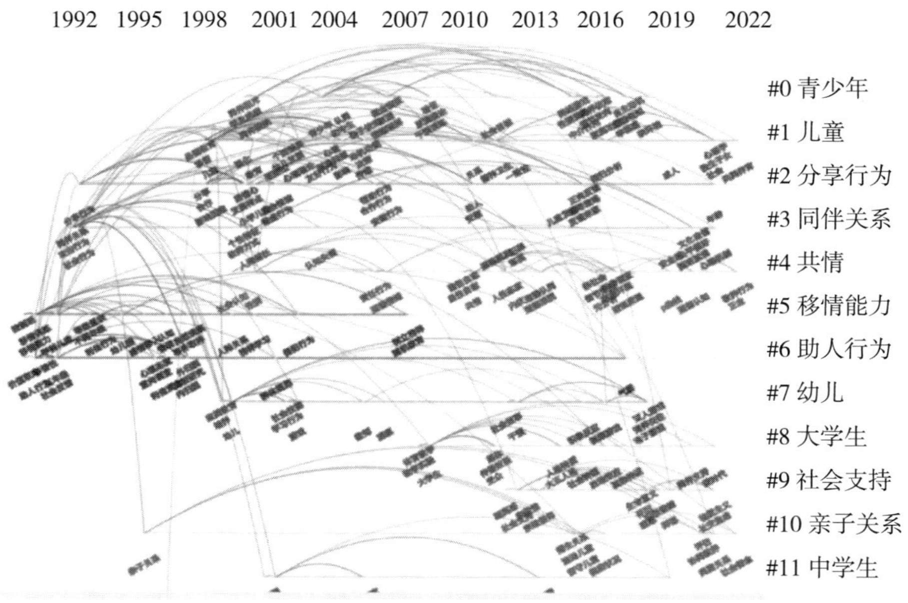

图 5–13　亲社会行为研究关键词时间共线图

（二）影响因素及培育策略

由亲社会行为研究关键词时间共线图（图 5–13）及文献内容可以发现，20 世纪 90 年代后期，影响学生亲社会行为的因素和教育策略成为研究主流，从研究结论看，遗传、环境、个人情绪状态和人际关系都会对学生的亲社会

① 王美芳，庞维国．学前儿童在园亲社会行为的观察研究[J].心理发展与教育，1997 (3)：17 － 22.

② 董应芬．青少年亲社会行为意向调查报告［J］．当代青年研究，1996 (1)：30 － 33.

行为产生明显的影响。李丹对 349 名小学二、四年级和初中预备班学生的问卷调查发现，同伴关系好、人际信任度高的学生有较多的亲社会行为，焦虑程度较高的学生的亲社会行为相对较少。[①] 傅根跃等对 311 名 7—11 岁的小学生的谦虚行为的实验研究证明，学生的谦虚行为会受到社会情境因素的影响。[②] 陈斌斌等基于生态系统观的研究发现，学生与同伴、学生与教师之间的互动关系作为班级环境中两个重要生态子系统对学生的亲社会行为表现具有积极影响。[③] 司徒明镜等通过双生子定量遗传分析，对成都地区 147 对 6—16 岁被试的比较研究发现，遗传因素和环境因素对学生的亲社会行为均有影响，年龄和性别、家庭功能和教养环境对双生子的亲社会行为同时产生影响。[④] 张晓贤等采用现场实验的方法探讨了小学五年级学生内疚情绪与其亲社会行为的关系，研究发现，当学生将注意力集中于自己对团体造成的不良影响时会产生内疚情绪，内疚情绪能促进学生亲社会行为水平的提高。[⑤]

对学生亲社会行为影响因素的研究在 2010 年后聚焦中介性因素研究，目前影响学生亲社会行为的中介性因素的研究主要集中在父子关系、安全感和父母的情绪表达等方面。黎志华等对 338 名小学三至六年级学生及其父亲进行问卷调查发现，父亲参与教养对学生的亲社会行为有积极影响，父子依恋关系在其中起中介作用。[⑥] 陈小萍等对 432 名中小学生进行问卷调查发现，父亲协同教养除了直接影响学生亲社会行为外，还通过安全感和

---

① 李丹．影响儿童亲社会行为的因素的研究［J］．心理科学，2000 (3)：285－288.

② 傅根跃，陈伟伟．小学儿童谦虚行为的发展研究［J］．应用心理学，2001 (1)：19－24.

③ 陈斌斌，李丹．班级生态系统对儿童亲社会行为影响的研究述评［J］．心理科学进展，2008 (5)：733－739.

④ 司徒明镜，张毅，李涛，等．遗传因素和环境因素对儿童亲社会行为影响的双生子研究［J］．中华医学遗传学杂志，2010 (3)：324－328.

⑤ 张晓贤，桑标．儿童内疚情绪对其亲社会行为的影响［J］．心理科学，2012 (2)：314－320.

⑥ 黎志华，尹霞云，蔡太生，等．父亲参与教养程度、父子依恋关系对儿童亲社会行为的影响［J］．中国临床心理学杂志，2012 (5)：705－707.

人际信任的链式中介作用间接影响学生亲社会行为。[①]王斯麒等对贵州省某市 2 所一至六年级的 442 名学生的父母进行问卷调查发现，父母积极情绪表达和接纳陪伴教养行为在学生亲社会行为间起中介作用，改善婚姻质量、增加积极情绪表达、持续亲和教养行为有利于促进孩子亲社会行为发展。[②]

关于学生亲社会行为习惯的养成，丁芳提出了角色扮演法、移情训练法、榜样示范法[③]，韦彦等认为为学生提供社会行为的反馈信息、创造体验社会行为效果的机会、调整学生亲社会行为的动机可以促成学生亲社会行为的自我强化[④]；而肖爱芝基于埃里克森的社会发展理论，提倡联合家庭、学校、社会三个方面创建良好的亲社会的环境氛围，帮助学生在温暖、友好、充满真情和爱的时空中促进其亲社会行为习惯的养成[⑤]。

二、学生亲社会行为的变迁

以“儿童亲社会行为 + 调查”“中小学生亲社会行为 + 调查”“青少年亲社会行为 + 调查”为检索关键词、“1979—2022”为检索时间，在中国知网上共检索到 112 篇相关主题文献。通过对这 112 篇文献的摘要进行认真研读，筛选出切合主题的实证类调查期刊论文 36 篇。以下内容基于这 36 篇期刊论文和《中国儿童道德发展报告（2017）》《中国儿童道德发展报

---

① 陈小萍，安龙．父亲协同教养对儿童亲社会行为的影响：安全感和人际信任的链式中介作用［J］．中国临床心理学杂志，2019 (4)：803 − 807.

② 王斯麒，赵彬璇，吴红，等．婚姻质量对儿童亲社会行为的影响：父母积极情绪表达和教养行为的链式中介作用及其性别差异［J］．心理发展与教育，2022 (3)：323 − 330.

③ 丁芳．培养儿童亲社会行为的方法刍议［J］．山东教育科研，2000 (Z1)：33 − 34.

④ 韦彦，庞丽娟．论强化在儿童社会行为发展中的作用与运用［J］．中国教育学刊，2000 (1)：53 − 55.

⑤ 肖爱芝．埃里克森的社会发展理论与儿童亲社会行为的养成［J］．继续教育研究，2009 (11)：137 − 138.

告 2020》相关调查结果进行再分析，概括学生亲社会行为的发展特征。

（一）从一元到多元、由低水平向高水平增长的发展规律

国内 20 世纪 90 年代对学生亲社会行为发展特征的研究表明，学生亲社会行为随年龄增长呈现由单一向多类型、由低水平向高水平发展的规律。周宗奎通过谈话及问卷法对 80 名 5—14 岁的儿童青少年进行调查，提出学生的亲社会行为存在由笼统向分化、由简单向复杂发展的趋势。[①] 王国栋的调查发现，学生在学龄前已经基本具备自我控制行为、友谊行为、关爱行为、独立自主行为等多种亲社会行为能力。[②] 王美芳等对 120 名学前儿童的自然观察也发现，学前儿童亲社会行为类型会随着年龄的增长而增多[③]，再次证明了王国栋早年的研究结论。张嘉玮等对 12—16 岁初中生的研究发现，随着年龄的增长，学生的亲社会行为不仅种类增多，行为水平也呈递增趋势。[④] 王蕾对一至五年级小学生的问卷调查发现，学生的帮助行为、分享行为、规则和权威的遵从行为随着年龄增长有显著增强[⑤]，张嘉玮等的前期研究结论得到进一步证实。王美芳通过对学前儿童在日常生活情景中亲社会行为进行观察发现，学前儿童的亲社会行为发展不均衡，合作行为发生的频率最高（53.2%），然后是分享行为与助人行为（频率分别为 19.8%、18.4%）。[⑥] 赵章留等的研究支持不同类型的亲社会行为随学生

---

① 周宗奎.5—14 岁儿童对亲社会行为认知的研究[J]. 心理发展与教育，1991 (1)：1 − 7.

② 王国栋.4、6 岁儿童在家庭和幼儿园中的社会行为的比较研究[J]. 教育科学研究，1993 (5)：21 − 24.

③ 王美芳，董会芹，庞维国，等. 学前儿童亲社会行为及其影响因素的研究［J］. 中国心理卫生杂志，1998 (6)：37 − 38.

④ 张嘉玮，崔光成.12—16 岁被助儿童的自助能力、移情能力与亲社会行为关系的研究［J］. 心理发展与教育，1993 (1)：14 − 17，13.

⑤ 王蕾. 小学儿童向社会行为的发展［J］. 心理发展与教育，1994 (4)：33 − 36.

⑥ 王美芳. 学前儿童亲社会行为的发展特点与教育［J］. 山东师大学报（社会科学版），2000 (4)：74 − 76.

年龄增长表现出不同的变化趋势，如助人行为随着年龄的变化表现出不同的发展趋势，从幼儿到小学中期，学生的助人行为呈增长趋势并且逐渐达到最高峰，到了青少年早期，则呈下降趋势，到成年早期开始又有所增长。另外，不同类型的亲社会行为随着学生年龄的增长，其发展规律也不完全稳定，不同情境中的亲社会行为也缺乏较强的一致性。①

（二）当下学生亲社会行为发展的消极因素

如前所述，学生亲社会行为表现不仅受遗传因素的影响，而且受社会文化和生活情境因素的影响，这意味着不同社会和文化中的学生在不同时代的亲社会行为表现会出现一定的差异，烙上时代的印记。

新中国成立后相当长的时期内，虽然经济上百废待兴，生活资料极为短缺，但从战争年代延续下来的国家意识和追求解放发展的精神，鼓励着整个国家，形成了集体主义、国家主义的文化氛围和利他的价值倾向。在这样的文化环境中，文化和精神的力量抵挡了极端贫困的生活对亲社会行为发生的阻碍，反而使整个社会的互利、道德行为成为文化的必然，路不拾遗、为集体和国家奉献自身、同事间相互支持与勉励成为社会整体风尚，因而出现无数的劳动模范和社会楷模，“铁人”精神、雷锋精神、王杰精神等滋养了一代代中国学生的精神世界，催化了一代代学生的亲社会行为。在那样的时代，学生的亲社会行为不只有同学间的互帮互助，还有一起去参加义务劳动的热情和朴素的舍己为人。此外，在一穷二白的年代，多子女家庭中，学生的道德行为也表现为兄弟姐妹间的谦让和对家庭责任的承担，如长姐和长兄对弟弟妹妹的照顾甚至上学机会的让渡等。

改革开放后市场经济模式唤醒了个人发展权利，长期极端困难的物质生活导致的对物质匮乏的恐慌，以及随计划生育政策而来的少子化家庭的

---

① 赵章留，寇彧．儿童四种典型亲社会行为发展的特点［J］．心理发展与教育，2006（1）：117－121．

"小太阳"式家庭养育方式，给学生亲社会行为的发展带来极大的社会挑战。当奉献集体的观念逐渐为个人成功的追求所取代，学校里不再教唱"学习雷锋好榜样"，父母都将孩子当成小公主、小王子来教养，电视里充斥着儿童青少年选秀节目，"宁愿坐在宝马车里哭"的拜金主义甚嚣尘上，学生的亲社会行为发生的阻力慢慢增加了。白显良等对武汉市 3608 名青少年的问卷调查发现，从青少年对待集体主义的态度与实践集体主义的情况来看，青少年思想道德行为的应然与实然之间存在一定的距离，如认为应该提倡"大公无私，公而忘私""先公后私，先人后己"的青少年分别占 34.9% 和 25%，而自己做到"大公无私，公而忘私""先公后私，先人后己"的仅占 9.4% 和 19%。[①] 宋蕊睿对河南省 18 个市的 3000 名中小学生进行调查也发现，中小学生遵守日常行为规范的自觉性不强，过分强调个性、超前消费行为较为普遍。[②]

（三）新时代学生亲社会行为的发展状况

基于社会经济、文化和整体社会发展指标的质性飞跃，中国社会进入了新的发展时代。在新时代背景下，学生亲社会行为呈现出全新的发展态势。这里基于孙彩平团队 2017 年、2020 年两次收集的全国范围中国儿童道德发展状况数据进行分析，发现学生道德行为呈现出类型性差异、稳定性提升的发展特征。

1. 类型性差异状况

基于孙彩平团队两次全国范围内儿童道德行为发展状况的数据分析发现，相对而言，中小学生诚信行为发展良好，同伴错误提醒行为和制止欺

① 白显良，佘双好．武汉市青少年思想道德状况调查［J］．当代青年研究，2006 (3)：51 － 55.

② 宋蕊睿．河南省中小学学生思想品德状况调查［J］．吉林省教育学院学报（学科版），2010 (8)：71 － 72.

侮行为次之，守规则行为在所调查行为中得分相对较低。对比 2017 年的调查结果，2020 年家庭感恩回报行为得分出现较大幅度的下降；中小学生守规则行为整体上有所下降，但下降幅度不大；中小学生诚信行为、同伴错误提醒行为、制止欺侮行为都存在着一定程度的上升，三者提升的程度不同（图 5-14）。不同道德行为或上升，或下降，或保持不变，这意味着中国学生的亲社会行为在时代变迁中的变化并不一致，中小学生家庭感恩回报行为出现较大程度的下滑，可能与现代化进程和家庭生活模式的变化有关，传统的家庭伦理行为面临挑战。

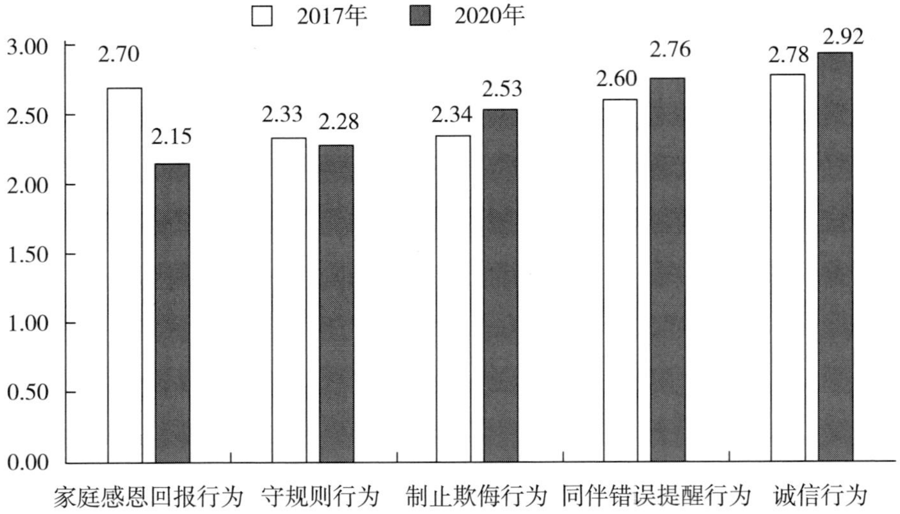

图 5-14　孙彩平团队两次调查样本亲社会行为均值对照图

2. 亲社会行为趋向稳定提升

在 2017 年的调查中，随着年龄的增长，中小学生亲社会行为出现明显波动变化，在 11 岁、12 岁、13 岁、15 岁、16 岁时出现明显较陡的折线拐点，波动值在 0.6 左右；在 2020 年的调查中，随着儿童年龄的增长，虽然儿童亲社会行为仍有波动变化，但波动幅度较为平缓，仅 10 岁、12 岁是儿童亲社会行为波动的较陡拐点，且波动幅度较小，波动值在 0.2 左右。总体来说，在 2017 年、2020 年两次调查中，中小学生亲社会行为整体上呈现随着年龄增长先升后降的波动趋势，10—11 岁是学生亲社会行为表现最好的时期。与 2017 年的调查结果相比，在 2020 年调查中儿童亲社会行为波动幅度更小，这也说明了儿童的亲社会行为不是固定不变的，而是随着年龄的增长、学习的积累而发生变化的，并逐渐趋于稳定（图 5-15）。

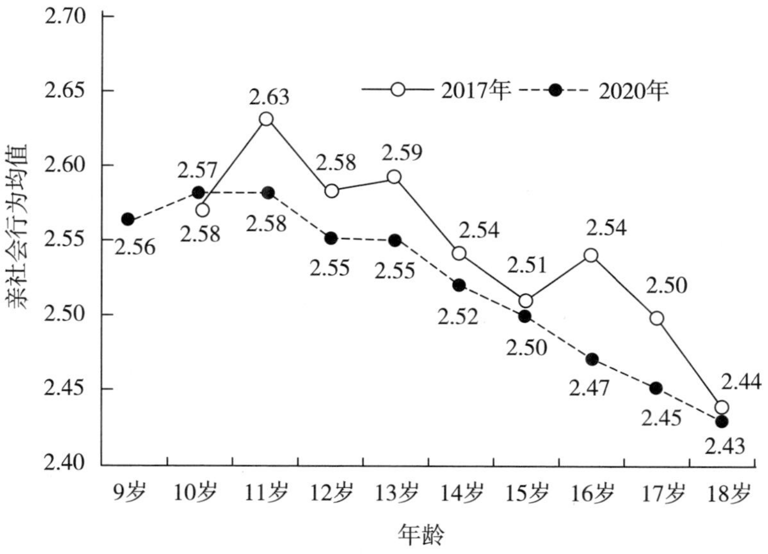

图 5-15　孙彩平团队两次调查样本亲社会行为均值的年龄变化趋势对照图

三、总结

亲社会行为是人的一种复杂高阶行为，它涉及了人类生活的方方面面。现有的相关研究仅仅通过对学生日常生活较为贴近的集中亲社会行为进行观察或者实证调查分析，很难较为全面反映出学生亲社会行为的发展与变化。尤其是不同时代对学生亲社会行为的评价标准及方式均会有所不同，亲社会行为的发展也必然会呈现不同时代的精神烙印。透过中小学生亲社会行为在不同时期的发展特征，可以发现学生亲社会行为的差异化发展以及存在一定范围的波动性均是一种正常状态，但学校德育工作需要关注这种状态，使之保持在一个适当的范围，尽可能帮助学生在不同的生活领域中实现亲社会行为的均衡发展。当然我们也惊喜地看到，学生逐渐可以理性地去看待亲社会行为的内涵与价值，其亲社会行为类型也会随着其年龄的增长逐渐增多，行为的稳定性更在逐步提升。因此，如何在积极推进中国社会现代转型的同时尽可能全面地关注学生亲社会行为习惯的养成，注重学生亲社会行为的统一协调发展，注意引导学生走出个体功利倾向将是接下来学生亲社会行为研究的重要问题。

第五节　学生整体道德风貌的时代变迁

道德风貌指社会的整体道德状况[①]，是社会上大部分人道德水平的整体反映，也是社会成员在复杂的社会生活中实现价值追求的综合样态。道德具有整全性，是人的综合性品质，“是一个融合了身体经验与心灵感受、情感体验与理性思考、信息知识与行为方式、是非判断与情境抉择、坚强意志与灵活变通等多方面因素的整体性存在样态”[②]。单向度的考察无法说明学生的整体道德品质，只有将道德观念、道德情感、道德判断、道德行为 / 亲社会行为综合在一起，才能看到学生道德成长的整体面貌。由于学术研究的目的在于发现问题，所以从文献中浮现出来的不同时代学生的道德面貌往往有积极与消极的双面形象。这种双面性一方面反映着同一时代学生道德面貌的复杂性，另一方面也反映着不同时代学者心中理想的学生形象。其实所谓学生道德面貌的消极面也就是现实与理想对照下的不足，或者说是现实在理想映照下的缺憾。下面尝试依据现有

---

① 徐少锦，温克勤．伦理百科辞典［M］．北京：中国广播电视出版社，1999：21.

② 孙彩平．小学品德课程核心素养刍议：一个实践哲学的视角[J]. 中小学德育，2016 (9)：9 – 13.

研究，对 21 世纪前、新时代前和新时代以来的中国学生道德风貌的两面性进行概括。

一、健康爱国与动摇迷茫

21 世纪前在改革开放中成长的中小学生整体上是健康向上、爱国、爱社会主义的。根据李怀美对天津地区 900 名中小学生的研究[①]和李伯黍团队在全国范围对中小学生多次调查的结果[②]，20 世纪 80 年代的中国学生在道德概念的掌握、道德判断及道德评价三方面发展的总趋势是一条逐步上升的曲线，在坚持道德准则上是稳定的；相比皮亚杰的研究，道德主观性判断成熟的年龄提早 3 年，公正观念的形成提早 1—2 年。根据黄鹂对安徽省 1000 名小学生的调查[③]和中国青少年研究中心课题组对 20 个省、5 万青少年的调查研究[④]，20 世纪 90 年代安徽学生品德发展在总体上是健康的（均分 77.5 分），全国青少年是爱国的，而且爱国与爱社会主义保持着高度的一致性。

同时，社会的整体转型也带来社会价值观念的震荡与变化，处于巨大社会变迁中的 21 世纪前的学生在道德风貌上也表现出一定程度的价值观迷茫与动摇。这种动摇和迷茫表现在很多方面。李怀美在 20 世纪 80 年代后期对天津市中小学生的调查中发现，在当妹妹遇到生命危险的情境中，虽然多数学生认为姐姐应该去救妹妹，就是救不上来，自己牺牲了也光荣，

---

① 李怀美．天津市中小学生道德认识发展的调查研究［J］．天津师大学报，1986 (5)：19 － 23.

② 李伯黍，岑国桢，陈欣银，等．中国的儿童道德发展研究［J］．上海师范大学学报（哲学社会科学版），1987 (4)：78 － 84.

③ 黄鹂．关于小学生品德发展的调查分析［J］．心理学报，1992 (1)：108 － 112.

④ 中国青少年研究中心课题组．中国青少年思想道德文化发展的现状与对策［J］．中国青年研究，1996 (6)：4 － 15.

否则要受良心谴责，但也有很大一部分学生则认为下去救不上来，两人一起死，不该做这种无谓的牺牲。[①] 黄鹂的研究发现，20 世纪 90 年代初的小学生在与别人分享方面表现良好，但在帮助和同情方面表现却不尽如人意；纪律观念较差却也不"惹是生非"。[②] 中国青少年研究中心课题组的研究发现，20 世纪 90 年代后期的青少年虽然关心国家前途命运，但对社会利益分配中的不公现象表示不满；普遍认同个人价值与集体价值相结合的价值取向，但拜金主义、享乐主义和极端个人主义的影响依然存在；对社会公德的认知水平较高，但其公德素养与社会发展要求存在差距；赞同新的家庭伦理观念，但家庭责任感有所弱化。[③] 陈会昌的研究发现 20 世纪 90 年代末，老师们普遍认为中小学生思想品德状况总体来说不能令人满意，和 20 世纪五六十年代相比是倒退了；学生的主流意识越来越淡，思想越来越发散、多元，缺乏远大理想及吃苦耐劳的精神，集体主义淡漠，以自我为中心，个人主义、享乐、攀比盛行。[④] 王莉萍认为这一时期的青年表现出强烈的社会责任意识与信念摇摆并存，强烈的道德规范意识与道德困惑同在，强烈的成才意识与学风不正兼容，强烈的竞争意识与竞争行为简单盲目共生的矛盾与冲突性的精神面貌。[⑤]

---

① 李怀美 . 天津市中小学生道德认识发展的调查研究［J］. 天津师大学报 , 1986 (5) : 19 − 23.

② 黄鹂 . 关于小学生品德发展的调查分析［J］. 心理学报 , 1992 (1) : 108 − 112.

③ 中国青少年研究中心课题组 . 中国青少年思想道德文化发展的现状与对策［J］. 中国青年研究 , 1996 (6) : 4 − 15.

④ 陈会昌 . 当代青少年 : 充满矛盾的一代——中小学生道德发展与教育之一［J］. 河南教育 , 1998 (3) : 26 − 27.

⑤ 王莉萍 . 当代青年道德素质现状及发展趋势［J］. 内蒙古师大学报 (哲学社会科学版), 1999 (4) : 52 − 55.

二、务实独立与虚实分离

经过20多年改革开放的努力奋斗，随着中国社会的全面进步，生长在新世纪的中小学生在生活中基本上摆脱了饥饿和贫困的威胁，过上了丰衣足食的日子。新世纪学生也是伴随着网络生活成长起来的“数字原住民”，自由、个性、多元、去规则的虚拟空间对其成长产生了实质性的影响，在虚拟与现实间穿梭的生活也给他们的道德面貌带来新的特征。

诺丁斯（Nel Noddings）认为幸福生活有助于德性成长。成长在幸福生活中的新世纪学生整体上表现出积极向上的道德面貌。骆风等对东南四省市16个城市小学生的调查认为，新世纪东南沿海地区小学生的品德发展态势良好，进步趋势强劲。[①] 佘双好对包括湖北省在内的十省市青少年的调查[②]，徐连萍等对四川省青少年的调查[③]，张华于2003、2008和2010年的三次调查[④]都证明，新世纪青少年在“爱国”与“叛国”等大是大非的问题上，态度正确鲜明，爱国热情高涨。佘双好的调查还发现和平、公正、和谐、诚信的价值观在新世纪青少年心中有很高的认同度；徐连萍等的调查发现社会主义核心价值体系在新世纪青少年中有了一定的传播，他们愿意维护集体利益，对社会主义核心价值观、公共道德、传统美德都表现出较高的认同并遵从。刘金凌的调查发现，西南多民族地区青少年对“孝顺父母是否过时”回答“永远不过时”的占88.59%，

---

① 骆风，蔡玉荣，施结强．当前小学生的道德面貌及其教育对策：基于东南四省市的调查和思考［J］．中国教师，2006（4）：31－33.

② 佘双好．青少年思想道德发展的新走向［J］．政工研究动态，2007（15）：27－29.

③ 徐连萍，杜维彦．社会变革时期四川青少年道德发展现状调查分析［J］．现代农业，2009（1）：109－110.

④ 张华．改革开放30年青年思想信仰、价值观念的发展轨迹［J］．当代青年研究，2008（12）：32－40.

排在第一位。[①]

同时，新世纪学生的人生目标从理想的天空回到了现实的土地上，他们关心身边更具体、更实际的问题，对成功与失败的归因更加强调自身素质，归因态度积极理性，道德选择追求务实性。他们的社会参与意识增强，参与领域不断扩大。前面提到的张华的调查发现，21 世纪青少年开始关注人与自然的和谐、社会热点问题，关注公共福祉、国家利益，环保意识明显增强，政治参与积极性不断提高，在公益事业中表现突出，会通过互联网勇敢捍卫国家形象。另外，这一时期学生的独立意识、自我意识增强。他们摒弃权威，厌恶别人对他们指手画脚；青少年追求平等互利的个人与集体关系，“在不损害他人利益的前提下谋求个人正当利益”是青少年最普遍的选择。除此之外，学生自我意识的增强还引起了“自我中心主义”、人生目标轻度功利化、在处理个人与集体关系方面个人价值取向普遍存在等问题，这些在前文提及的徐连萍、刘金凌等的调查研究中均被发现、论证。

与网络共成长的新世纪学生面临着网络生活与现实生活间的不断转换。网络生活成为他们不可或缺的一种生活内容和生活方式，深刻影响着他们的观念、人际交流方式和学习方式及闲暇生活。王斌等人的调查发现，中学生的道德判断能力较差，难以应对千差万别的具体道德情境。在现实中受挫折的学生有可能在网上寻找到精神慰藉，因为在网上更能感到自身价值，这使得学生进一步疏远了现实的道德体验，甚至有些学生利用网络世界的虚拟性，大肆谩骂攻击。一些自控能力较弱的学生，往往会出于好奇或冲动心理寻找一些暴力、色情信息。[②] 孙彩平等的研究也发现，学生网络生活中的语言文明与现实生活中存在着较大的差距，游戏中的暴力体

① 刘金凌．青少年道德发展特征实证研究［J］．辽宁师专学报（社会科学版），2010（4）：61－63.

② 王斌，熊英，刘琍琍，等．关于网络对中学生思想道德发展影响的调查与思考［J］．江西教育科研，2002（9）：15－16.

验也会对学生的现实行为产生一定程度的影响，正在形成中的学生的价值观也容易受到虚拟空间消极价值观的影响。[①]杨小微[②]、朱淑侠[③]、刘金凌[④]等在调查中也相继发现，中小学生的道德行为大多与道德认知存在一定差异，道德认知和道德行为出现矛盾性，对社会主义核心价值体系总体认同程度较高，但在具体事项上难以做到知行统一。

三、勤奋守正与慵懒利己

进入新时代，精神文明建设成为民族复兴的不竭动力。凝聚社会核心价值，赓续中华文化传统，成为国家文化建设战略。积极践行和落实社会主义核心价值观成为各行各业的重要任务，依法治国成为国家发展的方向。享受并体验着丰富的物质资料与精神资料，新时代学生的道德面貌也得以不断发展完善。

新时代学生普遍爱党爱国，自觉践行社会主义核心价值观，乐于弘扬传统美德。2017 和 2020 年，孙彩平团队完成两次全国大样本儿童道德发展状况的综合性调查，时隔三年，新时代学生的道德状况有着细节上的变

---

① 孙彩平，石榴，徐静，等．全国中学生网络生活 10 年跟踪调查结果显示：网友对青少年的影响正在扩大［J］．辽宁教育，2016 (8)：12 － 15；孙彩平，刘文亮．青少年网络生活的道德状况及对道德教育的挑战［J］．思想理论教育，2010 (6)：16 － 20；孙彩平，耿少萍，曹艺珂，等．“数字原住民”的网络生活：小学高年级学生网络生活及其道德状况调查报告［J］．教育家，2016 (17)：44 － 47.

② 杨小微，金学成，武云斐．中小学生道德价值取向的新变化：“价值多元化背景下的学校道德教育改革与德育环境重建”的调查［J］．教育科学研究，2008 (10)：32 － 38.

③ 朱淑侠，叶超，王方．青少年思想道德素质发展的实证分析：以安徽省现阶段为例［J］．安徽广播电视大学学报，2010 (1)：72 － 76.

④ 刘金凌．青少年道德发展特征实证研究［J］．辽宁师专学报（社会科学版），2010 (4)：61 － 63.

化，但守传统、爱国家、尚正义、守规则、重勤奋的整体道德风貌是一致的。[①]杨雄等对10个省市6785名全日制中学生的调查证实了中学生主流上爱国家、有传统、讲诚信、守规则的基本结论。其中97.4%的中学生明确表示“为自己是中国人而自豪”，73.1%的人明确表示不赞成“如果其他国家的条件比中国好，我就愿意到那个国家去工作和生活”。同时，82.6%的中学生在过去的一年中记得父母生日并向父母送出生日祝福，93.2%的中学生表示在父母生病时会更关心父母并力所能及地照顾父母；68.7%的中学生表示能够做到“排队时不插队”，85.8%的中学生能自觉遵守交通规则，92%的中学生表示自己注意爱惜学校的公物（如桌椅、清洁用品、墙壁、体育器材和图书等），对于一些游客喜欢在景点上乱涂画的行为，97.7%的中学生认为“非常不好”；发现营业员多找10元钱的情况下，有82.3%的中学生表示会“马上去商店退回多找的钱”。[②]叶荣国等在安徽省的调查也发现，94.8%青少年认为“助人为乐”非常必要或比较必要；86.7%的青少年选择积极主动参加学校组织的社会志愿服务；对传统文化中的“孝悌忠信礼义廉耻”，65.4%的调查对象持有条件认可态度，25.7%的调查对象无条件认可。[③]刘永生的调查结果也显示，青少年具有尊敬师长、孝敬父母的传统优良品质，社会正义感普遍较强，有一定是非观念。[④]

另外，新时代学生是主体意识突显的一代。刘永生的调查发现，这个阶段的青少年主体性突显，愿意独立思考，人生目标更具务实性；杨雄等

---

① 孙彩平．分层与分叉：当代中国儿童道德发展调查报告(2017)［J］．教育科学研究，2018(2)：10－19；孙彩平，周亚文，司马合强．中国儿童道德发展报告2020［M］．北京：科学出版社，2022．

② 杨雄，魏莉莉，刘程，等．当代中学生思想道德发展的新特征：基于全国十省抽样调查的统计分析［J］．中国青年研究，2020(8)：103－111．

③ 叶荣国，李珂．当代青少年道德发展的现状、问题与教育策略：基于安徽省1724名青少年的调查分析［J］．安徽广播电视大学学报，2020(1)：36－40．

④ 刘永生．发达省份落后地区青少年思想道德现状、问题与对策分析：基于广东省韶关市乳源瑶族自治县460名青少年的实证调查［J］．青少年研究，2014(5)：30－35．

的调查也认为多数中学生理性又务实，具有良好的环保意识、较强的社会参与和奉献意识、较强的怀疑精神和一定的创新意识；叶荣国等的调查也发现，大多数青少年会尊重父母同时坚持自己认为正确的意见。

由于生活水平的提高，网络生活的多元，新时代的学生也存在着慵懒利己的道德风险。叶荣国等人的调查发现，青少年普遍痛恨社会假丑恶现象，但部分人难以抵御“实惠”的诱惑。如在对待学业考试中的同学作弊行为，青少年普遍认为不应该，有违诚信原则，也无益于个人品德，但看到同学作弊时，能够坚持诚信考试、抵制诱惑的占 65.8%，能够坚决制止的仅占 13.2%，选择听之任之的占 10.8%，甚至有 10.2% 的调查对象想作弊，只是不敢作弊而已。杨雄等人的调查发现，部分中学生虽然会敬佩他人艰苦奋斗的事迹，但自己吃苦耐劳的意愿却并不强。在军训感觉到累的时候，只有 62.8% 的中学生表示会“坚持到底”，而有超过 1/3 的人会选择放弃，有相当比例的高中生在“幸福是靠奋斗出来”的问题上存在模糊认识。同时，部分中学生的文明道德行为表现得并不充分。如在遵守规则方面，在排队时如果队前有熟人，有 2.8% 的人会选择“主动去找朋友，并直接排在朋友的后面”，22.4% 的人会选择“主动去找朋友，并问朋友后面的人是否介意排在他 / 她前面”，6% 的人会选择“如果朋友叫我过去插队，我就去”。

在公益与私利问题上，私利优先的倾向在一定范围内存在。孙彩平基于调查提出，当代学生的价值观念、行为表现存在明显的公私分层，其道德发展出现了关注自我和个体功利的价值理性突显的状况，对他人的关怀、集体责任感出现削弱，明哲保身行为出现增长趋势，而且中学阶段这种趋势更为明显。叶荣国等的调查也发现，青少年在道德价值取向上存在过度关注自我的趋向。34.9% 的当代青少年认可集体利益优先，超过半数的青少年追求个人利益，23.3% 的青少年希望个人与集体利益兼顾，而 37.9% 的青少年选择在不损害集体利益的前提下，谋取个人合法利益。杨雄等人的研究也发现，部分中学生的人生观与价值观呈现出功利化、庸俗化倾向，尽管多数中学生认为人生最重要的是“对社会有贡献”，但仍有部分人选择了“发财”“当官”“出名”等功利性目标作为人生追求。同时，在个人与集体关系方面，部分中学生存在更注重个人利益的倾向，有 47.9% 的人认为“比别人做得更好，对我来说很重要”。另外，面对社区（村）里乱堆杂物、乱丢垃圾的现象，虽然多数中学生表示会采取适当的行动，但也有 11.5% 的人表示“把自己家门口弄干净就行”、1.9% 的人表示“这是大人的事，和我无关”。

学生的道德面貌在一定程度上决定国家未来的道德风尚，通过历史进程看到不同时代学生道德面貌的变迁，了解其道德面貌和目前存在的道德风险，有助于及时发现问题，作出正确的回应，在家庭、学校和社会的共同努力下，帮助学生健康向上成长。

余　论
智能时代德育评价的突破与挑战

德育评价研究与实践的进程告诉我们，德育评价不仅依赖理论创新，也与社会技术变革密切相关。2011 年在汉诺威工业博览会上，“工业 4.0”的概念被首次提出。所谓“工业 4.0”，是基于前三次工业革命开启的时代(“机械化”“电气化”“自动化”时代）作出的工业发展阶段划分，不少研究者认为其代表着“智能化”时代的到来，或者把它称为“第四次工业革命”。“第四次工业革命”依靠以数据的获取和分析为核心的智能技术，不仅会如同前几次工业革命一样影响人类的生产力，其中以万物互联、人机互联为目标的未来技术，还必然极大地改变人类的生活方式、价值观念，也必然带来以知识文化传播变革为主要形式的整个教育和德育面貌的变化，带来德育评价的突破口与新挑战。

一、智能时代的德育样态

随着智能时代的到来，学校整体环境和教育过程必然得到全面的技术升级，呈现智能化的德育样态。从构成德育的三个核心要素来看，智能化的德育会完全不同于当下我们熟悉的学校生活，甚至会走向伊万·伊利奇（Ivan Illich）在《去学校化社会》中所提倡的：学校成为一个自主学习中心。首先从教育内容的载体来看，当下随着数字化技术的不断发展，原来教室里充当教育内容展示平台的黑板正在被电子显示屏和平板电脑取代，不难想象，书本最终会被数字化的学习资源代替，如同无纸化办公一样，无纸化教学最终也可能会实现。高度智能化时代的教室，应该不会再有一排排整齐摆放的课桌椅，取而代之的应该是一台台电子设备，其中存储着适合不同学生的学习资料。信息传输方式会更为多元，在学习中，声音、立体图像、身临其境的多维虚拟体验会代替单纯的以文字为媒介的想象。

“读书”式的学习会发生根本性的变化。阅读依然会作为一种学习方式保留，但网络上的对话、讨论、模拟操作、在虚拟实验室尝试各种问题解决路径会成为新兴技术支持的主流学习方式。除国家要求的必修课程外，学生的学习还可以根据自己的兴趣、学习速度进行个体化的选择，学习过程中的困难可以通过（预约）线上老师和加入主题困难解决小组得到解决。教师的教学也会完全不同于现在的情况：在一个固定的教室里，教师给全班同学逐篇地讲解课文、公理和题目。教师的工作重心会提前到备课环节。在这一环节，根据学生学习的兴趣和潜力准备不同的学习模块。所以备课不再是把课程标准或教材内容熟悉了解清楚，而是对学生要学习的内容按照学生的不同兴趣、要求设计成多样的形式、进度，提供相应的挑战练习，并根据学生的学习情况及时进行修改和完善。在相当于传统课堂的上课环节，老师要做的是通过网络密切关注学生的学习情况，回应学生学习时上传的问题或信息，帮助学生顺利完成每个单元的学习进度。上课环节教师更类似于学生智能化学习助手，或专题困难解决小组中的指导者。考虑到义务教育阶段的统一性要求，在义务教育阶段的学习内容，应该由国家统一的智慧教育服务平台提供——教师可以参与国家数字化教学资源的开发，每位老师都可以对这些统一的学习资料根据自己学生的情况实现类型化、个体化的转化。

二、智能时代德育评价的突破

可以看到，即时信息和网络化交流将成为智能时代德育样态的核心环节，而这恰恰为德育评价诸多疑难问题的解决提供了新的可能。

首先，德育评价的信效度问题有望得到彻底解决。

信效度成为困扰当前德育评价的核心问题，根本原因在于当前德育评价的基本数据获取方式。限于技术和成本，当前的德育评价在无法获得全部数据的情况下，普遍采用抽样法，即以部分代表全部。其理论前提是学生的道德发展存在着一定的类型性特征，具有同一类型特征的学生群体在道德发展上是同样的，所以只要按照类型划分原则抽取出相应代表，就可以获得全样本测验。所以调查研究中抽样原则会受到特别关注，因为如果抽样不合理或不严谨，就无法实现这一理论假设。如果德育评价的数据采集样本出现偏差，其信效度自然会受到影响。影响信效度的另一因素是调查工具，其原理跟抽样是类似的。调查工具信效度高低的关键在于调查所用题目是否能够准确反映（代表）所调查指标，这一准确性依赖于对指标的二次分析和题目设计（表述和选项），以测验的一致性和稳定性作为可靠性依据。这需要以排除被试的反测验意识为前提。如果一个被试知道你在测他 / 她对家人的责任感，他 / 她可能会有意识地让自己通过问题回答表现得很有责任感，这就导致测验的信效度失灵。失灵的原因，在于他 / 她在回答问题时提供的信息与他 / 她的日常表现间的不一致。所以也可以说，调查工具的信效度的关键在于被试在测验中提供的信息对他 / 她日常表现的代表性。

智能时代的德育，由于其内容、过程和师生间互动的全程都有了记录，甚至每个人的生命轨迹，包括行动过程的心理和生物反应都可以通过摄像头、数字化穿戴设备全部进入到大数据中，借助超级算法可以即时完成数据的分析与处理过程，所以“抽样”和“代表性”在智能化时代已经没有必要。技术进步使德育评价可以不再冒以部分代表全部、以局部代表全体、以有限时间的反应代表全时空反应带来的准确性风险，这使因抽样和代表性而产生的信度、效度问题得到彻底解决。智能时代的到来使德育评价解除了信效度的束缚。

其次，德育评价的数据剥离在一定程度上成为可能。

德育评价的一个隐痛在于：以学生道德状况作为学校德育结果的假设是有漏洞的。学校德育就其发生情境而言是有时空边界的，学校时空外的家庭和社会生活也同样对学生的道德成长产生着影响。学生在某一时刻（测验时刻）的道德表现，是学校、家庭和社会影响有机结合的产物。即使不考虑“有机结合”过程中“有机”反应的复杂性，也应该从学生反应中剥离出家庭和社会时空中的教育活动影响，剥离之后的结果才可以归入学校德育之内。这在智能时代到来之前是不可能的。与剥离比较接近的努力，是把德育评价的内容限制在学校德育专设范围内，以此来考察德育的效果——这当然是以点带面的，会产生信效度漏洞。这就如同数学教育评价时考查一元二次函数的内容，因为这个内容学生在日常家庭和社会生活中没有人教（不考虑课外培训和家庭教育），所以学生在考查中的表现被默认为是学校数学教育的结果。但问题的关键在道德与数学不一样，数学教学因内容的抽象性而存在着与日常生活——不管是家庭生活还是社会生活——的自然分离，但道德是扎根在家庭和社会生活中的，如果没有这个根基，道德就如同离水之鱼。所以通过限制学校专门的教育内容的方式进行德育评价的路线是不足取的。

数字化时代的到来，使德育评价数据的采集至少可以通过时空维度的划分，将学校德育活动与学生表现与其他时空进行剥离，这使得对学生校内表现的独立分析在一定程度上成为可能。同时可以通过全域数据的相关性分析，追索到学校德育活动对学生影响在其全域生活的持久性和稳定性状况。之所以说“在一定程度上成为可能”，是因为即使是学校时空中的表现，也是建立在前期家庭和社会生活经验之上的，是与家庭和社会生活共同影响的结果，因而严格说来也不只是学校教育的影响，学校教育只是一种在前期底色上的又一个涂层。但技术支持下的时空数据分离，至少使学校、家庭和社会德育关系由黑箱状况发展到有了一定程度的分化，近似于转为了隔断观察。

最后也是最关键的一点，德育评价可能实现道德的综合性评价，而非单一因素分析。

进入智能时代前的德育评价在关注学生道德发展的视角中，为了追求科学品质，通常采用心理学的思路。而心理学视角中道德评价的两个标准——健康和发展——都是分析的思路。理性主义和精神分析的思路，或者关注人的理性 / 意识对道德的影响，或者关注无意识对人格健康和发展的影响。执其一端的思路从科学研究的角度而言有利于对问题的深度把握，但不利于对问题的整体考察。但这对于作为综合实践智慧的道德来讲，是非常关键的问题。道德是一种综合性的实践智慧，不完全由理性决定，当然也不完全由无意识决定，因而道德认知判断的研究面临着知对行的影响度的质疑，移情的研究也只是说明一种情感状态和行为的相关性，而非生活情境中的行为必然。单因素的德育评价思路，源于理论假设的局限性，也源于数据采集和分析技术的限制。

如上文所分析的，智能化的新德育样态，使校园生活和师生互动的全程数字化成为可能，以接近全时空的视频图像和穿戴设备为数据终端，就意味着道德数据的全方位多情境采集成为可能，这不仅取消了抽样带来的信效度问题，也使我们可以完整地看到不同情境中人的整体化表现。不是单一的情感、理性和行为，而是完整的、活生生的人，这是道德存在的原生态呈现，因而也最接近人的德性本身。这使德育评价最终摆脱以部分或部分之间的加和说明德性整体的困境，使道德评价回到人的整体评价。接下来理论要研究的课题，就不再是究竟是理性还是情感是德性的决定因素，而是在充满不确定性的生存情境中，人如何在当下的理性与情感、意愿等精神因素的综合支持下，不断超越自我，走向完满人性的努力。关注整体性与纠缠态的量子哲学可能会成为智能化时代德育评价的新思维方式。

三、智能时代德育评价面临的新挑战

当然，智能时代的德育评价也面临着新的挑战。首要也是最大的挑战是理论与思维方式的挑战。从线性分析思维到纠缠性整体思维，是思维范式的转变，与之相应的认识论也在 20 世纪经过现象学、量子哲学、后现代哲学等一系列突破后，结合新的生活形态与生存方式提出新的理论设想，包括在不确定性原理框架下对测验所得结果的审慎态度。上述问题都需要广泛深入的理论探索，这里无法具体展开，只简要分析一下智能时代所面临的实践中的具体问题。

首先是智能技术作为教育基础设施带来的巨大经济和技术挑战。以上对智能时代德育评价新可能的设想，是以德育高度智能化为前提的，这意味着上述突破都是有硬件要求的。目前，比较先进的德育课堂和学校也只有摄像头、录播教室，发达地区的少数课堂，学生可以通过平板电脑进行问题反馈和作品呈现，这只能算是智能化时代的开端，离真正的智能时代的德育还有相当的距离。而在经济发展相对落后的偏远山区，黑板加课本依然是教学的主要形式。德育过程的数字化首先需要学校基础设施的数字化和网络化。这不只是技术问题，更是巨大的经济投入。当然，随着网络技术的普及，学校数字化建设的成本也会有所降低，但其数额仍然会超出想象。根据 2021 年的数据，全国义务教育阶段学校有 20.72 万所，以每所学校的数字化需要 10 万元计，则是 200 多亿。而显然，以目前的学校智能化状况，要实现高度智能化的学校，一所学校 10 万元的建设费是远远不够的，即使不计网络运营费用，单就数据终端设备——显示器、录播设备，就远不止 10 万元，如果加上学生的可穿戴设备，所需要经济支持更是不可计数。在不可能一次性完成的情况下，德育智能化问题就转化成一个累积过程。在这个累积中，不能只计算每所学校智能投入的总量，还必须在总投入中去除中间消耗量，如设备损耗、更新的相关费用。因而，真正在实践中实现德育评价的上述突破，不只是一个理论研究的问题，也不只是技术进步问题，首先和最重要的是学校数字化升级的经济投入问题。在这一问题解决之前，德育评价的技术化困境是无解的。

其次是教师的数字素养挑战。如果说学校的数字化工程是德育评价实现技术突破的硬件，教师的数字化素养则是德育评价智能化实现的软件。教师的数字化素养当然是以数字技术的算法升级为前提的，理论上这是更为基础的软件要求，是教师数字化素养天花板。当下教师教育中，数字化素养还停留在基本技能层面，限于网络资源的查找、基本课件的制作、初步的多媒体材料使用和简单加工。数据的采集和分析处理这一智能德育评价中的核心数字要求还没有列入教师的数字素养之中，目前仅列为教育科研方法中量化研究的相关内容。而由于教育科研能力往往是研究生教育阶段的课程目标，所以绝大多数本科学历的一线老师缺乏数据处理的能力，也没有数据收集的意识。数据收集意识意味着，认识到所有的数字化的教学过程都是原始数据，学生在数字化学习过程中的选择、参与和互动都是德育评价的材料，教学过程本身就是德育评价的数据收集过程。而且在超强算法的支持下，数据收集与分析过程几乎可以说是同步的。所以数据意识的本质是将德育过程——包括教师自身、学生和学习内容三个要素，也包括三者间的有机互动过程——自觉地转化为德育评价的数据来源和分析资料，从这些数据中及时发现德育问题并推进德育进程。所以，在智能化德育中，数字素养成为与教学素养一样的基础性素养，是每位老师的必备专业技能。目前看来，教师的数字化素养离智能德育评价的要求还有很长一段路要走。而要完成这一转变，需要在教师教育环节实现新的突破。

最后是数据使用的伦理挑战。这也是所有新技术在推进中面临的人文挑战。如上所述，智能时代德育评价的突破依赖全时空的数据采集的实现，而这必然带来巨大的伦理问题，其中最为核心的是个人隐私权问题。全时空的数据意味着数据采集范围突破私人领域，在这种情况下如何保障学生包括家庭的隐私权成为智能德育评价必须妥善解决的新问题。其实类似的问题在公共空间的摄像头安装上已有先例。目前对这一问题的处理采取了两个方面的限制：一是摄像头的数据采集范围必须限于公共空间，从而使数据采集远离私人生活，使隐私权得到很大程度的保护；二是限制数据的使用权，只有公共安全系统才有权查阅这些数据，这样就使得采集到的数据不为大众所知，使个人的权利得到保护。目前这一有限数据使用的方法为公共安全提供了巨大的帮助，同时也获得了民众的广泛认可。借鉴这一思路，智能德育评价也可以从对数据采集和使用的规范入手解决其伦理问题。一方面依据伦理道德的核心内容为人际交往和社会空间的特点，将数据采集的时间和空间进行有效限制，放弃学生个人生活空间的数据收集；另一方面限制学生数据采集的使用范围，将其限于教育领域的研究和管理，不能对外公开。实际上，当下所有经验研究中的数据使用也有明确的伦理要求，如通过不具名的方式实现对个人数据的保护。而在智能化时代，全社会数字信息保护的法律和制度也应该更为健全，这也会带来教育领域数据保护措施的提升。

智能时代已经到来，我们满心欢喜地看到德育评价难题获得解决的希望，也对它可能带来的新挑战充满忧虑。希望与挑战并存是存在的必然际遇，所以唯有朝乾夕惕，奋然前行。

主要参考文献

一、中文文献

[1] 诺伊曼 . 深度心理学与新道德 [M] . 高宪田，黄水乞，译 . 北京：东方出版社，1998.

[2] 涂尔干 . 道德教育 [M] . 陈光金，沈杰，朱谐汉，译 . 上海：上海人民出版社，2001.

[3] 安娜斯塔西，厄比纳 . 心理测验 [M] . 缪小春，竺培梁，译 . 杭州：浙江教育出版，2001.

[4] 班华 . 现代德育论 [M] . 合肥：安徽人民出版社，1996.

[5] 威廉姆斯 . 道德运气 [M] . 徐向东，译 . 上海：上海译文出版社，2007.

[6] 陈桂生 . 中国德育问题 [M] . 福州：福建教育出版社，2006.

[7] 休谟 . 道德原理探究 [M] . 王淑芹，译 . 北京：中国社会科学出版社，1999.

[8] 休谟 . 人性论：下册 [M] . 关文运，译 . 北京：商务印书馆，2011.

[9] 迪尔凯姆 . 社会学方法的规则 [M] . 胡伟，译 . 北京：华夏出版社，1999.

[10] 翟天山 . 教育评价学 [M] . 北京：高等教育出版社，2003.

[11] 比斯塔 . 测量时代的好教育：伦理、政治和民主的维度 [M] . 张立平，韩亚菲，译 . 北京：北京师范大学出版社，2018.

[12] 古贝，林肯 . 第四代评估 [M] . 秦霖，蒋燕玲，译 . 北京：中国人民大学出版社，2008.

[13] 阿伦特 . 责任与判断 [M] . 陈联营，译 . 上海：上海人民出版社，2011.

[14] 胡塞尔 . 欧洲科学的危机与超越论的现象学[M]. 王炳文，译 . 北京：商务印书馆，2017.

[15] 胡卫 . 学生品德测评 [M] . 上海：华东师范大学出版社，1992.

[16] 康德 . 实践理性批判 [M] . 韩水法，译 . 北京：商务印书馆，2000.

[17] 柯尔伯格 . 道德教育的哲学 [M] . 魏贤超，柯森，等译 . 杭州：浙江教育出版社，2000.

[18] 鲁洁，王逢贤 . 德育新论 [M] . 南京：江苏教育出版社，2002.

[19] 罗尔斯 . 正义论 [M] . 何怀宏，何包钢，廖申白，译 . 北京：中国社会科学出版社，1988.

[20] 海德格尔 . 存在与时间 [M] . 陈嘉映，王庆节，译 . 北京：生活·读书·新知三联书店，2012.

[21] 舍勒 . 伦理学中的形式主义与质料的价值伦理学 [M] . 倪梁康，译 . 北京：商务印书馆，2018.

[22] 韦伯 . 新教伦理与资本主义精神 [M] . 彭强，黄晓京，译 . 西安：陕西师范大学出版社，2002.

[23] 麦金太尔 . 德性之后 [M] . 龚群，戴扬毅，等译 . 北京：中国社会科学出版社，1997.

[24] 福柯 . 规训与惩罚 [M] . 刘北成，杨远婴，译 . 北京：生活·读书·新知三联书店，1999.

[25] 皮亚杰 . 儿童的道德判断 [M] . 傅统先，陆有铨，译 . 济南：山东教育出版社，1984.

[26] 荣格 . 分析心理学的理论与实践 [M] . 成穷，王作虹，译 . 南京：译林出版社，2011.

[27] 荣格 . 人格的发展 [M] . 胡清莹，译 . 北京：中华书局，2017.

[28] 孙彩平 . 中国儿童道德发展报告 (2017) [M] . 福州：福建教育出版社，2018.

[29] 孙彩平，周亚文，司马合强 . 中国儿童道德发展报告 2020 [M] . 北京：科学出版社，2022.

[30] 孙彩平 . 教育的伦理精神 [M] . 太原：山西教育出版社，2004.

[31] 内格尔 . 人的问题 [M] . 万以，译 . 上海：上海译文出版社，2021.

[32] 汪凤炎 . 中国传统德育心理学思想及其现代意义 [M] . 哈尔滨：黑龙江教育出版社，2002.

[33] 王汉澜 . 教育评价学 [M] . 开封：河南大学出版社，1995.

[34] 弗洛伊德 . 与自己对话的三个维度 [M] . 杨韶刚，张梦茵，朱采薇，译 . 北京：中国法制出版社，2018.

[35] 萧鸣政 . 德育测评 [M] . 长春：吉林教育出版社，1993.

[36] 肖鸣政 . 品德测评的理论与方法 [M] . 福州：福建教育出版社，1995.

[37] 谢新观，肖鸣政 . 德育测评的理论与技术 [M] . 北京：光明日报出版社，1994.

[38] 袁桂林 . 当代西方道德教育理论 [M] . 福州：福建教育出版社，1994.

[39] 蔡敏，论教育评价的主体多元化 [J] . 教育研究与实验，2003 (1) : 21 − 25.

[40] 陈桂生 . 重评凯洛夫《教育学》[J] . 河北师范大学学报 (教育科学版),1 998 (1) : 42 − 48.

[41] 陈慧娟，辛涛 . 我国基础教育质量监测与评价体系的演进与未来走向 [J] . 华东师范大学学报 (教育科学版), 2021，39 (4) : 42 − 52.

[42] 程晋宽 . 新世纪中国道德教育评价的思考 [J] . 教育科学研究，2004 (10) : 23 − 25.

[43] 戴高龄，王志坚 . 关于中学德育评价的思考 [J] . 中国教育学刊，1989 (5) : 36 − 39.

[44] 戴军 . 德育评价的当代困境与价值选择 [J] . 人民教育，2014 (7) : 67 − 69.

[45] 杜时忠 . 品德测评量化的贡献与局限 [J] . 教育理论与实践，1994 (3) : 43 − 45.

[46] 樊浩 . 当前中国伦理道德状况及其精神哲学分析 [J] . 中国社会科学，2009 (4) : 27 − 42.

[47] 樊浩 . 新中国 70 年伦理道德发展的精神哲学轨迹与精神哲学规律 [J] . 江海学

刊, 2020 (5) : 42 − 53.
[48] 冯建军 . 测量时代的德育评价 : 难为与能为 [J] . 中国电化教育, 2022 (1) : 1 − 8.
[49] 冯建军 . 学生思想品德评价的量化方法探讨 [J] . 河南师范大学学报 (哲学社会科学版), 1988 (4) : 95 − 98.
[50] 冯永刚 . 复杂科学视域下的德育评价 [J] . 外国教育研究, 2007 (11) : 40 − 43.
[51] 高德胜 . 德育学科教学评价的特殊性和基本原则 [J] . 首都师范大学学报 (社会科学版), 2000 (1) : 117 − 122.
[52] 何蔚祺, 罗文波 . 林德道德判断测验述评 [J] . 上海教育科研, 2007 (5) : 40 − 43.
[53] 胡卫, 欧阳宏森, 唐元, 等 . 学生品德评定指标体系的主成分、权重研究 [J] . 上海教育科研, 1986 (5) : 7 − 11.
[54] 黄济鳌 . 休谟道德评价理论研究 [J] . 现代哲学, 2003 (3) : 64 − 69.
[55] 黄立平 . 德育评价的缺失及对策 [J] . 基础教育研究, 2006 (4) : 6 − 7.
[56] 霍力岩, 黄爽 . 表现性评价内涵及其相关概念辨析 [J] . 西北师大学报 (社会科学版), 2015, 52 (3) : 76 − 81.
[57] 金东贤, 刘新成, 何蕊 . 学校德育评价改革的若干问题 : 基于《深化新时代教育评价改革总体方案》的思考 [J] . 教育理论与实践, 2021, 41 (10) : 19 − 24.
[58] 金生鈜 . 大数据教育测评的规训隐忧 : 对教育工具化的哲学审视 [J] . 教育研究, 2019, 40 (8) : 33 − 41.
[59] 李伯黍, 岑国桢, 陈欣银, 等 . 中国的儿童道德发展研究 [J] . 上海师范大学学报 (哲学社会科学版), 1987 (4) : 78 − 84.
[60] 李良方, 李福春 . 道德量化评价的批判与超越 [J] . 教育发展研究, 2018, 38 (Z2) : 117 − 124.
[61] 李凌艳, 蔡静, 郑巧 . 美国国家基础教育质量监测制度设计及启示 [J] . 比较教育研究, 2016, 38 (5) : 43 − 49.
[62] 李先军 . 论反思性道德评价 [J] . 教育学术月刊, 2009 (11) : 30 − 32.
[63] 刘云华, 段世飞 . 德国基础教育质量监测 : 结构、实施与功用 [J] . 比较教育学报, 2021 (2) : 62 − 76.
[64] 陆启越 . 德育评价范式 : 内涵、类型及演变 [J] . 大学教育科学, 2021 (1) : 78 − 84.
[65] 戚业国, 杜瑛 . 教育价值的多元与教育评价范式的转变 [J] . 华东师范大学学报 (教育科学版), 2011, 29 (2) : 11 − 18.
[66] 齐学红 . 中小学品德评价存在的误区及其改革对策 [J] . 课程 · 教材 · 教法, 2012, 32 (3) : 86 − 90.
[67] 石中英 . 回归教育本体 : 当前我国教育评价体系改革刍议 [J] . 教育研究, 2020, 41 (9) :

4 − 15.
[68] 孙彩平，周亚文. 追寻格局：中国文化伦理图式敞开与德育路向[J]. 教育研究，2021，42(8)：69 − 77.
[69] 孙彩平. 道德教育的空间思维：伦理空间视角下的道德教育[J]. 教育研究，2018，39(6)：33 − 40.
[70] 孙彩平. 分层与分叉：当代中国儿童道德发展调查报告(2017)[J]. 教育科学研究，2018(2)：10 − 19.
[71] 檀慧玲. 新时代我国基础教育质量监测的向度转变[J]. 教育研究，2018，39(6)：98 − 104.
[72] 唐汉卫，刘金松. 高考中的德育评价：新中国成立 70 年的回顾与展望[J]. 中国教育学刊，2019(10)：54 − 60.
[73] 汪凤炎. 中国古代品德考评方法及其对当代品德测量的启示[J]. 心理科学，2002(6)：729 − 730.
[74] 王殿军，鞠慧，孟卫东. 基于大数据的学生综合素质评价系统的开发与应用：清华大学附属中学的创新实践[J]. 中国考试，2018(1)：46 − 52.
[75] 王景英，梁红梅. 后现代主义对教育评价研究的启示[J]. 东北师大学报，2002(5)：112 − 118.
[76] 吴虑. 大数据支持下学习评价的价值逻辑[J]. 清华大学教育研究，2019，40(1)：15 − 18.
[77] 伍远岳. 教育质量监测的发展性价值及其实现路径[J]. 全球教育展望，2022，51(3)：20 − 32.
[78] 向玉乔. 中国传统道德评价的多元格局和当代价值[J]. 北京大学学报(哲学社会科学版)，2022，59(1)：32 − 41.
[79] 辛涛，李峰，李凌艳. 基础教育质量监测的国际比较[J]. 北京师范大学学报(社会科学版)，2007(6)：5 − 10.
[80] 徐芬，赵德成. 档案袋评价在中小学教育中的应用[J]. 教育研究与实验，2001(4)：50 − 54.
[81] 徐洁，尹鑫，陈含笑. 智能时代中小学德育评价变革探析[J]. 教育学术月刊，2022(4)：106 − 112.
[82] 徐士强，赵风波. 美国田纳西州教育增值评价模式及其论争[J]. 全球教育展望，2009，38(9)：52 − 55.
[83] 阎光才. 关于教育评价及其风险[J]. 教育科学研究，2010(4)：17 − 20.
[84] 杨向东. "真实性评价"之辨[J]. 全球教育展望，2015，44(5)：36 − 49.

[85] 杨晓江. 教育评估的科学性与科学的教育评估[J]. 教育研究, 2000 (8) : 33 – 36.

[86] 叶飞. 合格性评价：品德评价的一种合理选择[J]. 教育科学研究, 2010 (1) : 43 – 45 + 58.

[87] 叶飞. 回归本体价值的德育评价改革[J]. 南京社会科学, 2022 (1) : 147 – 154.

[88] 易凌云. "五唯"问题：实质与出路[J]. 教育研究, 2021, 42 (1) : 4 – 14.

[89] 尹伟. 德育评价的重心转向及其合理性辩护[J]. 湖南师范大学教育科学学报, 2015 (3) : 104 – 107.

[90] 张典兵. 德育评价研究30年：回溯·反思·展望[J]. 学术论坛, 2011, 34 (1) : 199 – 202.

[91] 赵德成. 表现性评价历史、实践及未来[J]. 课程·教材·教法. 2013, 33 (2) : 97 – 103.

[92] 赵敏. "线上档案袋"：德育评价的新探索[J]. 人民教育, 2018 (10) : 52 – 54.

[93] 赵之浩. 从赋值到增值：新时代学生德育评价的理念转型与实践探索[J]. 上海教育科研, 2021 (2) : 40 – 44.

[94] 朱德全, 吴虑. 大数据时代教育评价专业化何以可能：第四范式视角[J]. 现代远程教育研究, 2019, 31 (6) : 14 – 21.

[95] 邹太龙, 刘天琪. 大数据支持下学校德育评价的时代转向及其反拨机制[J]. 中国教育学刊, 2021 (12) : 91 – 97.

二、外文文献

[1] BOYD D R. The Kohlberg–Rawls connection: the moral core of liberalism exemplified in representatives of two disciplines [M]. Rotterdam: Sense Publishers, 2016.

[2] DECI E L. Effects of externally mediated rewardson intrinsic motivation [J]. Journal of Personality and Social Psychology, 1971, 18 (1) : 105 – 115.

后　记

尽管从事德育思考与研究已经二十多年，但由于个人偏好，我所关注的主要是道德教育的基础问题。近些年来，追随鲁洁先生和班华先生走进德育课程与教学领域，参与德育教材的编写，因而对德育实践也算熟悉，但德育评价真的是我没有多少思考的领域。多半是由于从 2016 年开始，我带着学生做中国德育数据库建设的项目，通过全国范围大样本调查研究，积累了当前中小学生道德品质和心理品质的几轮横断面数据，发表了 2017 和 2020 两版《中国儿童道德发展报告》，“中国德育研究大系”筹划之初，总主编才把“德育评价”一册的任务分给了我。其实做基础理论或者课程与教学分册对我来说相对更得心应手，接手德育评价，我是有些勉为其难和忐忑的。

好在“中国德育研究大系”的定位，是对新中国特别是改革开放以来的德育研究与实践进行梳理，强调以述为主、述论结合的写作思路，而且有整个团队各位专家帮忙对整体思路与框架进行把关，因而我只把这个任务作为带领学生对中国德育评价研究进行系统学习过程。有了这样的自我安慰，任务就显得亲近了些。然后在反复思考与讨论后，我还是想通过这次梳理为以后的德育评价研究提供一些新思路、新框架，因而在框架设计上有了多学科的视野，有了理论与实践的对话，也有了对中国儿童道德状况时代变迁图谱进行描述的规划。在我内心，也算是对当前德育评价局限于测量学和心理学思维、简单移植教育评价理论的一种突破。

突破总是不易的，当我着手去梳理德育评价的多学科基础时，才发现这一工作面临的挑战远远超出我的想象。这不仅仅是对三个学科中与道德相关问题的廓清和分析，更是对其各自不同道德评价脉络的发展进程的把握，几乎相当于从道德评价视角做一个哲学、社会学和心理学的学术史梳理。这对于教育学出身的人，显然是超出想象的。考虑到对其他学科的误读、误解和失之偏颇的巨大风险，我一度想放弃这一狂妄的设计。但在2022年暑假的资料梳理过程中，我被不同学科对道德评价的不同思路吸引，在资料阅读中也多次为自己的偏狭和浅薄而汗颜，于是想，也许有许多跟我一样的人，以前没有从这样的视角对德育评价进行过思考，这样的努力哪怕只是一个思路的启发也算是好的，如果能够对读者的知识面有所丰富，哪怕存在不足，总也比没有关注这个视角要好一些。于是这一狂妄的想法最终被坚持下来，而且在我完成这一章近6万字的整理后，自己确实觉得颇有收获。

就心理学视野而言，虽然当前的德育评价中，儿童道德发展理论有着主流地位，但实际上心理学中还有着以精神分析理论为主的人格健康评价，以及侧重情感线索的人格统一性评价，而后面两个角度目前在德育评价中关注较少。健康和统一性标准主要被放在心理教育领域。我希望对这两个视角的挖掘能够使心理学视角的德育评价形成健康—统一性—认知三位一体的综合框架，突破单一因素考察。社会学视角中的道德评价，往往以习俗规范的方式出现，在日常生活中通过社会舆论产生影响，在社会管理中通过奖惩制度体现，也有着个人修养与集体道德的区分，有着社会格局的差异与秩序，但社会学中的道德评价是侧重事实存在的，是以实际效果为考量指标的，有着明显的结果论倾向，其本身构成社会德育的重要一环。与社会学中道德评价的事实倾向相对，哲学视野中道德评价有着鲜明的应然倾向。在价值论诞生前，哲学中的道德评价或体现为对理想人格或精神境界的论证与划分，或体现为对人格评价原则或规范的讨论。在价值论诞生后，道德评价成为专门的哲学主题，其对评价对象、评价标准、评价影响因素的讨论更为深入。但这些至今都没有对德育评价研究和实践活动产生自觉的影响，不得不说是德育评价研究理论品质的一个缺憾。

阅读修改学生们完成的其他文稿的过程，也是我不断弥补自己知识漏洞的过程。第五章中的最后部分，实际上是整理汇总了不同时代中国学生道德品质的研究结论，尝试给出不同时代中国学生的道德画像。尽管限于已有文献的结论，这样的画像有着很大风险，但这一努力能够给读者一个历时变化的整体印象，还是有价值的。

此书初稿完成到与读者见面，已经过去了一年时间。除了上述提到的专家团队，也融入了湖北教育出版社编辑老师的大量心血和工作，各位编辑老师的鼓励和督促、认真的审校和指导，都让我们有了更多收获。希望这本书能够为将来的中国德育评价研究提供一个文献研究和思维框架的基础。

孙彩平

南京 · 清江花苑

2023 年 7 月 6 日